André Noufflard
Berthe Noufflard
leur vie
leur peinture

André Noufflard
Berthe Noufflard

leur vie
leur peinture

une évocation

par leurs filles et leurs amis
préface du Professeur Jean Bernard, de l'Académie Française

Au seuil de ce livre...

L'amour, la sagesse, l'harmonie que dégageaient deux existences vouées à l'amitié et à l'art, la discrétion parfaite de l'esprit et la sûreté de la culture, l'élégance enfin, dans les derniers temps, d'une souffrance physique surmontée, ce sont des vertus qui, de nos jours, peuvent emplir de nostalgie. Je garde en mémoire la voix et le visage de madame Noufflard, leur énergie volontaire et douce, le sourire accueillant de monsieur Noufflard, son attention, ses lointains intérieurs. Ces deux êtres se ressemblaient, d'un accord qui n'était en rien une habitude, mais plutôt le renouvellement continuel d'un même souffle, d'un même air. Climat qui est celui de leur peinture, reflet d'un temps où le bonheur de vivre faisait voir autrement que de nos jours le quotidien : temps où la nature ne se distinguait pas de l'âme, où le visage humain était préféré à la machine et non réduit à celle-ci. Cette peinture restera : malgré nous et la dureté de notre monde, elle témoignera d'un respect assuré et tranquille pour l'essentiel, qui ne change pas.

Alexis Emmanuel

Préface

J'ai vécu 61, rue de Varenne quelques jours en février 1943. Dans des conditions assez particulières et grâce à la générosité d'Henriette et de Geneviève. L'organisation de résistance à laquelle j'appartenais, avec laquelle je travaillais en Provence depuis 1942, se trouve soudain démantelée. Dénonciations, filatures, arrestations, exécutions se succèdent. Je parviens à échapper. Grâce à la complicité d'un cheminot, membre du réseau, je franchis la ligne de démarcation à Marmande, caché dans la cage à chiens d'un wagon de marchandises. J'arrive à Paris. Un refuge provisoire est nécessaire. Je suis à la fois en danger et dangereux, point tout à fait sûr de n'être pas encore suivi. Henriette et Geneviève n'hésitent pas un instant et accueillent ce repris de justice.

Henriette prépare et passe l'oral de l'internat. Geneviève poursuit ses études de musique. L'une et l'autre conspirent. Probablement (c'est le temps du malheur, de l'héroïsme et du secret). L'ancien et futur Jacques Monod, le futur Colonel Fabien ne sont probablement pas loin.

Souvent je suis seul. Je quitte ma chambre. Je vais à travers le grand salon aux volets mi-clos. Absents, Berthe et André Noufflard sont présents. Par les meubles qu'ils ont choisis, par les tableaux de leurs amis, Jacques-Emile Blanche, Henri Rivière, Lucien Simon, plus encore par cet équilibre des formes et des couleurs d'où naissent la beauté et la paix. Le livre posé sur une table, l'écharpe oubliée sur un fauteuil ont été, le livre posé, l'écharpe oubliée, aux seules places qui convenaient. Certaines femmes, certains hommes portent en eux ce pouvoir, sans doute inné, de donner la beauté et la paix. Quand ils sont, de surcroît, créateurs, de constants échanges se font entre la création d'une part, le don de beauté et de paix d'autre part. Tels étaient Berthe et André Noufflard.

L'époque était rude. A Stalingrad, à El-Alamein, le destin du monde se décidait. Nous ne sortions pas des années noires. Les meilleurs d'entre nous étaient tués, pis encore torturés, déportés. Pourtant le salon de Berthe et d'André Noufflard, le canapé anglais à fleurs, tel miroir me donnaient pour la première fois depuis longtemps le calme et même une sorte de bonheur. Une harmonie subtile et forte naissait de l'alliance établie entre la Toscane (qui a toujours chanté un peu dans la voix d'André Noufflard), l'Alsace, la Normandie et le septième arrondissement. Le septième arrondissement, placé comme le sixième arrondissement, au cœur du quadrilatère de la civilisation avec le bel hôtel du 61, rue de Varenne, l'admirable escalier, les ombres oubliées du Marquis de Mézières, de Charles de Rohan-Guémène, Prince de Montauban.

Entre les volets mi-clos, j'apercevais le jardin un peu triste avec ses grands arbres nus en ce mois de février. Un matin, très tôt, un homme pénètre dans le jardin. Je reconnais le concierge de l'immeuble. Protégé par les hautes murailles et par l'obscurité, il creuse. La terre du jardin est rejetée à sa gauche, à sa droite. Des armes paraissent. Fusils, mitrailleuses, revolvers, grenades. L'homme referme la fosse, la couvre de feuilles mortes et tout ahanant, emporte les armes.

Ainsi avec les fusils et les mitrailleuses, surgit à nouveau le présent. Dans le même temps, je suis protégé par les hauts murs de la rue de Varenne et de la rue Vaneau, Berthe et André Noufflard exilés, vivent protégés au Cireygeol. Dans le même temps, leur jardin de Paris recèle les armes de mort et de libération, Berthe et André Noufflard reçoivent l'héroïque Anne-Marie Bauer et les évadés qu'elle conduit. Ainsi se poursuivait dans le présent, une constante démarche du passé. Sans grandiloquence, avec une fermeté tranquille, la liberté, le respect de la personne humaine avaient toujours, pour Berthe et André Noufflard, représenté les valeurs fondamentales, comme la beauté, comme la création.

Je suis maintenant revenu dans ma petite chambre. Je pense aux rencontres passées de Berthe et André Noufflard, à une visite que nous leur avions faite à Sisteron, où ils passaient leurs vacances, à un déjeuner surtout à Sucy-en-Brie chez Florence et Elie Halévy. Un des convives était l'illustre et paisible Blaringhem qui faisait progresser notre connaissance de la génétique végétale. Tout autour de nous, des ombres fameuses, celles de Ludovic Halévy, de Georges Bizet, des Langlois, des Berthelot, des petites Cardinal et de Carmen, des horloges et des biplans, de la haute chimie et du Quai d'Orsay. Cette société, si remarquable, était fondée sur l'amitié, le respect de l'opinion d'autrui, le refus des tyrannies, l'amour de la beauté sous toutes ses formes. Elle était aussi modeste. Ou plus exactement, tenait pour toutes naturelles les œuvres des siens, si souvent géniales. Dans cette société, Berthe et André Noufflard étaient les représentants de l'art et surtout de la peinture. Ils succédaient à Degas disparu, à Jacques-Emile Blanche un peu éloigné, qui avaient antérieurement tenu cette place. Les mots de civilisation, de culture ont été employés dans des sens si différents qu'on hésite à les écrire. Pourtant dans le premier tiers de ce siècle, au sein de cette société du quai de l'Horloge, de la rue de Varenne, de Sucy-en-Brie, de Fresnay, ils ont défini une conception du monde, une mesure, une perception des valeurs véritables, une pureté, un désintéressement qui ont disparu avec cette société.

Berthe et André Noufflard ont subi certes de rudes épreuves mais ils ont connu deux bonheurs, le bonheur de la création, le bonheur de l'échange. Bonheur exprimé avec une émouvante simplicité par André Noufflard lui-même dans sa préface du Michel-Ange de Condivi : " Ceux d'entre nous qui ont eu le bonheur d'approcher un grand contemporain, d'observer ses gestes, son visage et l'expression de son regard, n'ont pas pour cela sondé son "subconscient", ni décelé ses "refoulements" et ses "complexes" (comme on aime à dire aujourd'hui). Ils se sont contentés de le voir et de l'entendre et d'en jouir en leur cœur et en leur esprit."

Professeur Jean Bernard,
de l'Académie Française.

Berthe et André Noufflard
ou l'itinéraire de la peinture heureuse

> « Un autre jour, Elie[1], entrant dans mon atelier, me dit qu'on pourrait y inscrire la devise de cadran solaire *Horas non numero nisi serenas.* »
>
> André Noufflard.

A ceux qui ne les ont pas rencontrés durant leur vie, André et Berthe Noufflard offrent dans la gerbe pour toujours entrelacée de leurs peintures, la confidence, émouvante et sincère, de leur journal intime.

Inconnus aujourd'hui du grand public ; oubliées les expositions chez Simonson, chez Brame, chez Bernheim à Paris, à la Galerie Wertheim à Londres qui les firent connaître, ces deux artistes ont le privilège d'un sanctuaire : leur œuvre est étudiée avec un respect filial par leurs enfants, conservée par ceux-ci et par leurs amis avec amour. Ainsi ne se lasse-t-on jamais de relire la moindre page de la correspondance des êtres que nous avons le plus aimés et que nous ne reverrons plus.

Le chant de leur rencontre naît de l'harmonie, sous le signe de la peinture. Deux jeunes gens, pourvus de tous les dons, je dirais même de toutes les grâces, sont en route l'un vers l'autre sans le savoir depuis les lointains horizons les plus dissemblables — pour lui, les racines terriennes du Pays de Caux alliées à la souveraine distinction d'une mère florentine ; pour elle, la tige toujours menacée d'une lignée juive de l'Alsace française qui s'épanouit dans l'éclat surprenant d'une mère géniale.

Berthe Langweil avait eu le bonheur de grandir à l'ombre de Degas et de son cercle ; « le gentil vieux Monsieur Rouart » lui montrait les œuvres du maître, répétait ses propos, lui parlait aussi nécessairement de Berthe Morisot et, par cette voie, la leçon de Corot parvenait à la jeune fille. Elle se nourrit des conseils d'Henri Rivière, étudie dès 1905 la peinture avec « Monsieur Blanche » dont elle admire avec enthousiasme le talent de portraitiste. André Noufflard, lui, avait pensé à une carrière littéraire, fait des études de droit à l'Université de Pérouse, avant de découvrir sa vocation et de travailler le dessin, la gravure ; venu à Paris en 1910 pour suivre les cours de peinture à l'atelier de la Grande Chaumière, il rencontre Berthe Langweil chez Jacques-Emile Blanche. Le premier miracle de l'existence d'André et de Berthe est de se reconnaître : ils ne se quitteront plus.

Désormais il paraît superflu (contrairement à la méthode traditionnelle) d'examiner les enseignements, de suivre les influences ; en dehors des modes, sans souci de marchands, ce couple exemplaire ne s'occupe que d'être lui-même. Ce temps de bruit et de fureur que le destin leur avait assigné pour être celui de leur vie, ils le traverseront (André jusqu'en 1968, Berthe jusqu'en 1971) unis comme ce matin du printemps de 1911 où ils se marient, deux êtres de lumière en défi aux démons de la nuit. «Il faut **bien** aimer ceux que nous aimons ; la vie passe si vite. On peut pourtant bien la remplir.» (Berthe Noufflard)

Autour d'eux, dans leur belle maison cauchoise, ils créeront un climat d'humanisme, aussi anachronique et loin de nous que le sont devenues les décades de Pontigny, ce «côté de Fresnay» d'une qualité intellectuelle, morale, sensible, incomparable. L'intelligence de Berthe éblouissait ; la lucidité sereine d'André rayonnait. Ils avaient horreur de l'outrance ; leur courtoisie était sans faille, exacte envers chacun et respectueuse de tous : des petites gens au savant de renom mondial ; ils comprenaient et saisissaient tout, ouverts à toute idée, disponibles à l'apport de tous les milieux, de toutes les nations. Jamais plus de culture, de gentillesse, de bonté, moins d'esprit d'intrigue, de brigue. Parfaitement bien élevés, ils n'ont piétiné personne ; le bruit faisait horreur à ces causeurs inépuisables. Ils possédaient la totale simplicité du raffinement suprême, la générosité d'une droiture naturelle. Presque ingénuement doués pour la douceur de vivre, ils avaient trop de vertu pour ne pas rester devant l'adversité, eux-mêmes.

Quel précieux miroir que leur peinture, qui nous réfléchit ce bonheur d'être, avec une constance qui étonnera ! Ni l'un, ni l'autre, faut-il le dire, n'ont ignoré ces formidables luttes avec l'ange (ou le diable) engagées par les plus grands artistes de leur temps. Berthe, vers la fin de sa vie, s'en est expliquée avec beaucoup de finesse dans un beau texte de 1956 :

> Il me semble, écrit-elle, que toute peinture qui vaut quelque chose est *abstraite...* car un beau tableau n'est pas la simple reproduction d'un morceau de nature. C'est une composition de taches, de volumes, de couleurs — dont les rapports entre eux forment un tout et une harmonie.
>
> La peinture qui s'appelle abstraite aura au moins — peut-être — enseigné au public à regarder ces taches, ces formes, ces couleurs, au lieu de ne considérer que le sujet représenté. Sans «sujet», si l'on veut s'intéresser au tableau, il faut bien regarder ces taches et ces lignes, peut-être apprendre à voir qu'elles peuvent être en elles-mêmes jolies ou belles.
>
> Mais, hélas ! si elles ne sont faites que pour elles-mêmes, il me semble que l'ouvrage devient pauvrement simplifié et comme mécanisé. »

Cette inhumanité, André pour sa part la refusait aussi, en soupçonnant chez les peintres abstraits

> des misanthropes pessimistes qui détestent la vie et ses aspects et qui cherchent à s'esquiver. Dans ce cas, conclut-il, je suis exactement le contraire.

Pour André et Berthe Noufflard, peintres, le monde sensoriel existe, le monde extérieur existe : il est le **sujet** même de leur peinture. Voilà pourquoi ils ne peuvent pas consentir à ce que celle-ci soit réduite à ce «squelette essentiel» : taches, volumes, couleurs, matière. Elle me fait penser aux romans qu'écrivent leurs amis anglais des années 20 (héritiers en cela de leurs devanciers du XIXe siècle), composés de mille détails qui paraissent oiseux aux romanciers français ; au fil des pages, on apprendra tout sur les impressions des robes et leur bruissement soyeux, la couleur du velours des fauteuils du salon, la figure dans le tapis, le dessin de la porcelaine, la forme d'un bel arbre et la douceur de son ombrage au milieu de l'été. Et la vie, au bout du livre, plus vivante là que partout ailleurs.

C'est là aussi, à ce rang, que se tiennent ces deux peintres que je ne puis envisager l'un sans l'autre ; les plus secrètes complicités de leur art, ils les ont nouées avec la lumière blonde de Corot, l'intimisme émerveillé de Vuillard, la sensibilité du grand peintre que fut la tendre et rêveuse Berthe Morisot. Mais il faut aller plus loin encore, dépasser les apparences et pénétrer dans leur «arrière-pays». Tant d'images fixées ne sont pas que les repères du temps passé (ou perdu) ; leur calme qu'exprime le choix des couleurs et le parti de la composition, oui vraiment ce miroir inaltérable, prend un caractère de possession fascinante, d'identification complète entre le peintre et son sujet. Ces peintres ont passé leur vie à porter une **attention** tellement intense sur les visages (Berthe fut un portraitiste à l'intuition puissante, digne de son maître), sur les objets, sur les moments et les choses de leur vie que, par un paradoxe inouï, visages, objets, moments de vie acquièrent une valeur absolue, quasi mystique dont Berthe et André Noufflard n'avaient nul souci quand ils les peignaient. La prunelle bombée des yeux de l'enfant intimidé, et le trop calme rideau et la chaise de satin jaune et Fresnay, ses cours et ses haies, ses arbres endormis et ses bouquets en fête, vers tout cela qui marque notre limite et notre tendresse, l'angoisse tombée des jours abolis, le bonheur d'aimer (oh, encore un instant de bonheur !), nous conduit l'itinéraire de cette peinture heureuse ; quand le soleil brille sur la toile alors qu'il a disparu depuis longtemps du ciel de ce jour-là, quand les vieux amis sont pour toujours assemblés grâce aux mystérieux truchements des formes et des couleurs, quand Alexandre Benois fait une patience en rêvant des Ballets Russes, tandis qu'André lit à haute voix les Mémoires de Saint-Simon...

François Bergot,
Conservateur des Musées de Rouen.

(1) Elie Halévy, son beau-frère.

ANDRÉ NOUFFLARD.
Le Long-Fresnay.
1920.

46 × 56

16

André Noufflard
ancêtres normands, jeunesse florentine

Fils d'un Normand et d'une Florentine, André Noufflard opta pour l'Italie à sa majorité puis demanda après la guerre à être réintégré dans la nationalité française. Ces avatars traduisent ce qui fut pour lui une hésitation entre ses origines diverses, déchirante parfois, mais enrichissante aussi.

Lorsque mourut son père, Georges Noufflard, il n'avait que douze ans ; sa mère, veuve encore jeune, retourna dans sa ville natale et fit de lui le jeune Italien qui devait tout naturellement prendre la première de ces graves décisions. Mais sa sœur Florence, elle, avait vingt ans lors de la mort de Georges ; elle avait eu le temps d'être profondément marquée par la personnalité de ce père et, dans leur vie italienne, elle s'efforça avec une fidélité passionnée de perpétuer auprès de son petit frère le souvenir paternel qui était aussi une image de la France. Et bientôt le mariage de Florence avec Elie Halévy reconstitua pour le jeune Florentin un pôle d'attraction vers la France. Il passe souvent l'été à Sucy, chez les Halévy, qui adoptent bien volontiers « le petit frère de Florence ». Comment n'aurait-il pas été attiré par ce milieu d'une culture si étendue, original, chaleureux ? Et surtout par le couple remarquable et rayonnant de Florence et Elie qui l'accueillait avec tendresse dans son intimité ?

Ainsi retourna-t-il également dans la vieille maison du Long-Fresnay où il retrouva, avec les souvenirs, très chers, de sa propre enfance, ceux, aussi, de ses ancêtres normands.

Ainsi surtout, au cours d'un hiver qu'il avait décidé de passer en France, auprès des Halévy, et pour y travailler sa peinture, rencontra-t-il Berthe Langweil, et le voici marié à une Française et partageant désormais son temps entre la France et l'Italie.

Mais les événements de ce demi-siècle troublé ne permettent pas au jeune couple de s'installer dans cette tranquille binationalité. La guerre survient. Berthe se sent française, de toute son âme. André aussi l'est à moitié, mais officiellement il est italien, situation cruelle, surtout pendant toute la période où l'Italie n'a pas encore choisi son camp. L'Italie, Dieu merci, se range du même côté que la France et il fait la guerre comme officier italien. Les hostilités terminées, il est hanté par le souvenir de ce déchirement, la crainte de voir les circonstances en provoquer d'autres. Et quand paraît Mussolini, quand s'installe en Italie un régime qui lui fait horreur, son parti est pris : il sera français.

Il est réintégré en 1927. Désormais l'Italie ne sera plus qu'un lieu de visites — privilégiées, certes ; mais le chez-soi sera en France. Ce sera surtout le vieux Fresnay rénové, où André et Berthe passeront la moitié de leur vie. André déchiffre et classe les vieux papiers qui remplissent la maison. Ce sont d'abord les lettres de son père, qu'il avait déjà découvertes avant son départ pour la guerre. Ce père dont il se souvenait un peu, dont Florence lui avait tant parlé, il se trouve tout proche de lui, avec des ressemblances émouvantes et inattendues. Et puis il y a là tous les ancêtres normands, avec, surtout, ce Jean Noufflard qui, en 1750, acheta la maison «du Long-Fresnay» et y laissa ses papiers, imité en cela par ses neveux et tous leurs successeurs. Nous lui devons donc de pouvoir les connaître, dans leurs époques respectives, avec leurs individualités plus ou moins pittoresques, leurs vies troublées ou paisibles. Encore fallait-il se pencher sur ces archives, les compléter par quelques recherches dans celles de la région ; c'est ce que fit André qui en tira toute une série de «cahiers familiaux», grâce auxquels a pu être écrit ce qui suit.

XVIIᵉ et XVIIIᵉ siècles. Jean Noufflard

Dans les archives du XVIIᵉ et du XVIIIᵉ siècles de Rouen et de nombreux bourgs et villages de Haute Normandie, on trouve beaucoup de Noufflard. Ils sont en général de condition modeste. Les campagnards sont cultivateurs et «huiliers», les citadins, épiciers, tisserands, et beaucoup sont prêtres. Quelques-uns s'élèvent dans la société, telle cette Barbe qui épousa un Jacques Bigot, seigneur du Haume, Conseiller au Parlement et échevin de Rouen et plus tard ce Nicolas Noufflard, «sieur de Gruville de Bellemard» qui fut «contrôleur alternatif des payeurs des gages des officiers de la Cour des Comptes, aides et finances de Rouen» et Conseiller du Roy — tel enfin, bien que plus modestement, Jean Noufflard lui-même.

La correspondance que celui-ci a laissée à Fresnay débute en 1718, alors qu'il avait 23 ans. De son enfance nous savons peu de chose, sinon qu'il naquit en 1695 à Eurville, dans la charmante vallée de la Saane, et que son père, Pierre Noufflard, était «marchand huilier». Il était issu d'une longue lignée de Pierre Noufflard, tous «mouliniers» comme on disait, ou «huiliers». Au début du XVIIᵉ siècle, ils exerçaient leur métier à N.-D.-de-Bondeville, à Barentin, mais, depuis au moins une cinquantaine d'années, ils s'étaient fixés dans cette petite vallée, à Gueures, puis dans les villages situés plus en amont.

La famille était apparemment plutôt aisée. Des trois frères aînés, qui devaient toujours rester très unis, le plus âgé — Pierre, bien entendu, et le quadrisaïeul d'André — allait seul rester au pays auprès de ses parents. Lui seul allait conserver une allure paysanne dans sa façon de s'exprimer et son écriture est quasi phonétique : «Depuis trois jours dicy jay un mal de dans qui me causse une fluction aux vissage», écrit-il à Jean ; et, après avoir reçu les condoléances de celui-ci : «Je vous suis bien obligé que vous preniez part à ma fluction mais vous me donniez une gouaille quand vous me diste quil me falloi une femme pour me parer de sa... ». Pierre était menuisier à Imbleville ; il y tenait aussi une boutique. Puis il se fixa à quelques kilomètres de là, à Calleville-les-deux-Eglises.

Ses deux frères, Charles et Jean, qui correspondaient beaucoup entre eux, avaient manifestement reçu une tout autre éducation. On aimerait savoir pourquoi et comment Jean fut connu et distingué par le Président Bigot de Monville, personnage considérable, possédant un grand fief autour de son château de Monville et « Conseiller du Roy en ses Conseils, Président à mortier au Parlement de Normandie ». Toujours est-il que, dès l'âge de 23 ans, Jean Noufflard est à son service. Bientôt M. de Monville fit de lui le « receveur de la baronnie de Monville », ce qu'il resta jusqu'à l'âge de 67 ans, toute la vie du Président de Monville, et encore une quinzaine d'années après sa mort, à la demande de ses successeurs.

Jean Noufflard, qui restait à Monville pendant les longs séjours que le Président faisait à Rouen, était chargé de toutes sortes de missions d'administration domestique. Il devait aussi s'occuper de questions d'assistance, comme de distribuer du riz cuit en période de disette (en particulier lors des terribles inondations de l'hiver 1740-1741). Parfois les missions étaient plus délicates.

> Ce Monsieur de Monville, écrit André Noufflard, semble avoir été un homme bon et charitable, mais il défendait ses droits avec une méticulosité de robin et une âpreté de Normand... Sur la route de Monville à Clères, dans un lieu rustique et charmant, à un tournant de la vallée, sous de grands arbres, se trouve une toute petite église qui s'appelle Notre-Dame du Tôt. La toute petite cloche qui se cache dans un minuscule clocher couvert de tuiles commit un jour, en se mettant intempestivement à sonner, une grave inconvenance — que dis-je — un délit.

L'église du Tôt avait en effet sonné « les regrets » de la mort du comte de Clères,

> ce qui n'est deub et ne doist estre fait que pour la famille du seign. baron de Monville... qui est véritable et unique patron honoraire de lad. Eglise.

Et le receveur de Monville dut conduire l'huissier venu constater les faits et dresser procès-verbal.

Jean Noufflard se maria à vingt-neuf ans avec une veuve, riche fermière des environs de Monville. Après dix-neuf ans de vie de ménage apparemment heureuse, elle le laissa veuf à son tour en 1743, et en 1747, c'est le baron de Monville qui disparaît. Il laisse des sommes importantes aux pauvres de « ses paroisses de la campagne » et, pour les attribuer, Jean demande aux curés un état des nécessiteux. Leurs réponses constituent des documents impressionnants. Ainsi l'un d'eux écrit :

> Il n'y a point à Eslette de pauvres mendiant leur vie, mais il y en a beaucoup qui souffrent et jeûnent dans leurs maisons... Adrian Guéroult dans un four, veuf avec quatre enfants dont trois tout petits et tout nuds... Maclou Lefebvre octogénaire qui a toujours fait de son mieux mais incapable aujourd'huy de gaigner sa vie à faire quoy que ce soit... Pierre de la Haye, bon journalier, mais dont la journée de 10 s. ne suffit pas pour une femme et quatre petits enfants nuds comme le ver...

M. de Monville laissait 3 000 livres à Jean Noufflard. A la fin de 1750, celui-ci achetait au chevalier d'Athenville une ferme située sur la paroisse des Authieux-sur-Clères, à Fresnay-le-Long. Entre temps, il s'était remarié, après cinq années de veuvage, avec Marguerite Le Seigneur, nièce de sa première femme, ce qui nécessitait l'obtention d'une dispense du pape. Toutefois les obligations de sa charge l'empêchèrent sans doute de s'installer complètement à Fresnay pendant une dizaine d'années, malgré la vente de Monville en 1754, l'acheteur l'ayant prié d'en rester receveur. En 1761, sa seconde femme, qu'il appelait toujours « sa nièce », mourut à Fresnay, et il semble avoir été extrêmement affecté par ce deuxième veuvage. Quelques mois après, âgé alors de 67 ans, il prit sa retraite et se fixa tout à fait dans sa propriété. Puis il se remaria encore une fois, avec une autre veuve, Marie Françoise Langlois, et vécut encore sept ans apparemment heureux dans cette maison. Il devait y mourir le 13 février 1771.

Malheureusement, nous ne disposons d'aucun portrait de Jean Noufflard, tout au moins d'aucun portrait dûment authentifié. Mais il existe dans la maison une grande tête de bois naïvement sculptée, ancienne tête à perruques, qui, Dieu sait pourquoi, s'appelle Gogo. André Noufflard se disait convaincu que Gogo était un portrait fruste de son ancêtre. Cette tête est certainement du XVIIIe siècle, à en juger par le petit bonnet de soie brochée dont elle fut coiffée jusqu'à la dernière guerre. Et nous savons que Jean Noufflard attachait une grande importance à ses perruques : c'est un sujet qui revient bien souvent dans les lettres de son frère Charles, qui écrit, par exemple, le 6 mai 1740 :

> Quand vous voudrez une perruque, vous vous donnerez la peine de venir ; M. Fouquet... m'a dit que, si c'était vostre goust, qu'il vous la fairoit plus courte que celle que vous avez, pour (que) quand vous vous trouvez en campagne pris d'orage ou autrement, vous puissiez la mettre à couvert sous votre chapeau lorsqu'il est rabatû.

Et enfin André tirait argument d'une ressemblance, caricaturale certes, mais indiscutable de Gogo avec lui-même et avec sa sœur Florence : un visage très long, aux plans larges, avec des pommettes hautes et des paupières un peu lourdes...

ANDRÉ NOUFFLARD.
Portrait de Gogo.

24 × 19

Quoi qu'il en soit, nous aimons tous nous représenter à la ressemblance de Gogo ce Jean Noufflard qui acheta Fresnay. Les nombreux papiers qu'il y a laissés couverts de sa fine petite écriture évoquent un homme méticuleux et compétent, attentif à tous les détails. Nous sommes agréablement surpris de voir un tel homme prêter une importante somme d'argent à son cousin le « contrôleur alternatif des payeurs des gages », Nicolas Noufflard de Gruville. sans aucun reçu, et ne la réclamer que quatorze ans plus tard, et fort courtoisement, en ajoutant seulement : « sy vous ne la remboursées pas, il faudra la passer devant notaire afin que nous nous mettrons en règle, nous sommes mortels ».

Il avait l'esprit ouvert et curieux et s'intéressait fort aux événements de son époque. L'abbé Lherminier, le fidèle chapelain du baron de Monville, lui écrivait constamment de Rouen pour le mettre au courant des nouvelles : la bataille de Fontenoy, et autres développements de la guerre de succession d'Autriche, l'expédition en Ecosse du prince Charles-Edouard... ceci en critiquant avec perspicacité les sources de ces nouvelles : rumeurs diverses, lettres de combattants, journaux du camp adverse. De la curiosité d'esprit de Jean témoignent aussi les nombreuses coupures de journaux qu'il a brochées de sa main et qui concernent la politique et aussi la théologie, le droit, l'administration, l'astronomie (l'abbé Lherminier lui conseille un jour d'observer la conjonction de Mars et de Saturne : « Bien d'honnêtes gens s'y amusent. Nous tous par exemple »), toutes sortes de curiosités plus ou moins crédibles. Il s'y ajoute de nombreuses recettes de remèdes copiées à la main : Baume Sublime, Eau Rouge, Sirop de Limaçon, onguent de Salomon Funck pour servir aux chevaux.

Nous n'avons que deux ou trois brouillons de lettres de lui, mais à travers celles qu'il recevait se profile en filigrane un personnage quelque peu irascible, qui n'aimait pas qu'on lui fasse perdre son temps. Cependant on lui demande souvent conseil ; on s'adresse à lui avec confiance et amitié ; on insiste pour le rencontrer et faire bonne chère avec lui. Si nous ajoutons à cela que les uns et les autres lui écrivent sur ce ton enjoué qu'on n'a guère qu'envers ceux qui ne manquent pas de sens de l'humour ; si l'on ajoute aussi que, dans ses vieux jours, il se montre très peiné de la mort de son chien, qu'il appelait Camarade — nous gardons du personnage une impression sympathique.

Révolution Française et révolution industrielle : Patrice, Théodose et Bonaventure, banquiers rouennais et drapiers lovériens

Les Noufflard deviennent banquiers.

1771... Jean Noufflard meurt et, malgré ses trois mariages, meurt sans enfants. Pierre-André, le fils de ce frère Pierre qui était resté au pays, devient le deuxième Noufflard maître du Long-Fresnay. Nous avons sa correspondance avec ses trois jeunes fils — Patrice, Théodose et Bonaventure, lorsqu'ils vont à Rouen pour travailler.

Or nous sommes alors en pleine Révolution Française et l'on est tout d'abord surpris que des lettres écrites pendant la Terreur relatent seulement les petits événements de l'existence. L'histoire de l'époque se fait pourtant sentir à tout moment : c'est Pierre-André, prudent, en bon Normand, mais quelque peu déconcerté de voir le curé de Calleville-les-deux-Eglises demander la main de sa nièce ; c'est un ami de Théodose lui racontant, de Paris, l'émeute du 1er Prairial (19 mai 1795) à laquelle il a assisté ; c'est ce même Théodose accompagnant en secret un ami qui va à Paris après le 9 Thermidor pour obtenir l'élargissement de leur patron, arrêté par ordre d'un Comité de Salut Public ; c'est surtout Patrice et son tout jeune frère Bonaventure combattant les Chouans dans les armées de la Révolution, pendant que Théodose étudie à Rouen la chirurgie. C'est enfin le ton général des lettres que l'on échange dans cette famille autrefois si catholique et « bien-pensante » : non pas qu'il traduise un grand enthousiasme révolutionnaire, mais il est conforme à l'air du temps.

Pourtant ce qui va infléchir durablement l'orientation de cette famille, c'est probablement moins la tourmente de la Révolution Française que l'avènement de la révolution industrielle : ils vont presque tous devenir des « hommes d'affaires » provinciaux, aussi bien négociants ou banquiers que « manufacturiers », le passage de l'une à l'autre de ces activités paraissant facile. Les fils de Pierre-André vont tout jeunes à Rouen s'initier aux affaires : ils sont d'abord commis d'un importateur de coton, d'un banquier. Et dès 1801, alors qu'ils n'ont encore que 25 et 26 ans, Théodose et Bonaventure s'établissent à leur compte, fondant ensemble, et pour 9 ans, la compagnie bancaire « Frères Noufflard & Cie ». Cette banque prit d'importantes participations dans la marine de commerce ; elle finança des voyages lointains de navires aux noms poétiques : la *Jeune Sophie*, la *Melpomène* et l'*Espérance,* la *Sarah* (un baleinier), le *Norwégien* et l'*Etoile du Nord.*

Cette époque de la société bancaire « Frères Noufflard & Cie » fut sans doute pour Patrice, Théodose et Bonaventure celle de leur heureuse et prospère jeunesse. A partir de 1810, date à laquelle la société « Frères Noufflard & Cie » est dissoute comme il avait été prévu, le sort des trois frères va diverger.

Les Noufflard deviennent drapiers.

L'aîné, Patrice, qui a hérité du Long-Fresnay à la mort de leur père en 1798, est le plus aisé ; c'est lui aussi qui vivra le plus vieux. Mais il n'aura pas de descendance, son fils unique, Alfred, jeune poète révolté, étant mort de tuberculose trois ans avant lui. Quant à Théodose, il est mort jeune, veuf et tout à fait ruiné. Sa fille unique, Désirée, a été mariée à dix-sept ans à un jeune magistrat, M. Crépet, et est morte à vingt ans en couches de son deuxième enfant [1]. Bonaventure n'a survécu que de très peu à Théodose, mais, lui, laissa une veuve et quatre fils : il avait épousé la fille d'un M. Mathieu Quesné, drapier, possédant une usine à Louviers, avec qui il s'était associé. La famille Noufflard est donc désormais une famille de drapiers de Louviers, et d'autant mieux intégrée à ce milieu que, à deux générations successives, elle s'allie par le mariage à d'autres grandes familles de drapiers de Louviers : aux Quesné, nous l'avons vu, par le mariage de Bonaventure, aux Jourdain-Ribouleau, plus tard, par celui de son fils Constant.

C'est dans l'intimité de ce milieu bien défini que nous font pénétrer les lettres de cette époque déposées à Fresnay. Exemple de petite bourgeoisie industrielle et provinciale, dure au travail, courageuse, ambitieuse, qui a aujourd'hui plutôt mauvaise réputation : une réputation d'étroitesse bornée, d'austérité de mœurs souvent fort hypocrite mais n'entravant pas moins gravement le libre développement des individus, et surtout un

(1) Dans les archives de Fresnay, les lettres de Désirée s'arrêtent avec son mariage. Pour essayer d'en savoir plus, André Noufflard s'adressa, en 1951, à M. Jacques Crépet, érudit baudelairien, dont il supposait, avec raison, qu'il devait être le petit-fils de Désirée. Ce fut l'origine d'une très plaisante amitié, malheureusement de courte durée, car M. Jacques Crépet mourut moins d'un an après la première lettre qu'André lui avait adressée.

culte démesuré de l'argent. Il nous est difficile, à travers ces lettres, de nous faire une opinion aussi entière. Elles nous révèlent parfois des sentiments humains pleins de délicatesse qui nous font apprécier les très braves gens qui existaient dans ce milieu. Mais il est vrai aussi qu'on trouve dans cette correspondance d'assez ridicules bourgeois gentilshommes achetant leur noblesse à prix d'or ; on y trouve d'indicibles disputes entre frères ennemis pour de sordides questions d'intérêt ; on trouve des jeunes filles mariées de force à des hommes qu'elles ne connaissent pas ou qu'elles n'aiment pas, alors que leur bien-aimé n'a d'autre tort que d'être sans fortune. Et on trouve également un personnage terrible et pittoresque qui incarne à l'extrême les défauts de cette société et aussi quelques-unes de ses qualités : notre fameuse «grand'mère Noufflard», Mme Bonaventure Noufflard, l'arrière grand'mère d'André, qui a conservé dans la famille une place légendaire [2]. Nous savons qu'elle fut fort belle. Ses lettres à son beau-frère Patrice la montrent très jeune prenant déjà une part active aux affaires ; puis, après la mort de Bonaventure, dirigeant l'usine de Louviers, qui se serait brillamment redressée une fois prise en mains par la jeune veuve. De nombreuses anecdotes illustrent son caractère non seulement autoritaire, mais réellement méchant. Elle est surtout restée célèbre par une féroce plaisanterie posthume que nous rapporta la mère d'André qui, toute jeune femme, en avait été un témoin direct. «Grand'mère Noufflard» venait de mourir. Le notaire arrive pour l'ouverture du testament. La vieille bonne, très impatiente, montre un tiroir du secrétaire : «Madame me disait toujours : " Marie, Marie, après moi, il y a quelque chose pour vous là-dedans ! "» (à toutes les velléités bien compréhensibles qu'avait eues Marie de rendre son tablier, naturellement !). On ouvre. Il y a bien une enveloppe cachetée au nom de Marie — et dedans... une recette pour faire du vinaigre !

Georges, le père d'André, attiré dès sa jeunesse par la peinture, par la musique, refusa toujours ce culte de l'argent qui était un trait essentiel de cette société où il naquit. Qu'il l'ait voulu ou non, il en fut tout de même le produit, ne serait-ce que par l'aisance qui fut toujours la sienne et l'exceptionnelle liberté d'agir à sa guise qui s'ensuivit. Quoi qu'il en soit, les positions sans équivoque qu'il prit à l'égard de l'art comme à l'égard de l'argent, il les transmit si bien à André qu'elles nous concernent ici au premier chef.

Georges Noufflard, le père d'André

Le Long-Fresnay

Au moment-même du mariage de Constant avec Laure Jourdain, au Long-Fresnay, l'oncle Patrice, qui a 73 ans, sent venir sa fin et se décide à léguer sa demeure à ses neveux, les fils de Bonaventure. Constant, le troisième, va devenir finalement le seul vrai propriétaire de Fresnay. Après lui, son fils Georges, et après Georges, André, héritèrent tout naturellement de Fresnay.

(2) Cette «grand'mère Noufflard» avait, semble-t-il, de qui tenir. Elle descendait par sa grand'mère maternelle (sans qu'on connaisse la filiation exacte) d'un certain Philippe Le Masson qui, au XVIIᵉ siècle, fut le très brillant commandant en chef de l'artillerie polonaise sous Jean Sobieski. Il contribua à faire lever le siège de Vienne par les Turcs. Dans sa hâte de faire tirer le canon, il arracha sa perruque et la poussa dans la gueule pour remplacer la bourre qui faisait défaut. Pour ses hauts faits d'arme, Jean Sobieski l'anoblit, le nommant chevalier de l'Ordre équestre de Pologne, lui et tous ses descendants des deux sexes. Ces renseignements, transmis par la tradition familiale, sont précisés dans : Baron de Sénevas : *une famille française du XIVᵉ au XXᵉ siècle. Vol. III, p. 14.*

Si nous insistons de la sorte, c'est que « le Long-Fresnay » nous paraît jouer un rôle primordial dans cette famille. Son *genius loci* en fit pour Georges l'opposé de tout ce qu'il n'aimait pas dans sa famille de fabricants de drap. Quoi de moins petitement bourgeois en effet que cette belle grande maison accueillante, avec ses fins colombages adoucis par le gris des ardoises dont ils sont revêtus, ses volets bleutés à toutes les fenêtres de ses chambres nombreuses et nullement monumentales, ornées de gracieuses boiseries XVIIIe et de cheminées où brûlent des feux de bois. On ne sait trop comment l'appeler : ce n'est certes pas un château, mais c'est plus qu'une ferme, plutôt une « gentilhommière », comme disait André. On y a « la campagne à la porte », écrivait Georges — et la vraie campagne, avec poules et canards, et vraiment devant la porte — avec, derrière la maison, un jardin de curé, puis les vergers de pommiers, protégés par les immenses arbres, plantés sur les « fossés » qu'ils maintiennent de leurs racines et, au-delà, la vaste plaine où les corneilles croassent dans le silence.

Georges et, plus tard, Florence et André ont clairement exprimé combien cette maison avait cristallisé leurs plus chers souvenirs d'enfance, et ensuite représenté pour eux un port, une amarre, une continuité, et un symbole de ce qu'ils aimaient, de ce qu'ils choisissaient. Ainsi Georges écrivait à sa sœur, de Naples, en 1869, alors qu'il voyageait depuis trois ans et allait continuer à le faire encore deux fois plus longtemps :

> Je crois... que, tout en faisant de temps en temps un voyage pour s'élargir l'esprit, il est bon d'avoir un point central, un nid qui a vu couler toute notre vie. C'est nécessaire pour avoir une existence bien à soi. En se laissant flotter à travers le monde comme une plume dans l'air, on perd beaucoup de son identité... C'est curieux, je ne tiendrais nullement à conserver la Villette, propriété à laquelle se rattachent pourtant bien des souvenirs, tandis que pour rien au monde je ne me départirais du Long-Fresnay. J'ai beau me dire qu'à la Villette a vécu ma mère, c'est si sec, si enfumé, si petit, si provincial que je ne peux y trouver aucune poésie de souvenir.

Et dix ans après la mort de son père, en novembre 1907, Florence jeune femme écrivait de Sucy à son « petit frère » André resté à Florence :

> Temps superbe. Ciel bleu, gelée blanche, feuilles d'or. Je me rappelle si bien nous deux, un matin, à Fresnay, par un temps pareil. Toutes les feuilles du marronnier, devant la maison, étaient collées à terre, entourées de pâte gelée, d'un grain si fin, si serré, que nous étions en extase. Puis nous sommes partis en courant par la grande route vers l'arbre à la Vierge, nos quatre sabots faisant toc ! toc ! sur la route durcie. Elle était toute blanche jusqu'à la fin des arbres, puis au soleil elle commençait à brunir. Tu avais ton capuchon bleu, nos nez et nos mains nous faisaient mal, et nous étions si jeunes, si heureux, avec le monde à découvrir **aujourd'hui**, et toute une vie de délices à vivre, **demain** !

Après la guerre, en 1920, André et Berthe ont rouvert la maison que les fermiers étaient seuls à habiter depuis un quart de siècle, et ils s'y installent avec les enfants ; la petite Geneviève vient de naître. Florence les y rejoint. Elle écrit à son mari :

> Les vieux souvenirs nous guettent à chaque pas... J'ouvre un tiroir, et c'est pour apercevoir un objet oublié, et si familier ! Dehors chaque arbre, chaque coin a son histoire — souvent une histoire qui m'a seulement été racontée — et qui date de l'enfance de mon père ou même de celle de l'oncle Henri... Et voilà que la petite Geneviève commence à fixer ses drôles de petits yeux retroussés sur ces vieilles choses, dans cette vieille maison de ses arrière-grands-parents.

Enfance et adolescence de Georges

Pourtant Georges, qui naquit en 1846, et sa petite sœur Marie, de trois ans sa cadette, furent loin de passer toute leur petite enfance à Fresnay. La santé de leur mère donna vite des inquiétudes. Constant emmena sa femme dans les Pyrénées, pour tenter de guérir sa phtisie. Les enfants alternativement restèrent auprès de leurs parents ou furent confiés à l'une ou l'autre de leurs grand'mères de Louviers, non sans quelques escapades à Fresnay avec leur père. Mais le mal de Laure progressait inexorablement, et elle vint à Paris terminer sa courte existence.

Georges avait alors 10 ans. On s'était aperçu depuis quelque temps que sa petite sœur Marie était bossue. Georges et elle s'aimaient tendrement et allaient rester toute leur vie parfaitement unis. Leur père vécut désormais à Louviers. Toute la famille passait les vacances à Fresnay. Rosalie Courtonnel tenait la maison. Nous ignorons comment les Noufflard l'avaient connue. Plus tard, installée à Elbeuf, elle reviendrait souvent auprès de Marie, l'accompagnant dans ses voyages en tant que «dame de compagnie». Lorsque Georges avait une vingtaine d'années, sa tante Anaïs lui écrivit un jour : «Je suis contente que vous repreniez Rosalie, elle a de l'esprit et son esprit d'opposition est parfois *bon* pour toi auquel le mot amen irrite les nerfs, et enfin où trouverez-vous une amie comme Rosalie?»

En 1862, alors que Georges avait 16 ans, Constant alla s'installer à Paris, Chaussée d'Antin. Peut-être fut-ce par souci de l'éducation de ses enfants? Georges avait été en pension à Rouen; il fréquenta sans doute alors un lycée parisien, tandis que Marie poursuivait ses classes au couvent de l'Assomption. Mais Georges évoqua beaucoup plus tard la vie de son père de la manière suivante :

Pendant dix ans, il l'a soignée (sa femme, devenue poitrinaire peu de temps après leur mariage) avec un admirable dévouement sans avoir à se reprocher la plus légère infidélité. Elle

Georges Noufflard en 1865.

Marie Noufflard et sa cousine Meg Jourdain.
(assise)

meurt, il ne veut pas se remarier pour ne pas faire tort à ses enfants. Mais à 45 ans, le sang lui monte au cerveau ; arrivera-t-il donc à la vieillesse sans avoir connu le plaisir de vivre ? Il se lance dans un monde léger. Honnête fabricant, brave homme de province, il n'a pas les dehors séduisants et l'esprit alerte de la jeunesse au milieu de laquelle il s'est lancé, il faut au moins qu'il paraisse un Crésus... (3).

Georges n'a jamais fait allusion à ce sujet sauf par ces quelques mots écrits lorsqu'une vingtaine d'années eurent passé et sous le biais d'un sujet de roman. Mais cela même ne fait-il pas sentir à quel point cette situation avait été douloureuse pour l'adolescent qu'il fut ? Et sans doute nous devons nous en souvenir pour comprendre le singulier jeune homme que révèlent les premiers écrits qu'il a laissés.

Nous sommes alors aux beaux jours de l'été 1864. Georges a 18 ans. Une photo nous le montre dégingandé, assis un peu gauchement mais avec une sorte de nonchalance qui ne manque pas d'élégance, alors que la tête est droite, le cou bien dégagé par les épaules tombantes, le regard rêveur et franc, la bouche charnue, le menton un peu fuyant. C'est ce grand garçon qui, assis à sa table, couvre d'une petite écriture penchée les pages d'un cahier qu'il a intitulé « Cahier pour Mademoiselle Claire ». Claire a 16 ans. Elle habite de l'autre côté de la cour et, depuis deux ans, ils se voient par la fenêtre ; ils n'ont échangé que quelques signes, quelques mots, et pourtant il est éperdument amoureux d'elle, et sûr que son amour est partagé. Maintenant les parents de Claire l'ont emmenée à la campagne pour l'été. Alors, désespéré, il lui écrit chaque jour dans ce cahier qu'elle n'a certainement jamais lu et qui nous reste comme un précieux document sur sa vie de jeune Parisien et sur les aspirations qui étaient déjà les siennes. Ce sont de fraîches déclarations d'amour et des projets d'avenir : il sera peintre, et Claire sera sa femme.

> Nous attendrons encore trois ans, ma bonne petite Claire, avant de nous marier. Alors tu auras 19 ans et demi, moi j'aurai 21 ans, cela (sera) parfait et nous serons heureux à rendre le bon Dieu jaloux, si jaloux il pouvait être... Nous aurons un joli petit appartement sur le boulevard des Italiens, bien gai. J'y aurai un atelier où je peindrai, qui donnera dans un petit salon où tu coudras, de sorte que nous serons toute la journée ensemble. Si mon tableau ne marche pas à ma guise... j'irai dans ton petit salon, je me mettrai à genoux devant toi... Le soir nous irons voir des amis que nous aimons, ou bien nous irons au spectacle, ou bien flâner de côté et d'autre... Si nous nous ennuyons à Paris, nous ferons nos paquets et bonsoir les voisins ; nous partons, sans rien dire à personne, pour la campagne, l'Amérique ou la Chine...

Il n'est que trop évident que ces rêveries l'entraînent loin d'une malheureuse réalité familiale. Il s'en ouvre parfois à Claire :

> Ma sœur... part demain pour Cauterets... Mes tantes et leur famille sont venues dîner. Sous prétexte de voir Marie... Marie n'a rien dit et s'est ennuyée. Mes tantes, bien entendu, n'ont pas parlé à Marie. **Des grandes personnes.** Mes cousines non plus. Mes cousins ont été fumer après le dîner et, bien entendu, n'ont pas adressé la parole à Marie. Cependant, en partant, chacun a dit : « Nous sommes bien contents d'avoir passé la soirée avec Marie. On la

---

(3) Lettre de G. Noufflard à G. Brandes, le 5 septembre 1861. Cette histoire n'est pas présentée comme un récit sur son père, mais comme le sujet d'un roman qu'il projette. Toutefois il termine ainsi ce récit : « Il mange sa fortune. Sa mère est très vieille et très riche... A la fin, son fils vient... lui demander assistance. Elle refuse net... » Et il ajoute : « Le père et la grand'mère sont les miens à peu près, mais mon père n'a jamais fait faillite. »

voit si peu, etc. » Ma bonne tante G... a fait de l'esprit, ou a montré sa sottise, comme on voudra, à mes dépens... Ah, ma petite Claire, quand serai-je débarrassé de tous ces gens, pour ne vivre qu'avec toi et pour toi. Si je n'avais mon amour pour toi pour m'élever au-dessus de tout cela, certes je ne pourrais pas vivre, j'étoufferais. Ce soir ma petite Marie m'a fait du bien par quelques paroles d'affection. Tu l'aimeras bien, n'est-ce pas ?

Il raconte aussi à Claire sa vie quotidienne, qui nous paraît très solitaire. Il travaille à préparer son baccalauréat, mais seul, semble-t-il. Il déjeune souvent seul, en lisant. Il dessine beaucoup et fait des expéditions, solitaires aussi, pour dessiner « à la campagne » : à Villeneuve-St-Georges, à Meudon, à Enghien et il décrit à Claire les personnages comiques ou attendrissants qu'il y rencontre. Il va souvent au théâtre et plus encore à l'opéra, qui le passionne, mais personne ne semble jamais l'y accompagner. Il écrit, de *Guillaume Tell*, une analyse qui annonce déjà sa future étude de la *Symphonie Fantastique*. Et il remue beaucoup d'idées sur l'art, sur le romantisme et le clacissisme et aussi sur de grands sujets philosophiques tels que : l'inégalité entre les hommes, le caractère relatif de toutes les morales, etc. Bref, il se montre déjà un descendant un peu insolite de fabricants de drap de province et qui ne se préparait manifestement pas à suivre leurs traces.

Début des voyages

Ce grand amour pour Mademoiselle Claire allait occuper son cœur exclusivement pendant cinq ans. Quand il s'ouvrit à son père de son désir d'épouser sa bien-aimée, Constant refusa son consentement et eut recours au remède classique pour les peines de cœur : le voyage à l'étranger. Il envoya Georges en Amérique en lui disant : « Oublie ton amour, et apprends quelle belle chose est l'industrialisme. » Lorsque, le 20 octobre 1865, un peu plus d'un an après le « cahier pour Mademoiselle Claire », Georges s'embarqua tristement au Havre, et que Constant, les yeux pleins de larmes, regarda son fils s'éloigner, ils ne pensaient l'un et l'autre qu'à un prompt retour. Si Constant avait pu se douter que Georges partait pour dix années de voyages presque ininterrompus, et pour presque toute une vie passée loin de la France, il aurait peut-être hésité à encourager ainsi l'instabilité de son fils, à favoriser sa fuite devant les difficultés de la vie parmi les siens. Et pourtant qui oserait dire, en voyant tout ce que Georges allait glaner dans ses voyages, que ce fut un tournant malheureux ?

Malgré sa mélancolie, Georges prend vite intérêt au voyage. Non point certes aux manufactures de coton du Massachussets, qu'il va consciencieusement visiter — mais à l'Amérique d'alors, qu'il décrit à sa famille. Il est « enchanté » de New York. Il admire les chutes du Niagara, le Canada, ces bateaux de rivière qui sont des palais flottants, sur l'un desquels il descend le Mississipi. En s'arrêtant à la Nouvelle-Orléans, à la Havane et à Vera Cruz, il se rend au Mexique, qui est en pleine guerre. Il fait l'ascension du Popocatépetl. Les routes sont peu sûres, les attaques des « guerillas » fréquentes — son chapeau est traversé par une balle — et il garde un pénible souvenir des atrocités auxquelles il assiste.

A mesure que le retour approche, ses lettres à son père se font de plus en plus pressantes : il s'est plié à ses exigences, maintenant il veut épouser Mademoiselle Claire. Il rentre en février 1866. Son père maintient son opposition et l'enjoint à poursuivre ses voyages. Il part pour Münich, puis pour Vienne où, fort mélancolique, il renonce à la peinture à cause du mauvais état de ses yeux, mais écoute beaucoup de musique et entreprend d'apprendre l'allemand.

Là-dessus son père meurt. Il est libre. Mais, au moment de mettre son projet à exécution, il apprend que le père de la jeune fille a commis un détournement bancaire. Il s'aperçoit probablement aussi qu'elle-même n'est pas telle qu'il l'imaginait. Il renonce à l'épouser et repart encore une fois en voyage.

Mais il hésite maintenant sur l'orientation à donner à sa vie. Dans l'ensemble son humeur vagabonde est plutôt encouragée par son oncle et sa grand'mère. Il n'est peut-être pas bien conscient de l'extraordinaire privilège dont il jouit d'être ainsi libre d'aller et venir à sa guise, sans souci d'argent, ni que ce privilège, il le doit à son industrieuse famille. Du moins doit-on lui rendre cette justice que de cette liberté il fait un usage qui n'est ni sot ni paresseux. Il est invité au voyage par sa sensibilité d'artiste, jointe à une curiosité toujours en éveil qui le pousse à l'étude avec de plus en plus d'exigence. De partout il écrit à sa sœur des lettres illustrées de dessins, la faisant participer à sa vie. Il écrit aussi de longues lettres à sa tante Anaïs [4], qui est une vieille dame souriante, sage et intelligente, que son neveu traite avec une affectueuse familiarité. Il va d'abord en Algérie où il envisage un instant d'acheter, avec des cousins fixés là-bas, une propriété qu'ils exploiteraient ensemble. Puis ce sont encore plusieurs séjours à Vienne pour étudier l'allemand et surtout la musique. Mais la grande révélation, c'est Rome où il arrive au début de 1869.

Rome

Georges va dans l'enthousiasme de découvertes en découvertes. Les beautés du paysage, qu'il décrit en peintre : « Le ciel est sans nuage, les ombres sont bleu de ciel et les clairs dorés » ; tout — la Rome antique, les débuts du Christianisme, la Renaissance italienne, la musique, qu'il écoute à la Sixtine et ailleurs, la Rome actuelle pontificale et la jeune Italie — tout ce qu'il voit là stimule son esprit, lui fait remettre en cause ses notions antérieures, le pousse à l'étude et à la réflexion. Il voudrait écrire un ouvrage sur l'influence du Christianisme sur l'art, sur tous les arts. Et il insiste sur le retour au paganisme qu'a apporté la Renaissance. Voyez Michel-Ange, dit-il,

> tellement grand, tellement immense de conception, d'exécution, qu'on reste confondu. De tous les côtés des figures, toutes également belles... On peut regarder ces peintures comme une réaction contre le mysticisme chrétien, comme un retour superbe vers la poésie païenne. Ah, vous trouvez que le monde matériel est méprisable ? Eh bien, je vais vous prouver que non ! Et Michel-Ange nous transporte dans un monde d'êtres humains vraiment divins par la majesté, la force, et même la grâce du corps...

Son admiration croissante pour l'antiquité l'éloigne quelque peu de la religion catholique, même s'il n'en met pas en doute les dogmes fondamentaux (sauf peut-être celui qui refuse une âme aux animaux). Mais ce qui l'en éloigne bien davantage encore, c'est « tant de richesse pompeuse, royale à la disposition du représentant d'un Dieu qui n'avait pas de quoi reposer sa tête ». Le luxe du Vatican lui fait horreur, et même, en général, le pouvoir temporel du pape. Pendant le séjour de Georges, le pape prononça dix condamnations à mort pour cause de brigandage : « Voilà encore une chose qui me choque considérablement.

---

(4) Tante Anaïs Quesné était la nièce de « Grand'mère Noufflard ». Elle devint aussi sa belle-sœur. En effet, on la maria à son jeune oncle, en l'emmenant de nuit dans une église sans l'avoir même prévenue, ceci après avoir écarté, par tous les moyens, le jeune homme qui l'aimait, et qu'elle aimait, mais qui n'avait pas de fortune.

Le représentant du Dieu de pardon condamner à mort ! » Rome est remplie de jeunes aristocrates français qui sont zouaves pontificaux ; les actes de cruauté qu'il les entend raconter eux-mêmes complaisamment, et sa sympathie croissante pour les jeunes patriotes italiens l'amènent à des convictions politiques nouvelles pour lui :

> C'est abominable à nous d'imposer, par la force de nos baïonnettes, un gouvernement aux Romains. C'est comme si les Russes rétablissaient les Bourbons, avec la féodalité et les lois hideuses qui étaient en vigueur avant 89, et laissaient 1 000 cosaques à Paris pour les faire observer.

Le peuple italien l'attire. Il apprend la langue. Il connaît surtout la famille modeste qui lui loue une chambre et a pour lui de gentilles attentions. Il bavarde avec eux en rentrant. « Ici on se sent à son aise, chez soi, cela tient, je crois, à la grande simplicité des gens. » Il rencontre aussi un peu partout d'innombrables touristes cosmopolites et fait preuve d'une farouche anglophobie et d'assez peu de sympathie pour les Scandinaves, alors que la sentimentalité allemande a toute son indulgence. Il s'est fait à Rome un petit groupe de compagnons divers : un zouave irlandais qui aime marcher comme lui et avec qui il sillonne la campagne, un vieil aristocrate français, qui connaît beaucoup de choses et qu'il aime retrouver dans un café autour de petites tasses de chocolat, mais dont l'extrême et naïve bigoterie l'agace. Surtout, il voit arriver au cours de son séjour un jeune Français fort cultivé dont il avait fait la connaissance au Caire l'année précédente, avec qui il va poursuivre son voyage et qui restera, pour toute son existence, son ami, son correspondant, son conseiller : Anatole Leroy-Beaulieu.

Une autre grande amitié devait être plus importante encore pour Georges Noufflard, et durer jusqu'à sa mort, et c'est à Rome aussi qu'elle se noua : au cours d'un second séjour, il y rencontra l'écrivain et critique littéraire danois Georg Brandes. Deux années s'étaient écoulées entre ces deux séjours à Rome, pendant lesquelles Georges avait encore voyagé presque continuellement : au printemps de 1869, en quittant Rome, il était allé à Naples et quelques jours à Capri. Après avoir passé l'été suivant en France, il avait amené Marie avec lui visiter Florence et ils s'y étaient tant plu qu'ils y avaient passé tout l'hiver. Marie étant rentrée en France, il avait poursuivi son voyage vers Venise, Constantinople, la Grèce, puis la Sicile, et Naples de nouveau, toujours lisant et étudiant. Envoûté par ce qu'il avait rapidement vu de Capri, il y retourne, mais y tombe malade d'une sévère dysenterie. C'est alors qu'il apprend la déclaration de guerre de la France à l'Allemagne. Bouleversé, hésitant sur la conduite à tenir, il finit par décider de ne pas rentrer, suivant en cela les conseils du médecin qui le soigne et ceux, fort insistants, de sa famille qui redoute de le voir mobilisé malgré son mauvais état de santé. A Louviers, la vie est dure et difficile. On est atterré des nouvelles de la guerre. Marie, qui habite seule, doit à plusieurs reprises héberger des Prussiens et va, pendant ce temps, loger chez sa grand'mère et son oncle Henri ; celui-ci s'occupe d'elle, des biens de Georges, et de faire parvenir à ce dernier, par des voies détournées, l'argent nécessaire à sa subsistance. Georges, lui, après avoir passé plusieurs mois à Capri, arrive à Rome en novembre 1870, et c'est au début d'avril 1871 qu'il rencontre Georg Brandes à une brillante fête de charité donnée au Club Scandinave. « Il m'attira dès les premiers instants, écrit Brandes [5], par la distinction de ses

---

(5) G. Brandes. *Recollections of my childhood and youth,* cité dans : *Correspondance de Georg Brandes,* Lettres choisies et annotées par Paul Krüger. Rosenkilde Og Bagger, ed., Copenhague, 1952. Tome I : La France et

manières qui étaient à la fois cordiales et réservées. » Dès le lendemain, Georges se met à la disposition de Brandes pour être son cicerone et dès lors ils ne se quitteront plus, visitant ensemble Rome et ses environs, se promenant dans les montagnes de la Sabine, et de ce temps ils garderont toute leur vie un merveilleux souvenir. Dans ses mémoires, Brandes évoque ainsi son ami :

> Ce qui me séduisait tellement en lui, c'était la féminine douceur pleine d'égards de ses manières, le désintéressement de son dévouement, le charme de son esprit et de ses paroles qui se révélait en toute occasion, dans la façon dont il mettait son chapeau sur la tête et jusqu'à celle dont il admirait une œuvre d'art. (6)

Brandes est émerveillé par les connaissances profondes et le goût de son ami dans le domaine artistique, lui qui, jusque-là, avait des tendances très académiques inspirées par l'art de son pays. Les opinions qu'exprimait Georges excitaient Brandes à la contradiction, ou parfois, après l'avoir étonné, emportaient son adhésion, et ceci dans des domaines qui pouvaient déborder celui de l'art : ainsi c'est Georges Noufflard qui lui fit connaître et comprendre Darwin.

Marie, accompagnée de Rosalie Courtonnel, se joignit bientôt à eux. Elle avait été si éprouvée par cet hiver de guerre, par l'humiliation de la défaite, par l'angoisse de l'occupation, et aussi par la séparation d'avec son frère bien-aimé, elle en sortait si pâle et si amaigrie que sa grand'mère et son oncle l'avaient encouragée à rejoindre Georges. La Commune avait retardé son départ, mais elle passa finalement plusieurs mois en Italie. Quand ils rentrèrent enfin en France, à la fin de l'été 1871, Georges avait quitté son pays depuis près de deux ans.

L'Espagne

S'ouvre alors pour lui une période très troublée sur le plan sentimental. Depuis que Mademoiselle Claire avait disparu de son horizon, il était devenu très vulnérable à tant de belles jeunes femmes qu'il rencontrait et ses lettres sont émaillées d'évocations de ravissantes Turques, d'attendrissantes Allemandes, de délicieuses Italiennes... A peine ébauché ou poussé plus loin, le scénario de ses amours est toujours le même, le même d'ailleurs qu'au temps ancien de Mademoiselle Claire : un coup de foudre devant une belle silhouette ou un joli visage, la construction immédiate d'un personnage imaginaire paré de toutes les vertus, et aussitôt l'amour-passion pour la belle inconnue identifiée à ce personnage — et souvent, après cela, le réveil ! Il se connaît lui-même et sait bien qu'il en est ainsi. D'une ravissante petite Italienne pour laquelle il s'est pris d'une belle passion, il dit : « Je ne lui ai pas parlé, je ne lui parlerai pas, et je serais bien fâché de lui parler, car si je la connaissais, l'être céleste que sa beauté me fait imaginer serait obligé de faire place à un être ordinaire, peut-être même vulgaire. » Et un jour il écrit à Brandes qui avait ironisé sur ses innombrables aventures : « Je ne suis pas l'espèce de Don Juan que vous croyez ; j'ai seulement eu le malheur de ne jamais connaître de femme que je puisse aimer. » Seulement maintenant il est las de ce long vagabondage et il désire se marier. Comment faire ? Il hésite : ou bien faire un mariage « à la française », c'est-à-dire « s'efforcer de ne devenir amoureux qu'après que la raison a pu

l'Italie. Introduction, p. XVIII (une partie importante de ce volume est constituée par la correspondance de G. Brandes et Georges Noufflard).

(6) Op. cit, p. XIX.

statuer que la personne en était digne ». Il demande à Tante Anaïs, parfois, d'arranger cela, mais à d'autres moments il écrit, avec des accents stendhaliens : « Je déteste les mariages à la française — vous savez, chez nous : vierge ou mère, jamais amante. Est-ce sale ? » Ou bien alors, continuer à espérer dans un miracle : peut-être un jour une mystérieuse identité se révélera-t-elle entre le personnage imaginaire dont il sera amoureux et la personne réelle qui a suscité cet amour ?

En attendant, il ne rencontre qu'échecs ou déceptions. Il fuit en Espagne. Assez curieusement, une longue période espagnole va alors succéder à la première période italienne. Il va passer là-bas plus de deux ans (octobre 1872 au début de 1875), avec seulement deux courts retours en France. Une partie du temps, il s'y trouve comme correspondant du journal de Thiers, le *Bien Public*, pour « couvrir » la guerre carliste. Naturellement il y trouve bien des nouveaux sujets d'intérêt et d'étude. Il apprend la langue, il étudie la littérature espagnole, il observe tristement la déchéance politique du pays et cherche à comprendre pourquoi, avec « bien autrement de nerf que les Italiens et plus d'honnêteté », ce peuple en est arrivé là et comment « avec tant de sérieux dans les idées, il se montre si léger en politique ». Mais les raisons d'un aussi long séjour ont certainement été aussi d'ordre sentimental.

Retour en Italie. Le mariage

Il rentre en France au printemps 1875 ; différentes tentatives de mariages arrangés échouent, et à la fin d'août il se rend à Livourne où il séjourne seul et mélancolique. Apprenant que le centenaire de Michel-Ange va être fêté dans quelques jours à Florence, il décide de s'y rendre. Tout de suite, il est ému de s'y retrouver : « c'est amer et c'est doux » et il ajoute aussitôt : « Les Florentines sont bien belles... » Et le 23 septembre survient la merveilleuse rencontre, que nous l'écoutons raconter lui-même à Marie :

> Que de choses se sont passées depuis que je t'ai écrit ! C'est à ce point que je me demande si je ne rêve pas... Il y a huit jours à peu près, après avoir passé longtemps dans le couvent de St-Marc à contempler les divines figures de Beato Angelico, pris de défaillance j'étais entré dans l'église et je méditais tristement sur le vide qui s'est fait autour de nous sous prétexte de progrès depuis ce temps de foi naïve et douce, lorsque je vis devant moi une jeune fille d'apparence si douce, si angéliquement belle qu'il me sembla vraiment que c'était une des Madones de Beato Angelico qui venait me trouver pour me rendre l'espérance. Ravi je la suivis comme les Rois Mages pouvaient suivre l'étoile de salut qui leur était apparue... L'effet que j'avais ressenti était extraordinaire ; était-ce encore un écart de l'imagination, ou était-ce vraiment une envoyée du Ciel venue pour me tirer de la tristesse dans laquelle je gémis depuis si longtemps ? Je passai deux jours à lutter, mais enfin la radieuse impression fut la plus forte, et le troisième jour, tout tremblant, je demandai à parler au Prieur de St-Marc. [7]

La belle jeune inconnue est identifiée et son confesseur, ami de sa famille, est contacté. Il affirme que la jeune fille est charmante et fort bien élevée, elle n'a que 17 ans. Son

(7) Le récit de cette rencontre fait plus tard par Lina est assez différent. Le voici tel que le rapporte André :

« D'après elle, la première rencontre avait eu lieu sur le Ponte a Santa Trinità. Ma mère se rendait chez une amie au-delà de l'Arno... Mon père marchait derrière elle, séduit par sa taille élancée, et il se refusait à la dépasser, craignant que son visage ne lui apportât une déception, quand il entendit deux jeunes gens qui venaient en sens inverse dire : "Quanto è bellina ! ", ce qui lui fit, pour la première fois, voir le beau visage de sa future compagne. Ce n'est qu'après cela qu'aurait eu lieu la rencontre à Saint-Marc. »

père, avocat, et sa mère, d'origine corse, sont des personnes très estimables. Le Père Beccherini accepte, dès lors que Georges lui aura fourni une lettre de recommandation envoyée de France, de le présenter à la famille Landrini.

Après cela tout va très vite. Lina (c'est ainsi qu'on appelait Emilia Landrini), décidément d'une grande beauté, complète sa conquête de Georges par la simplicité de son maintien, ses idées bien à elle, la chaleur et la franchise de ses bonnes poignées de main. Quand sa mère lui parle des intentions du jeune Français, elle répond qu'elle s'en est aperçue depuis le début de leurs rencontres et que cela ne lui déplaît nullement. Les voici donc fiancés. Georges prend désormais tous ses repas chez les Landrini, traité déjà comme de la famille par Lina, ses parents et son frère Alfredo qui a 18 ans. Il apprend que Lina n'a aucune fortune, mais cela importe peu.

Emilia Landrini
au moment de ses fiançailles.

Ils se marient en février à Florence. La famille de Georges est consentante, mais n'est pas venue pour la cérémonie. Le jeune couple part en voyage de noces en Italie : Sienne, Orvieto, Rome, le Mont Cassin, Naples. A Rome, en sortant un matin, ils sentent un premier air de printemps : il leur faut aller à la campagne, et Lina est entraînée dans un genre d'expéditions dont elle n'avait probablement pas l'habitude — à Tivoli, à Subiaco, dans de très primitifs villages haut perchés dans la montagne et au fond de ravins sauvages, couchant dans d'inconfortables petits hôtels, tôt levés, cheminant à dos d'âne dans des sentiers difficiles, à travers des bois où l'on parle de peu probables rencontres de brigands. Elle a conservé toute sa vie, copié de sa main, le récit de cette expédition noté au jour le jour par son mari.

Après un court séjour à Florence, ils partent pour la France, où ils vont passer presque un an, à Louviers et à Paris. Il faut que Lina fasse la connaissance de la famille française. Elle est accueillie avec tendresse par Marie, qui deviendra une de ses meilleures amies et le restera jusqu'à la fin. Il est plus terrifiant d'être présentée à « grand'mère Noufflard ». Lina très âgée était encore fière d'avoir fait la conquête de la redoutable vieille dame.

Les Noufflard en Italie

Au foyer de ce couple vont naître trois enfants : Florence, la future Madame Elie Halévy, la chère grande sœur d'André, naîtra quelques jours après les 18 ans de sa mère ; sa sœur Jeanne qui seule restera complètement italienne par son éducation et son mariage, viendra au monde trois ans plus tard ; enfin André, le petit dernier, naîtra en 1885, neuf ans après le mariage de ses parents, d'une mère encore bien jeune et d'un père approchant de la quarantaine. Qu'est alors devenu le couple insolite formé par l'intellectuel normand, artiste, voyageur, romantique, tourmenté, et la très belle jeune bourgeoise florentine, femme d'intérieur aux goûts tranquilles et raffinés ?

Tout d'abord, et par étapes, ils se sont fixés à Florence, comme l'avait souhaité la mère de Lina. Diverses circonstances ont encore appelé Georges en France pendant quelques années. Il s'est occupé activement, à Fresnay, des élections de 1877, faisant campagne pour le candidat libéral. Et puis, il s'est aperçu d'irrégularités dans la gestion de son usine et s'est estimé lésé par sa propre grand'mère et par son oncle Henri, ce qui l'a obligé à s'occuper enfin un peu de ses affaires. Revenu en France au printemps de 1878 juste à temps pour assister à la mort, à 90 ans, de « grand'mère Noufflard », il juge prudent de prolonger son séjour jusqu'au règlement de la succession. Ecœuré par les sordides questions d'intérêt auxquelles il avait dû faire face, il se décide à vendre son usine, et en éprouve un grand soulagement. Dès lors, les Georges Noufflard ne remettront pas les pieds en France pendant cinq ans.

Est-ce à dire que la fantaisie, l'humeur vagabonde de Georges se sont éteintes avec le mariage ? Certes les photos nous le montrent le visage un peu empâté, l'œil moins vif, la barbe plus longue et bouclée à la façon des bons bourgeois de son époque. Il ne part plus pour de lointains voyages solitaires. Mais, sans aller loin, il a autour de lui à découvrir une merveilleuse Italie restée très sauvage, et il ne s'en fait pas faute, y mettant encore cette curiosité que n'arrête pas l'inconfort et cette pointe d'inattendu qui ont toujours donné tant de charme à ses récits de voyage ; plus que jamais, il les illustre de ses dessins — de grandes compositions sur de toutes petites feuilles de calepin, d'un coup de crayon toujours plus sensible et libre. Pendant l'été 1879, il trouve un moyen fort original de visiter les régions les plus sauvages de la Toscane. Il voyageait à pied et se trouvait, à la nuit, près de Borgo San

Florence.

GEORGES NOUFFLARD.
Croquis d'Italie.
(Grandeur nature).

La Macchia Antonini

Valentano

Lorenzo, lorsqu'il entendit une voix volubile et gémissante : « Eh quoi, mon Pipì, vas-tu donc me laisser là ? Allons, réchauffe-toi, remets-toi, fais un petit effort, relève-toi... Il ne m'entend pas ! etc. » C'était un paysan italien qui exhortait son cheval, tombé à terre et en train de mourir. Lorsque le cheval s'immobilisa définitivement, l'homme s'assit et pleura silencieusement la tête entre ses mains. Georges s'approcha pour le réconforter et lui fit raconter son histoire. Ce pauvre homme ne pouvait vivre avec sa femme et son enfant de son *podere* trop petit. Il s'était donc fait blanchisseur et rapportait le linge à ses clients dans sa petite voiture ; mais il n'avait pas un sou d'avance pour se racheter un cheval. « Je devinai, écrit Georges, que j'avais à faire à un digne et brave homme, je me sentis immédiatement de la sympathie pour lui. » Et il lui proposa de lui acheter un cheval, à condition qu'il lui fasse faire dans son *callessino* des excursions dans toute la Toscane qu'on organisera de façon à ne pas gêner son travail. La joie et la reconnaissance du pauvre homme sont inexprimables et le projet est aussitôt mis à exécution. Georges alla voir bien des sites peu accessibles conduit par « Beppe Lavandajo » (le blanchisseur). De plus il acquit ainsi, pour lui et sa famille, un ami d'un dévouement à toute épreuve qui, jusqu'à la fin de sa vie, fut toujours là pour les assister dans leurs déménagements, et dans toutes leurs difficultés. André jeune homme fit son portrait.

Georges aimait aussi emmener sa famille dans les beaux endroits qu'il découvrait. Ils passèrent plusieurs étés dans les Apennins,

> dans un de ces endroits perdus, magnifiques et sauvages que mon père affectionnait, écrit Florence dans ses souvenirs d'enfance, et que ma mère (elle avait pour cela de bonnes raisons pratiques) exécrait... D'une petite butte, à 5 mètres de la maison, une vue immense sur la chaîne des Apennins et sur les deux mers — l'Adriatique et la Tyrrhénienne. Quand le temps était clair, mon père me faisait chercher, avec une lorgnette, les tout petits bateaux — des points noirs, des insectes. L'île d'Elbe, Capraia, La Gorgone semblaient voguer — très haut — dans le ciel entre deux espaces bleus.

Barques à Porto San Stefano

35

Là, ils partageaient une grande maison paysanne, la « Macchia Antonini », avec ses habitants habituels, fort primitifs. Un « hors-la-loi » (*foruscito*) sortait de temps en temps du maquis et on lui offrait, par prudence, un bon repas. Si Lina « exécrait » cet endroit, comme Florence le pensait, elle faisait contre mauvaise fortune bon cœur. Des photos, des dessins de Georges la montrent souriante, se promenant avec ses enfants, ou cousant sous les arbres, un grand chapeau de paille sur la tête, avec quatre pigeons perchés sur les barreaux de sa chaise, et en légende : « Lina et ses quatre fils de la Macchia ». Georges marche, dessine, travaille, lit et étudie l'allemand avec Lina.

Les amis : Gino Casini, A. Leroy-Beaulieu, G. Brandes

Georges se lia d'une amitié toujours plus fraternelle avec un cousin de Lina qui avait été élevé avec elle, Gino Casini, qui était architecte, avec sa femme Teresa, et leurs enfants ; la sœur de Teresa, Laura Padovani et sa famille leur étaient proches aussi.

Mais, à part Gino, les grands amis de Georges étaient au loin, et les deux grandes amitiés de jeunesse que nous avons vu naître, avec Anatole Leroy-Beaulieu et surtout avec Georg Brandes, se poursuivaient par correspondance.

Anatole, le frère de l'économiste libéral Paul Leroy-Beaulieu, est un homme très actif, et Georges a toujours éprouvé beaucoup de respect pour sa compétence. Il a fondé une revue, *Le Parlement*, il voyage souvent au loin, il écrit des livres et de nombreux articles de politique internationale. Et, en 1887, il se présente aux élections sénatoriales sous l'étiquette de « libéral modéré ». Il a souvent avec Georges un ton un peu supérieur, et il lui reproche parfois son « dilettantisme ». Leurs échanges d'idées montrent qu'ils sont restés proches, surtout en politique. Ils se prononcent tous deux en faveur d'une politique d'expansion coloniale ; on sent très bien que pour Georges, ceux qui la refusent sont des égoïstes bornés, comme pour nous ceux qui se désintéressent du sort du Tiers Monde. Cette correspondance se poursuit fidèlement jusqu'à la mort de Georges. Les rencontres, elles, sont rares, mais viennent de temps à autre réchauffer leur vieille amitié.

De Brandes, Georges disait qu'il était le seul de ses amis à avoir du génie, les autres n'ayant que du talent. Après l'heureux voyage en Italie de 1871, Brandes, qui était de quatre ans l'aîné de Georges, retrouva au Danemark une existence difficile, mais émaillée de brillants succès. Il resta toujours fidèle à ses fermes opinions socialistes et anticléricales malgré les obstacles qu'elles dressèrent devant lui.

Mes convictions m'ont chargé de sacrifices de position et de fortune, écrit-il à Georges en avril 1875, qui, surtout à présent où je voudrais me marier, me sont devenus bien durs

et il explique dans son français savoureux :

Il n'y a pas de ministre en Danemark et n'en sera pas de vingt années qui voudrait me donner la moindre place à l'Université ou ailleurs, et la dame que j'aime et que je veux épouser n'a pas de fortune... Vous voyez bien que c'est plus facile de défier l'opinion quand on est riche que quand on n'a que ce qu'on gagne jour par jour.

Il ajoute encore ce jugement important :

C'est un petit malheur (il jugeait donc déjà que c'en était un) de n'avoir pas besoin de gagner sa vie — votre cas — comme c'est un vrai malheur de ne pouvoir gagner sa vie un peu largement sans rompre avec des convictions qui seules donnent à la vie individuelle quelque valeur. Ce dernier cas est le mien.

Ne pouvant donc enseigner officiellement dans son pays, Brandes accepta une chaire à Berlin. Son influence continuait cependant à se propager dans son pays, et il devenait le chef de file de la jeunesse avancée. A l'automne de 1882, après cinq années de son «exil» à Berlin, une souscription de ses admirateurs lui permit de revenir enseigner avec un traitement assuré pour dix ans. Sa puissance de travail était exceptionnelle et il mena de front cours, conférences, articles, et la publication de nombreux ouvrages : sur Lasalle, Disraëli, le mouvement romantique français, les Goncourt, Ibsen, Dostoïevsky, Shakespeare, pour ne citer que ceux-là, ouvrages qui eurent peu de diffusion en France malgré les efforts de Georges pour les faire connaître, mais qui, traduits en plusieurs langues, firent grand bruit non seulement en Scandinavie et en Allemagne, mais en Russie, en Angleterre et aux Etats-Unis.

Georges suivit toujours avec un vif intérêt l'activité de son ami. Ils se revirent au bout de dix ans et Brandes écrivit qu'ils n'avaient alors plus grand chose à se dire. Leur correspondance se poursuivit néanmoins jusqu'à la mort de Georges, avec des expressions de chaleureuse amitié qui laissent à croire que Brandes pensait toujours ce qu'il écrivait en 1878 :

> Par mon cerveau passe le souvenir de tous les jours charmants que nous avons passés ensemble, de notre amitié si vite conclue et si solide et vraie, malgré les années et l'absence, et je presse votre main avec mes deux mains. J'ai le droit d'être plus sentimental, étant du Nord.

Leurs divergences furent toujours débattues avec franchise. En politique, Brandes écrivait qu'il « vivrait et mourrait " côté gauche " ». Georges regrettait vivement son socialisme marxiste : il le jugeait incompatible avec la liberté à laquelle ils tenaient tant l'un et l'autre. Lui-même se présentait comme un « libéral avancé », et les positions qu'il prit en diverses occasions attestent sa sincérité, telles ses déclarations en faveur de Dreyfus dès qu'il eut vent de « l'Affaire », peu avant sa mort. Toutefois, il était de plus en plus méfiant à l'égard du suffrage universel : gouverner est, disait-il, un métier difficile, auquel on devrait se préparer dans des écoles spécialisées, comme on apprend à être médecin, et le choix des gouvernants ne devrait pas être laissé à une opinion peu éclairée. Sur le plan de la religion, sans être croyant, Georges était moins résolument anticlérical que son ami.

Georges Noufflard musicologue

Cette admiration de Georges pour ses deux amis, pour Brandes surtout, allait de pair avec sa grande modestie personnelle — véritable sentiment d'indignité devant les difficultés qu'il éprouvait dans son travail et ce que les uns et les autres ont appelé son «dilettantisme». On comprend ce jugement quand on le voit entreprendre tant de choses qui n'aboutissent pas : nous l'avons vu se destinant à être peintre, puis y renonçant en invoquant l'état de ses yeux, mais continuant à dessiner et nous laissant quantité de charmants dessins pleins de finesse qui nous font mettre en doute cette explication ; nous l'avons vu projetant d'écrire des ouvrages, originaux à son époque, en utilisant les connaissances qu'il avait acquises par ses voyages et ses lectures, et les jugements que lui dictait son indéniable sensibilité artistique et musicale, ouvrages consacrés à l'influence du christianisme sur les arts, à la peinture vénitienne, à l'art byzantin ; nous l'avons vu étudier la littérature espagnole en tentant de répondre au problème que soulevait la déplorable situation politique de l'Espagne. De tout cela, il n'est rien sorti. Sans doute était-il sollicité dans trop de directions par ses dons multiples. De plus, tous ceux qui l'ont bien connu ont insisté sur son enthousiasme trop vite allumé, trop vite retombé, responsable de cette stérilisante instabilité. Et puis, Brandes lui rappelle un jour l'opinion de la brave Rosalie Courtonnel : sa fortune fait son malheur ; il ne serait heureux qu'obligé par la nécessité d'exercer un métier. Georges répond en rappelant ses grandes difficultés d'écriture ; elles seraient les mêmes s'il était talonné par le manque d'argent.

Et cependant Georges Noufflard a laissé une œuvre de musicologue consacrée à Berlioz et à Wagner : quelques articles et quatre petits volumes [8] — ce qui paraît bien maigre en regard de la production de ses deux amis, et constitue une œuvre à peu près oubliée aujourd'hui. Cela explique, justifie si l'on veut les doutes qu'il avait sur lui-même. Il nous paraît néanmoins que cette œuvre a son importance. Certes on y trouve des considérations générales et des vues personnelles sur l'art, sur le progrès qui paraissent aujourd'hui quelque peu maladroites et démodées. Mais l'essentiel est ailleurs. Il s'agit d'une étude très sérieuse de musiciens qui étaient alors d'avant-garde, méconnus du grand public et pour lesquels l'intérêt n'a fait — ne fait encore que croître. De Berlioz, Georges Noufflard connaissait tous les écrits publiés à son époque et toute la musique, parfois seulement par la partition, car elle était alors rarement exécutée, et il publia une analyse très sensible de la *Symphonie Fantastique* (1880), et une étude de l'ensemble de l'œuvre de Berlioz sous le titre *Hector Berlioz et le Mouvement de l'art contemporain* (1883). Mais son grand travail fut consacré à Wagner. Nous avons un peu oublié combien il était difficile alors de se familiariser avec les grands opéras. Georges n'avait que vingt ans lorsqu'il commença à écouter du Wagner ; il séjournait à Vienne ; il était déjà un fervent admirateur de Gluck, de Mozart, de Beethoven ; et il se mit à étudier l'allemand pour mieux approfondir l'œuvre de Wagner. Il ne publia son premier volume sur Wagner que vingt ans plus tard et le second après encore neuf ans et, pendant toute cette longue période, il s'efforça d'aller partout où l'on jouait du Wagner : à Rome, où il écouta, avec Lina, **toutes** les représentations de *Lohengrin*, à Berlin pour entendre *Tristan* et la *Tétralogie*, à Bayreuth pour entendre, à sa création, puis réentendre *Parsifal*... Il étudia les souvenirs de Wagner, tous ses écrits théoriques parfois indigestes et il réussit à rencontrer à Bayreuth, à Münich et à Zürich, non seulement Cosima Wagner, mais ceux qui survivaient des anciens amis et admirateurs de Wagner pour les interroger sur leurs souvenirs. De tout cela il tira une analyse de la genèse de l'œuvre, la situant dans la vie du compositeur. Quelle que soit sa grande admiration pour ces opéras, il perçoit très bien à quels dangereux excès de racisme et de pangermanisme risquent de mener les thèses wagnériennes [9].

Le livre de Georges Noufflard fut apprécié lors de sa parution. Leroy-Beaulieu et

(8) *La Symphonie Fantastique de Hector Berlioz. Essai sur l'expression de la musique instrumentale.* L'Arte della Stampa. Florence, 1880.
Hector Berlioz et le mouvement de l'art contemporain. 1re édition, sans nom d'éditeur, Florence, 1883. 2e éd. Fischbacher, Paris, et Herman Loescher, Florence, 1885.
Richard Wagner d'après lui-même. Tome I. Développement de l'homme et de l'artiste. Fischbacher, Paris, et Herman Loescher, Turin-Rome, 1885. - Tome II. L'élaboration du grand œuvre d'art. Fischbacher, Paris, et Herman Loescher, Turin-Rome, 1893.
(9) Lettre à Gino Casini du 10 avril 1894, où Georges Noufflard insiste sur l'influence qu'ont eue sur Wagner Gobineau et un autre Français nommé Gleizes.

Brandes l'en félicitèrent vivement et des appréciations élogieuses parurent, notamment dans la *Revue Bleue*. Lorsqu'il se rendit à Bayreuth où étaient réunis de nombreux wagnériens de tous pays, on lui fit fête, on le «combla d'éloges» dont il fut confus. Cosima Wagner demanda à le rencontrer. «Ce qui me flatte particulièrement, écrit-il à sa sœur, c'est que je n'ai pas cherché à me produire. On est venu me trouver.» Un été où Georges Noufflard était en vacances en Allemagne, le compositeur russe César Cui, qui faisait partie du *Groupe des Cinq*, vint lui rendre visite à cause de l'admiration qu'il avait pour ses livres. Bien des années plus tard, G. B. Shaw mentionnait, dans un article de critique, l'«admirable livre de M. Noufflard». Et encore dans les années 50, son nom n'était pas ignoré de certains musicologues américains.

Dernières années : Rouen, Lugano

Malgré ces quelques succès, pour lesquels Georges Noufflard exprimait sa joie avec une touchante sincérité, les dernières années de sa vie furent pénibles. Pour des raisons que nous ne comprenons pas entièrement, les Noufflard revinrent en France en 1891, après quinze années passées presque entièrement en Italie. Ils s'installèrent d'abord à Fresnay. Mais aussitôt survinrent de bien tristes événements. Ce fut d'abord la mort, de tuberculose aiguë, d'un domestique italien qu'ils avaient amené à Fresnay et qu'ils aimaient beaucoup. Georges le conduisit à Paris, le fit soigner pour le mieux, mais en vain. Puis, aussitôt après, ce fut un très grand deuil : il perdit sa sœur Marie, sa meilleure amie depuis toujours. Tout le monde l'aimait. Un demi-siècle plus tard, Florence l'évoquait ainsi :

> Un abîme me séparait des grandes personnes — le monde où je vivais n'avait aucun point de contact réel avec le leur... Ma tante Marie... sortait souvent du monde des grandes personnes pour entrer dans le mien. Je l'adorais (je me rappelle m'être répété indéfiniment avant de m'endormir : «je voudrais mourir pour elle»).

André était encore bien petit, mais il se souvint toujours de sa tante Marie, qui était aussi sa marraine, et il donna son prénom à ses deux filles. Peu après, le père de Lina mourut, puis, l'année suivante, son frère, emporté par une maladie foudroyante.

En 1893, la famille emménage à Rouen dans une petite maison voisine de la Fontaine-Ste-Marie, d'où ils vont souvent à Fresnay. Ils semblent bien s'adapter à cette nouvelle vie normande. Florence, devenue une belle grande jeune fille, suit un cours de littérature française où elle se distingue et où elle se fait des amies. A Fresnay, elle dessine sans cesse, assez adroitement déjà. André, malheureusement, a l'école en horreur, ce qui commence à inquiéter sérieusement ses parents. Il a maintenant huit ans, une bonne figure un peu joufflue, sympathique, au regard franc et confiant, mais son père lui reproche son manque d'énergie. Lina elle-même prend goût à la vie provinciale française, de même que Beppa, la chère vieille domestique qui l'a vue naître, qu'ils ont emmenée avec eux. Les témoignages ne manquent pas de Rouennais qui les connurent à cette époque et qui chantent les louanges de cette famille gaie, souvent drôle, ouverte, intéressante, véritable courant d'air frais dans l'atmosphère souvent triste et confinée de la petite bourgeoisie provinciale d'alors.

Georges donnait à sa famille ce ton très particulier qui allait pour toujours marquer le petit André. Pour l'instant les échanges se faisaient surtout avec sa grande fille Florence. Dans ses réflexions citées plus haut, rédigées en 1944, sur le petit monde clos des enfants où pénétrait sa tante Marie, elle ajoute :

André enfant.

A Fresnay.
Georges avec Florence
et André.

Par mon père, je sortais quelquefois de mon petit univers : c'était pour entrer avec lui dans le monde des idées, de la peinture, de la musique. Je le vénérais.

Au cours de grandes promenades à travers champs, à Fresnay, Georges racontait à sa fille ses souvenirs de jeunesse et en tirait la philosophie, ce qu'elle n'oublierait jamais. Un jour, passant avec sa femme quelques jours à Paris, il écrit à Florence, qui a alors seize ans et qui est restée à Fresnay : « Ma chère Florence, il y a des choses qui m'ont plu au Salon. Comme tu sens un peu comme moi, je désire te les faire voir. Ai-je tort ? », et il l'enjoint de prendre le train pour Paris. On voit d'ici avec quelle joie et quelle fierté cet ordre dut être exécuté ! A Rouen, Florence lui fait la lecture :

Elle m'a lu un gros volume de M. Leroy-Beaulieu comprenant l'exposé et la réfutation complète des théories socialistes de Carl Marx, puis un autre volume, très érudit, sur l'ancienne Gaule, l'empire romain et l'invasion germanique. Et tout cela paraissait l'intéresser beaucoup !

C'était là, presque miraculeusement, l'apprentissage qu'il fallait à la future Madame Elie Halévy !

André, plus petit, eut tout de même aussi sa moisson de bons souvenirs. Il y avait à Fresnay un certain grenier à foin, d'accès assez acrobatique, où son père lui lut, en feuilleton, *Le Tour du Monde en quatre-vingts jours* — volupté inoubliable qu'il tint à procurer, identiquement, à ses filles. Et puis Georges faisait partager à André son affection pour son grand chien Tom, pour un petit angora blanc, faisant de lui, pour toujours, un ami des bêtes.

Fresnay resta toujours pour eux le symbole de leur heureuse jeunesse. Beaucoup plus tard, Florence voyant des enfants qu'on entravait par mille petits interdits, s'écrie : « Fratellino mio, quels heureux enfants nous avons été. Te rappelles-tu notre vie à Fresnay ? » Et André âgé n'oubliera jamais de rappeler à Gustave Marais, devenu son fermier, les joyeuses escapades qu'ils faisaient tous deux dans les champs. Adolescent, poète en herbe, lorsqu'il sera enfermé entre les murs du collège, il consacrera ses premiers vers à sa « carissima villa normanna », et à la liberté, aujourd'hui perdue, dont il jouissait là-bas.

Pourtant les lettres de Georges à son cousin Gino nous font découvrir que, pour lui, si cette gaîté n'était pas factice, elle n'était malheureusement qu'un des aspects de la réalité. Est-ce à cause des peines multiples qu'il venait d'éprouver ? Ou, comme il le disait, parce qu'il ne pouvait plus, après tant d'années dans des pays ensoleillés, supporter le climat de Normandie ? Est-ce à cause des relations franco-italiennes, alors très tendues, et dont il souffrait, se sentant appartenir autant aux deux pays, et qui lui faisaient craindre qu'on en vienne à la guerre ? Toujours est-il que Georges, dès 1893, quelques mois à peine après s'être installé à Rouen, commence à dire qu'il veut s'en aller. Il envisage de se fixer à Lugano, pour être en pays neutre, à proximité de Florence et dans un climat déjà méridional. Ce projet n'était pas pour tout de suite : pour le moment il était plongé dans la rédaction du deuxième volume de son *Wagner* qui lui donnait beaucoup plus de mal que le premier et qui allait paraître en 1894. La perspective d'un nouveau déménagement ne tentait nullement Lina, qui avait horreur d'une vie agitée. Et pourtant le projet de Georges se précisait peu à peu. Aidé par Gino, il trouve à Lugano un terrain superbement situé au-dessus du lac, où Gino leur construit bientôt une belle maison. Georges y fait seul un long séjour pour surveiller les travaux. Mais alors la question se pose avec acuité : que ferait-on d'André ? Ses résultats scolaires sont de plus en plus mauvais, ses maîtres très mécontents. Lina se refuse à le changer d'établissement scolaire, et en même temps supporte très mal l'idée d'une séparation. Elle finit par accepter, non sans orages, qu'on le laisse dans son collège de Join-Lambert comme pensionnaire. Vers le mois de septembre 1895, ils s'installent dans la belle maison de Lugano. L'endroit est magnifique. Là aussi ils se font bientôt des amis, en particulier les jeunes princes von Ysenburg. « Cette famille, écrivit André, représente, dans mon souvenir, l'image parfaite de la vieille Allemagne d'avant l'hégémonie prussienne : patriarcale, austère, souriante et poétique. » Les quatre jeunes princes se lièrent, selon leurs âges, avec les enfants Noufflard.

Georges savait ne pas montrer qu'il était en proie à une « noire tristesse », dont il s'ouvre à Gino dans ses lettres ; il a le sentiment que tout dans sa vie a échoué et que maintenant il est trop tard... « Lina est très gentille, écrit-il, mais elle aussi... souvent obligée de faire un effort pour ne pas se laisser aller au chagrin que lui cause l'éloignement d'André. » Jeanne, qui était restée en pension à Florence, les rejoint à Lugano, puis André, à Pâques 1896, après une déplorable année scolaire qui persuade ses parents de chercher une autre formule. L'été, ils vont dans la montagne, à San Bernardino, où ils rencontrent une famille germano-italienne, les Conz, dont la bonté, la gaîté, la chaleur les charment tout de suite. La sympathie est réciproque et une amitié de toute la vie se noue là. Les Noufflard vont encore à Fresnay, où Georges est en mauvaise santé. L'hiver suivant, à Lugano, son état s'aggrave brusquement : il s'agit d'une évolution aiguë de tuberculose. Il meurt le 27 février 1897, à l'âge de 51 ans.

Enfance, adolescence, jeunesse d'André

Retour à Florence

Les plus grands chagrins étant muets, nous savons peu de chose de la famille au moment du coup terrible et inattendu de la mort de Georges. Mais, dans l'album de Florence, un album relié, recouvert de toile, avec les initiales brodées en rouge, de ceux où les jeunes filles se faisaient noter des souvenirs par les uns et les autres, dans cet album donc, nous lisons, inscrit d'une grosse écriture d'enfant : « Ma chère Florence. Jusqu'ici quand tu ne remplaçais que ma maîtresse je t'aimais beaucoup mais maintenant que tu remplaces aussi mon cher papa je t'aime encore davantage. André Noufflard. » Ces quelques mots du petit André de douze ans à sa grande sœur, datés du 4 mars 1897, moins d'une semaine après la mort de leur père, sont prophétiques. Leurs deux existences seront désormais indissociables, et Florence sera sa meilleure amie, sa confidente, son guide. Comme il le dit si bien, elle lui tiendra lieu de père, même après que son mariage l'aura éloignée.

Lina ne tarde pas à prendre ses décisions. Moins d'un mois après la mort de Georges, elle va en France pour régler la succession et pour voir la famille, surtout représentée alors par les Saint-Marceaux [10] et, dès le 20 mai 1897, les Noufflard sont réinstallés à Florence, qu'ils avaient quittée six ans auparavant.

Ils sont accueillis par Gino et Teresa, leur petite Maria et leur bonne grosse cousine Giuseppina Pomponi. Sans eux, dans ces premiers temps, les Noufflard seraient assez isolés. Le plus clair des distractions de Florence est la correspondance avec ses amies lointaines : « Mademoiselle Berthe », sa jeune institutrice de Rouen, à qui les Noufflard manquent cruellement, et surtout Mary, la fille des Conz, qui viendra parfois les voir à Florence.

Le ton des lettres de Florence est toujours vivant et de bonne humeur ; elle n'aime pas étaler son chagrin. Dès janvier 1898, elle décide de travailler sérieusement le dessin : elle va tous les jours à l'atelier du peintre Simi, peintre adroit, dont les œuvres avaient moins de succès que l'enseignement. Son atelier était fort réputé. Florence fait de rapides progrès et devient vite une de ses élèves préférées. Elle se lie avec deux de ses compagnes : l'une est une jeune Olga Heath, blonde aux yeux bleus, de père anglais et de mère russe [11], et l'autre, Lena Meeks, une grande américaine éblouissante de fraîcheur et de gaîté. Olga quittera l'Italie peu de mois après leur rencontre et Lena, un peu plus tard, épousera M. Emetaz, son prétendant américain. Mais l'amitié avec Florence persistera toujours.

Avec elles, avec tout un groupe de camarades d'atelier italiens et étrangers, on danse, on bavarde, on va aussi visiter églises et musées et faire des randonnées dans les environs de Florence.

Ce n'est que quelques années plus tard, en 1900, que les trois jeunes Noufflard vont se lier intimement avec les enfants Giuliani, dont la mère était jusque-là en relations assez lointaines avec la leur. Cette amitié va transformer leur existence, surtout celle d'André. Les Giuliani ont une ravissante fille, Nannina, dont l'âge se situe entre ceux de Florence et d'André, et qui se liera avec eux deux ; un fils, Filippo, dit « Philos », qui deviendra un des meilleurs amis d'André, et une petite dernière, Byba, qui s'amuse à ennuyer les plus grands. Les Giuliani possèdent en Calabre, à San Lucido, dans un pays sauvage et superbe, un château du Moyen Age, où vit toujours leur père. A Florence, ils habitent une maison de rêve, un ancien couvent, de l'autre côté de l'Arno, avec un grand jardin en terrasses successives, d'où la vue sur Florence est merveilleuse ; et, dans les proches environs de Florence, à Casignano, ils ont une non moins belle grande villa, entourée de cyprès et d'oliviers, et d'une forêt de pins parasols. Pour les jeunes Noufflard, ces maisons accueillantes deviennent vite d'autres « chez soi ».

(10) Marguerite (Meg) Jourdain était la fille de Frédéric Jourdain, frère de Laure, la grand'mère d'André. D'un premier mariage, elle avait eu trois fils, Georges, Jacques et Jean Baugnies. Devenue veuve, elle s'était remariée avec le sculpteur René de Saint-Marceaux.

(11) Olga Heath devint Madame Mordvinoff par son mariage avec un officier du Tsar. Après la Révolution, elle subvint aux besoins de sa famille en peignant des portraits.

BERTHE NOUFFLARD.
Casignano.
1946.

19 × 24

Vie joyeuse et agréable, semble-t-il? Peut-être pas tellement. L'atmosphère familiale n'est pas toujours sereine. La présence de leur père manque profondément. Leur mère ne trouve pas facile d'être chef de famille. Elle est souvent nerveuse et impatiente, elle se plaint de terribles maux de tête. Il est naturel que les relations soient parfois un peu difficiles avec Jeanne qu'on avait si curieusement élevée loin des siens et dans un milieu tout autre. Heureusement, beaucoup de gaîté est apportée par la grande sœur et par le petit frère, qui sont très proches, se comprennent à mi-mot, plaisantent ensemble, et font de grandes expéditions à pied ou à bicyclette dans la campagne toscane, et Florence prend très au sérieux son rôle de « père ».

De la vie d'André à cette époque, nous savons peu de choses. Il est élève au lycée Galileo et continue à fort mal travailler. Tous les matins, un petit voisin vient sonner à la porte des Noufflard, via Cavour, et les deux petits garçons font route ensemble vers leur lycée. Il s'appelle Leonardo Olschki. Plus tard André le présentera aux Giuliani et ils feront partie du même groupe d'amis. Mais la guerre de 14-18 les séparera, car Leonardo est d'origine allemande et combattra de l'autre côté. André aura la grande joie de le retrouver, vers 1947, brillant professeur à Berkeley, et de renouer avec lui cette amitié d'enfance [12].

Mariage de Florence. Les Halévy

Tout ce que nous savons des Noufflard à cette époque laisse bien deviner quelle peine allait être pour André le départ de Florence à la fin de 1901, lorsque son mariage avec Elie Halévy la ramena définitivement en France.

Au début de cette année 1901, le jeune littérateur Daniel Halévy va passer quelque

(12) Parmi les nombreux ouvrages publiés par le Professeur Leonardo Olschki : *Marco Polo's Precursors*, Baltimore, 1943. - *Machiavelli the Scientist*, Berkeley, Calif., 1945 - *Guillaume Boucher : A French Artist at the Court of the Khans*, Baltimore, 1946. - *The Genius of Italy*, Oxford Un. Press, 1949. L. Olschki. publia également des poèmes en chinois.

temps à Florence avec sa femme (née Marianne Vaudoyer), et rend visite à Mademoiselle Noufflard, qu'il avait rencontrée à Paris. Florence fait visiter la ville aux Halévy, et, toute heureuse de se trouver avec ces jeunes Français intelligents et cultivés, elle s'ouvre à eux de sa nostalgie de la France. Daniel et Marianne sont émus. Ils sont sous le charme de cette belle grande fille, spontanée, vive, intelligente, si attachée au souvenir du Français remarquable qu'était son père, et tellement soucieuse, dans un milieu qu'ils jugent médiocre, de transmettre cette influence à son petit frère. De retour, Daniel demande à sa mère, Madame Ludovic Halévy, d'inviter cette jeune fille à Sucy à son prochain voyage en France. Florence avait toujours continué à se « retremper » de temps à autre par un petit séjour chez les Saint-Marceaux. Et c'est ainsi que l'été suivant elle fut invitée à passer un mois à Sucy.

A Sucy-en-Brie, Ludovic Halévy habitait une grande partie de l'année la « Haute Maison », qu'il avait achetée en 1893, dans cette banlieue Sud-Est qu'à l'époque on appréciait peu par crainte des invasions, et où il comptait donc bien « ne pas rencontrer de collègues académiciens ». Cette belle grande maison du XVIIIe siècle, à laquelle on accédait par une sorte de cour de ferme plantée de tilleuls, ouvrait de l'autre côté sur une prairie, clairière d'un grand parc. Un potager, et un beau jardin rempli de fleurs y avaient aussi trouvé leur place.

Ludovic Halévy avait alors 67 ans. Sa famille comptait déjà beaucoup de gens notables. Son père, Léon Halévy, avait dans son jeune temps fait partie activement du groupe des Saint-Simoniens. Ensuite il écrivit des œuvres des plus diverses : des tragédies aussi bien que des vaudevilles. Il avait épousé la fille de l'architecte Hippolyte Le Bas (qui construisit, entre autres, l'église Notre-Dame de Lorette). De belles photos de Léon Halévy, aux murs de la Haute Maison, rappelaient son étrange visage de prophète hirsute aux yeux rêveurs. D'autres montraient son frère Fromental, le compositeur, l'auteur de *La Juive*, en tenue d'Académicien, le regard clair derrière le lorgnon, les favoris encadrant un visage large. Une des deux filles de Fromental, Geneviève, cousine donc de Ludovic, avait épousé Georges Bizet, qui était élève de son père. Après la mort de celui-ci, elle devint « la belle Madame Strauss », intelligent et spirituel modèle de Madame de Guermantes.

La célébrité de Ludovic Halévy remontait au temps du Second Empire. Sa rencontre avec Offenbach et son association avec Meilhac nous valurent toutes ces opérettes dont le succès dure encore : *La Belle Hélène, La Vie Parisienne, La Périchole* et tant d'autres. Mais il est plus connu encore aujourd'hui pour avoir été avec Meilhac le librettiste de *Carmen*. Ses romans ne sont pas oubliés non plus : *La Famille Cardinal, L'Abbé Constantin*. Ces œuvres, le plus souvent légères, pourraient faire imaginer un homme très différent de celui qui reçut la jeune Florence à Sucy. Ludovic avait toujours associé à son activité d'auteur d'opérettes un intérêt très sérieux pour la politique ; il avait un esprit curieux de tout. Il était alors un homme à barbe blanche, causeur fort agréable, d'une très grande culture et d'une parfaite courtoisie.

Petite, brune, la figure large et les yeux pétillants d'intelligence, sa femme, la « Tante Louise » de tous les jeunes qui l'entouraient, était une demoiselle Breguet, de la vieille famille protestante des célèbres horlogers. D'une intelligence supérieure, sage, spirituelle et bonne, elle donnait à la maisonnée un ton simple, naturel et détaché des petites choses.

Daniel et Marianne, Florence les connaissait déjà. Elle était heureuse de retrouver Daniel, son malicieux visage encadré d'une barbe noire, sa conversation lettrée et fantaisiste.

Marianne toute jeune était éblouissante avec ses cheveux d'or cuivré noués d'un velours noir, son long cou fin et blanc, et Florence s'empressa de la dessiner.

Mais Florence ne connaissait pas encore Elie, le fils aîné de Ludovic — le studieux Elie, le plus réservé, avec ses yeux clairs sous ses gros sourcils, qui avaient un regard si droit, si intelligent, si bon ; et Florence devina vite toute la sensibilité, toute la capacité d'affection que cachaient ses manières brusques et bourrues. Il avait trente ans, et déjà derrière lui bien des succès universitaires. Entré à l'Ecole Normale le plus jeune de sa promotion, il était agrégé de philosophie et venait de passer brillamment sa thèse de doctorat. Il avait déjà publié des articles et des livres de philosophie qui avaient marqué : sur la notion d'intensité en psychologie, sur Platon, sur Bentham et le Radicalisme philosophique, sujet de sa thèse, qui commençait à l'orienter vers l'histoire d'Angleterre, et vers l'histoire du socialisme (mais ce n'est que quelques années plus tard qu'il entreprendra la grande œuvre de toute sa vie, aujourd'hui célèbre, l'*Histoire du peuple anglais au XIXᵉ siècle*[13]. Et puis, alors qu'il avait à peine 23 ans, il avait fondé avec son ami Xavier Léon la *Revue de métaphysique et de morale*, qui avait eu tout de suite une place importante par sa qualité et en raison de ses prises de positions, rationalistes et morales, idéalistes sans être chrétiennes. Elie était lié avec tous les brillants jeunes philosophes de sa génération : Léon Brunschvicg, Dominique Parodi et bien d'autres — mais il avait surtout trois grands amis que la vie n'éloignerait jamais de lui : Xavier Léon, Célestin Bouglé, le Breton aux yeux clairs, élève de Durkheim et futur directeur de l'Ecole Normale Supérieure, et Emile Chartier, qui bientôt deviendrait « Alain » pour les lecteurs de ses « Propos ». Mais Elie, jeune philosophe austère n'était pas pour autant enfermé dans une tour d'ivoire. Les problèmes politiques et sociaux le préoccupaient au plus haut point, même s'il n'éprouvait aucun désir d'y prendre part autrement que dans le domaine des idées. Une fois pourtant l'indignation l'avait fait descendre dans l'arène : dès le début de l'Affaire Dreyfus, il avait pris parti avec une conviction sans faille, entraînant ses amis. Avec son frère Daniel, il avait recueilli de nombreuses signatures pour *Le Manifeste des Intellectuels*. C'était encore tout récent, et maintenant, la partie gagnée, il était heureux de retourner à ses studieuses recherches.

Sa famille s'attristait de ne pas le voir songer au mariage, qui lui semblait une redoutable atteinte à la liberté. Mais tous perçurent fort bien qu'il était très frappé par l'intelligence, le naturel, la bonté et la beauté de leur jeune invitée italienne. Quant à Florence, elle écrivait à son frère :

> J'aime de plus en plus les Halévy. Je n'avais jamais rêvé d'un milieu aussi intellectuel et aussi simple à la fois... Ils sont des gens à la fois bons et vrais.

Mais Elie la laissa repartir. Quelques jours plus tard cependant, il alla la retrouver chez son frère qui l'avait invitée à Jouy et, au retour d'une promenade en forêt parmi les bruyères fleuries, ils étaient fiancés. A son ami Xavier Léon qui désirait le voir se marier, il avait écrit un jour :

> Si la femme que les dieux ont faite pour moi se trouve un jour sur ma route, et m'ouvre ses bras, devrais-je résister à l'ordre des dieux ? Mais je ne la chercherai dans aucun sentier.

(13) Elie Halévy : *Histoire du peuple anglais au XIXᵉ siècle*. Hachette, Paris, 1912-1946 (6 volumes). L'ensemble de l'ouvrage a été réédité *in extenso* en 5 volumes par Hachette Littérature entre 1973 et 1975.

Florence s'était trouvée sur cette route-là, et lui avait ouvert ses bras sans hésiter.

De toutes les congratulations qui affluèrent alors, nous citerons simplement ce mot de Boulanger-Cavé, le vieil ami de Ludovic Halévy, qui figure à côté de lui sur le beau pastel, aujourd'hui au Louvre, de son autre vieil ami Degas [14] :

> Mon cher Elie, je suis ravi de ta fiancée, de son charmant visage, de sa distinction, de son naturel, de son beau et bon regard. Comment ne seriez-vous pas heureux ensemble, telle qu'on la devine, tel que je te connais !

André, lui, pendant ce temps, faisait, bien à contre-cœur, ses débuts d'interne au collège Cicognini, à Prato, un des établissements les plus réputés d'Italie, où sa mère espérait qu'il travaillerait enfin. Apprenant la nouvelle, et comprenant que c'était pour sa sœur une très bonne nouvelle, il lui exprimait gentiment sa joie, et non sa tristesse. Mais il ajoutait, employant les surnoms qu'ils se donnaient l'un à l'autre : « Ma chère Dtan, tu n'oublieras pas ton Mousko, n'est-ce pas ? »

Florence et Elie se marient à Florence le 16 octobre. Tous les Halévy sont là, de même que Xavier, qui est le témoin d'Elie, sa femme et sa fille. Il y a là aussi deux petits jeunes dont le cœur est serré : André et Nannina Giuliani qui, elle aussi, avait en Florence une amie, une confidente, une conseillère.

Florence et Elie Halévy le jour de leur mariage.

Jeanne Noufflard (debout) et Nannina Giuliani

(14) Degas avait connu Tante Louise petite fille. Il était très lié avec les Halévy, dînait chez eux une fois par semaine. Il se brouilla avec eux au moment de l'Affaire Dreyfus.

Nos deux petites âmes restaient seules, se souviendra André plus tard, et, encore si jeunes et fraîches, se blottissaient l'une contre l'autre dans la tristesse.

Les jeunes mariés partent aussitôt pour Portofino, où ils restent jusqu'à la fin de l'année. Ils font de très grandes randonnées dans ce beau pays : Elie est un marcheur exceptionnel et Florence aime aussi les promenades. Mais surtout Elie travaille. Il vient d'être chargé d'un cours à l'Ecole libre des Sciences Politiques sur l'histoire des théories socialistes (qui bientôt alternera avec l'histoire de l'Angleterre au XIXᵉ siècle). Il a hâte d'être sorti de l'agitation de tous ces événements personnels et de reprendre, avec Florence à ses côtés, sa vie calme et studieuse. Florence montre aussitôt, non seulement que tel est aussi son désir, mais qu'elle est parfaitement capable de l'aider dans son travail. A Portofino, il lit tout Karl Marx, encore mal connu en France. Ne se souvient-elle pas alors de ses lectures à son père au temps de Rouen ?

Au seuil de l'année 1902, ils retournent à Paris. Toutefois Florence ne s'y plaît guère et ils passent de plus en plus de temps à Sucy.

Débuts au collège. Sucy

Déjà l'été précédent, à son arrivée en France, Florence écrivait à André, lui enjoignant de lui répondre, de tout lui raconter, sinon « ce ne sera plus jamais comme avant ». Maintenant elle insiste, elle récrit, elle questionne avec tant de tendresse qu'elle obtient enfin une correspondance régulière et confiante, qui se développera d'année en année et qui lui permettra de continuer à avoir la même influence, aidée maintenant par Elie.

Et c'est nécessaire. André a 17 ans. Depuis l'été précédent, il est donc interne dans cet excellent collège Cicognini, où il va passer quatre ans. Cette première année est fort difficile. Il se considère comme en prison et se plaint sans cesse de « sa vie dégoûtante ». Au début, il ne s'entend avec personne, ou presque, ce qui est de sa part très insolite et témoigne du désarroi où le plonge l'internat. « Tu me manques, chérie, écrit-il à Florence, et en général tous ceux que j'aime. Et ici je hais et suis haï de tout le monde excepté V... ». Signé : « Ton pauvre André ».

S'il n'aime pas les études, ce n'est pourtant pas faute d'avoir l'esprit éveillé, et Elie a raison de lui écrire :

> Nous nous demandons comment, intelligent, curieux de tant de choses, tu cesses de d'intéresser à ces mêmes choses, dès qu'elles prennent la forme d'un sujet d'études, d'une préparation à une carrière.

Plus tard, Berthe dira que, lors de leur mariage, quoique avertie qu'il avait été un fort mauvais élève, elle n'avait certes jamais pensé avoir épousé un homme inculte : « la première lecture qu'il m'a proposée, ajoutait-elle, c'étaient les historiens latins ! » Et c'est en somme ce qu'il voulait dire lorsque, âgé, il se qualifiait lui-même d' « ignorant assez cultivé ». Le jeune collégien lisait déjà beaucoup, en français et en italien : Dante, d'Annunzio, Carducci ; il se plonge dans Sainte-Beuve qu'Elie lui a envoyé ; il entreprend la traduction en italien d'un Balzac, et il lit aussi Renan, et des romans modernes. Fils de son père, il aime la musique. Quand il est à Florence, il va au concert, et, le soir, il chante, principalement des airs d'opéras de Wagner, souvent aussi du Schumann, accompagné au piano par sa mère. Il est visuellement sensible aux paysages. Lorsque Florence l'envie d'être parmi les collines toscanes, il répond :

les couchers de soleil, les pins, les oliviers argentés sont aussi loin des froides murailles de cette prison que des délicieuses brumes parisiennes.

Pourtant jamais l'idée ne lui vient encore de dessiner ce qu'il voit, alors que là-bas, à Paris, celle qui sera un jour sa femme couvre déjà ses carnets d'assez étonnants croquis.

Florence l'invite à passer l'été à Sucy : quel bonheur ce serait de se retrouver ! et comme il sera plus facile de s'écrire, de penser l'un à l'autre quand il connaîtra l'endroit où elle vit, où elle est si heureuse ! Mais son travail n'a pas été assez bon pour qu'on le dispense d'examens de passage et leur mère n'autorisera ce voyage que s'il est reçu. André a un trac terrible. Florence est très inquiète. Mais il est reçu partout et il va passer deux mois auprès de Florence et Elie. A Sucy, on mène une vie tranquille et active. Le jeune ménage respire le bonheur. M. Halévy et tante Louise reçoivent avec affection « le petit frère de Florence ». Il fait la connaissance des amis de Florence et Elie. Il marche avec son beau-frère et les promenades avec Florence le soir sous les grands arbres du parc sont propices aux confidences. Il est invité à Jouy chez les Daniel et à Cuy chez les Saint-Marceaux.

André collégien : ses amis

Après ces vacances sereines, la rentrée est beaucoup meilleure. Les trois années qu'il passera encore à Cicognini ne lui laisseront certes pas rien que des bons souvenirs ; et il y aura encore des orages, des conflits, des échecs aux examens l'obligeant à passer une partie de l'été suivant à Prato. Mais il se fait des amis, de très bons amis. Un des premiers sera le fils de Gabriele d'Annunzio, qu'on appelle Gabriellino. André le trouve d'abord un peu prétentieux, mais somme toute sympathique. Un jour, Gabriellino emmène André voir son père dans sa villa de Caponcina. André est amusé, et pas peu fier de rencontrer le grand homme et il prend des photos de lui avec son fils. Très attiré par le théâtre, Gabriellino joue dans *Jules César* de Shakespeare, monté par le collège ; il joue très bien, juge André, quoiqu'il imite un peu trop la Duse — la Duse, cette admirable actrice pour laquelle tous les jeunes de cette génération avaient un culte. Gabriellino, avant de mourir très jeune, allait avoir une assez brillante carrière d'acteur.

D'autres bons camarades seront les frères Scarfoglio, et les frères Serao, fils d'une romancière alors assez réputée. Il se liera surtout avec deux autres de ses camarades, l'un et l'autre très remarquables, comme ils devaient le démontrer à l'avenir : Carlo (dit Carlino) Scialoja et Guido Libertini. Lorsque Scialoja arrive à Cicognini quelques mois après lui, André le juge tout de suite « très bon et extrêmement intelligent » et il devient très vite « mon ami d'ici ». Il le présente à Florence quand elle vient en Italie [15]. Quant à

---

(15) Carlo (Carlino) Scialoja était originaire de la petite île de Procida, et sa famille donna à l'Italie un grand nombre d'hommes remarquables. Carlino dirigea le *Foro Italiano*, importante revue d'études juridiques que son père avait fondée. Il fut un antifasciste actif, et, à la fin de l'occupation allemande, un des organisateurs du Comité de Libération nationale. Après la guerre, il fut ministre de l'Aviation, dans le ministère de Bonomi, qu'il avait connu dans la clandestinité. Il mourut en 1947.

Libertini, dont il ne parle qu'un peu plus tard, c'est un jeune Sicilien, assez laid, mais un des plus brillants élèves de sa classe; il se lie vite avec André et devient le confident de toutes ses peines [16].

Et presque chaque dimanche son plus vieux, son plus fraternel ami, Filippo Giuliani vient de Florence pour le voir et ils se promènent ensemble dans la campagne.

Enfin, en 1905, il se lie d'amitié avec un jeune professeur qui lui donne des répétitions : Giulio Caprin. Il est «poète, critique, écrivain de nouvelles et socialiste... Un homme charmant, plein de feu». Amitié durable, elle aussi, et encore prolongée par celle qui se nouera plus tard avec sa fille Doletta et son gendre Manfredi Oxilia.

Ainsi ce «cancre» d'André, qui certes ne se couvrait pas de gloire dans le domaine scolaire, se trouvait être le grand ami de tout un groupe de jeunes garçons remarquables et qui allaient pour la plupart faire de brillantes carrières.

André collégien : ses poèmes

Et puis André a aussi une passion secrète, qui éclaire son existence de collégien : il écrit des poèmes. Comme tous les adolescents ? Oui, mais peut-être un peu plus, peut-être un peu mieux. En tout cas, cela compte tellement pour lui que, longtemps, il n'en a pas même fait la confidence à Florence. Puis brusquement, en mars 1905, il lui révèle qu'il a déjà rempli six cahiers de poèmes, et qu'il ne s'en est ouvert qu'à Scialoja, qui l'encourage et, souvent, l'admire. Dès lors il enverra tout ce qu'il écrit à Florence qui le lui commentera et critiquera toujours avec finesse et sympathie. Il attache à ses vers une très grande importance :

> S'il est une chose que j'aime plus que moi-même et plus que les personnes que j'aime, c'est mes poésies, car en elles il y a non seulement mon âme, mais la partie la plus élevée de mon âme.

Il écrit souvent dans un état de grande exaltation. Ainsi pour un poème évoquant une excursion, autrefois, avec Florence :

> J'étais comme en feu... et les images se suivaient dans mon esprit avec une facilité et une rapidité surprenantes... Depuis que j'ai fini ceci, je suis *heureux,* et je reconnais une fois de plus que ma poésie est au-dessus de toutes les émotions, les peines et les joies de la vie.

Il écrit parfois des poèmes vaguement philosophiques, où s'expriment les opinions du jeune Italien libéral, athée, pacifiste, un peu socialisant qu'il était alors. Ainsi dans un long poème, *la Nave,* que Gabriellino fit lire à son père, à la demande d'André. D'Annunzio dit à son fils d'encourager le jeune poète à continuer, car il avait «le sens de la forme». La plupart de ses vers traduisent plutôt de poétiques impressions de la nature toscane, et surtout ses sentiments envers les êtres qui lui sont chers : sa mère, Florence, la charmante petite Nannina Giuliani, ou sa jeune sensualité, et les joies et les peines de ses aventures sentimentales. Ses vers sont quelque peu inspirés par ses grands modèles : Carducci, d'Annunzio, mais ils ont parfois un sentiment, un rythme aussi qui sont à lui,

---

(16) Après la guerre de 14-18, qui lui avait fait connaître la Grèce, Guido Libertini devint archéologue de grande valeur et fut recteur de l'Université de Catane.

comme par exemple le poème intitulé *Inno all'armonia,* dont voici le début et la fin [17] :

O Armonia
della giovine donna che cammina
sull'acceso selciato della via
e ad ogni passo inchina
un pò la testa come avvolta via
da un ritmo che trascina
o segna una ben nota melodia.
......

......
O Armonia
Mistero dolce che nella natura
rendi la più malefica sozzura
pura,
che regoli nei palpiti del cuore
la vita, che sollevi chi d'amore
muore,
che vivi nel mirabile lamento
del vento,
che vivi intorno a me se m'addormento
e il lume è spento
Sei ciò che cerca l'anima inquieta
del poeta,
sei tutto, sei l'umanità infinita,
la vita.

FLORENCE HALÉVY
André en 1902.
Croquis.

André collégien : problèmes d'avenir

Il n'écrit qu'en italien, ses rares essais en français n'ayant pas été couronnés de succès. D'ailleurs n'est-il pas devenu un collégien italien ? Pas tout à fait. Evidemment, le français est toujours la matière où il obtient des succès faciles. La direction du collège, astucieuse, a envoyé ses dissertations pour montrer combien l'enseignement du français était, à Cicognini, brillant et efficace. Un jour, André a un litige avec son professeur de français et il fait demander à Ludovic Halévy un petit mot attestant qu'on ne dit pas « Les chauves-souris ne sont pas d'oiseaux », mais bien « ne sont pas des oiseaux », tout en mentionnant sa qualité d'Académicien français ! André se sent toujours français, en même temps qu'italien, et sans doute plus encore depuis que Florence est définitivement retournée en France. « Je ne savais pas aimer tant que cela ma patrie, écrit-il, un jour

(17) O Harmonie - Une jeune femme marche - sur le pavé brûlant de la route - et à chaque pas incline - un peu la tête comme entraînée - par un rythme qui évoque - une mélodie familière — O Harmonie - Doux mystère qui dans la nature - purifies - l'ordure la plus maléfique - qui dans les battements du cœur - règles la vie - qui soulages celui qui meurt - d'amour - qui vis dans la plainte admirable - du vent - qui vis autour de moi quand je m'endors - et que la lumière est éteinte - C'est toi que cherche l'âme inquiète - du poète - tu es tout, tu es l'humanité infinie - la vie. *(Traduction de Chantal Roux de Bézieux).*

où ses camarades disent du mal de la France après une victoire des Français dans une compétition sportive. Ce que j'ai souffert est incroyable ». Pourtant, à l'approche de sa majorité, lorsque se pose la question de son appartenance légale à l'un des deux pays, il entreprend, avec l'aide d'Elie, les démarches nécessaires pour être italien, comme le rendait bien naturel la vie qu'il menait depuis l'âge de douze ans. C'était pour lui, disait-il, une simple formalité sans grande signification. Il n'imaginait pas alors les lourdes conséquences qu'aurait cette «formalité» moins de dix ans plus tard !

Pour le moment, il vit tout à fait en Italie : les vacances en France elles-mêmes ne se répèteront plus pendant les années de collège, et c'est en Italie qu'André voit Florence et Elie qui y font une visite chaque année. Il passe ses vacances à San Lucido, chez les Giuliani, ou sur d'autres plages italiennes. Et puis, en 1904, survient un grand événement : sa sœur Jeanne se marie à son tour, et elle épouse un Italien, Luigi (Gigino) Acquaviva. C'est André qui, remplaçant leur père, la conduit à l'église. Et maintenant il fera aussi des séjours chez eux, à San Lazzaro di Faenza.

André n'a encore aucune idée de ce qu'il veut faire plus tard et Florence et Elie s'en inquiètent ; ils le pressent de questions. Il aime les sciences naturelles et plus encore les voyages : cela ne ferait-il pas un métier ? Elie lui répond que c'est un peu enfantin. Au fond, André est sûr que la littérature est sa vocation ; mais cela ne lui permettra pas de gagner sa vie, il le sait bien ; il essayera donc de faire du journalisme. Et c'est pour poursuivre des études littéraires un peu vagues qu'il décide, une fois ses études secondaires terminées, d'aller à Rome, grâce à une petite pension que lui alloue sa mère.

André étudiant : Rome, Sucy. Débuts en dessin

Il arrive à Rome en novembre 1905 et tout de suite, comme son père autrefois, il est émerveillé :

> Je ne suis à Rome que depuis un jour et demi et je l'aime déjà follement. Toutes les choses y ont une grâce si particulière, depuis les grands palais rococo qui semblent sourire avec une grâce vieillotte jusqu'aux grands pins, aux cyprès gras et aux «elci» [18] qui sont majestueux comme s'ils étaient couverts d'une grande draperie antique. C'est réellement la ville impériale par excellence.

Oui, Rome c'est cela, et c'est aussi dans ce beau cadre, l'effervescence d'une grande capitale intellectuelle où de nombreux étrangers côtoient les Italiens, où se donnent concerts, opéras, pièces de théâtre, conférences de qualité, où l'on danse aussi beaucoup. Quelle ivresse pour le jeune reclus de Cicognini !

Il est d'abord reçu très affectueusement par la charmante famille de Carlino Scialoja ; puis il se trouve un agréable petit logement que viendra partager avec lui Gabriellino d'Annunzio. Un peu plus tard, pour sa grande joie, il est rejoint par son ami Libertini et lui fait visiter Rome.

Il travaille un peu l'histoire grecque, étudie Platon, suit le cours de Venturi sur le XIIIe siècle, assiste à des conférences sur l'art moderne. Il continue aussi à écrire : de la poésie, en abordant des formes qu'il n'avait pas utilisées jusque-là (sonnets, ballades) ; des nouvelles, et l'une d'elles sera publiée en version française, sous le titre *Chimère*, dans

(18) Yeuses.

une revue italienne en langue française, la *Revue du Nord*, qu'édite un ami d'André, le poète Vannicola, qui apprécie beaucoup ses nouvelles. Un autre poète de ses amis, Cesare Viola, l'aide de ses conseils. Il fait aussi la connaissance d'un jeune philosophe très remarquable, Vailati, qu'il présentera aux Halévy. Mais surtout André s'amuse énormément.

Quelques mois après son arrivée à Rome, il annonce cependant sa décision de faire son droit, qui lui ouvrira des possibilités diverses. Sa mère et sa sœur sont très satisfaites de le voir occupé à un travail régulier et qui pourrait déboucher sur une carrière. Toutefois, au milieu de tous ses récits de sa vie à Rome, de cours de droit on n'entend jamais parler ! Au début de juin, lorsqu'approche la date des examens, il recommence à se dire «neurasthénique», et il renonce à s'y présenter, au grand déplaisir de Florence.

Cet été de 1906, il retourne à Sucy et désormais il ne se passera plus d'année qu'il n'y fasse un séjour. Florence, très heureuse de le voir revenir, est cependant un peu inquiète : «Tes lettres de cet hiver m'avaient fait parfois craindre... que notre vie te paraisse bien monotone», lui écrit-elle après son départ. Elle avoue franchement qu'elle est triste de voir la vie de Rome le reprendre, car elle ne croit pas que cela lui soit bon.

> Au fond, old boy, tu es fait pour la vie de famille... Le fait que tu ne t'es pas ennuyé en compagnie de gens aussi paisibles et rangés que nous, simplement parce que nous t'aimions, que nous n'étions pas sots et que nous ne te tourmentions pas prouve bien que tu es un garçon rangé, au fond... J'ai senti que c'était ta vie de jeune solitaire qui, tout en t'amusant, comme c'est bien naturel à ton âge, n'était pas ta vraie vie.»

Certes André ne s'est nullement ennuyé à Sucy. Il a retrouvé le ménage de Florence et Elie toujours plus rayonnant, et ce spectacle le frappe et l'influence profondément. Et puis, à Sucy, cette année-là, il se découvre deux vocations, d'inégale importance. Tout d'abord, il a trouvé, à la Haute Maison, une vieille longue-vue hors d'usage oubliée sous le billard. Il l'a réparée, il a observé le ciel : Mars, Jupiter et ses satellites, et, surtout merveilleux, Saturne et son anneau. Il les a fait voir aux Halévy, pour la plus grande joie de tous. Cette passion pour l'astronomie, il la conservera toute sa vie. Florence devait raconter à Chartier cet épisode de la lunette ; il semblait à peine écouter. Or, quelque temps après, on put lire un très remarquable *Propos d'Alain* qui s'en inspirait [19].

Pendant cet été-là aussi, Florence passa un jour à son frère son carnet de dessin qui ne la quittait jamais, et il se mit à faire des croquis de sa sœur, de Ludovic Halévy, de Marianne, des chats, qui tenaient une grande place dans la vie de Florence et d'Elie... et ce sont là ses tout premiers dessins : croquis un peu naïfs, un peu caricaturaux, mais parfois déjà d'un joli coup de crayon, étonnants de ressemblance et pleins d'esprit.

Sans doute y a-t-il trouvé beaucoup de plaisir, car maintenant il ne s'arrêtera plus de dessiner. A Florence, où il passe quelques semaines à préparer ses examens de droit, sérieusement cette fois, il dessine sans cesse : il dessine son chat, il dessine son ami Philos. Il ne dessine encore que des portraits. C'est singulier, quand on le voit toujours si sensible aux paysages, mais c'est encore par des mots qu'il traduit l'émotion qu'ils lui causent : poèmes, ou simplement descriptions évocatrices qui émaillent ses lettres.

(19) Voir p. 307.

Après quelques semaines à Florence, André retourne à Rome, passe avec succès ses examens, et, tout rempli de bonnes intentions, y commence une deuxième année. Il repense beaucoup à son séjour à Sucy, il en envisage d'autres ; il se sent heureux. Il travaille, il lit beaucoup, il écrit, et aussi il continue à dessiner : il fait des portraits de son entourage, de son ami Libertini en particulier, et il copie des dessins de maîtres pour essayer de faire des progrès. Florence, à qui il envoie ses dessins lui écrit qu'elle les trouve excellents et qu'Elie commence à se demander si ce n'est pas là sa vraie vocation.

Il prend ses repas dans une pension où il rencontre un public cosmopolite et souvent intéressant. Il y fait connaissance, entre autres, de la vieille duchesse de Gallese, belle-mère de d'Annunzio, qu'il trouve charmante, et d'un jeune avocat, Maurizio Maraviglia, qui comptera désormais au nombre de ses bons amis. Et puis, un jour arrive à la pension une famille allemande : une mère et ses deux filles, à peine adolescentes. Elles sont toutes les trois charmantes, Elisabeth surtout, la plus petite fille, qu'André qualifie de «jolie petite fleur de gaité». Entre Maraviglia, André et les petites s'instaurent par la fenêtre, dans la rue des jeux innocents, un peu sentimentaux, sous le regard indulgent de la mère. Et puis un jour toutes trois partent pour Capri. Les deux garçons vont les revoir à Capri et à Naples avant leur départ d'Italie.

L'atelier de Simi

Cette année-là, le frère et la sœur ne pourront se voir que fort peu, et c'est alors cependant que Florence aura une influence décisive sur la direction que prendra la carrière d'André. A son retour de Capri, celui-ci a été repris par cette vie romaine que Florence redoutait pour lui : sorties continuelles, amis et amies fort accaparants, dépenses excessives pour ses moyens. Philos est un peu dans le même cas, et ils renoncent tous les deux pour des raisons financières à un voyage en Angleterre qu'ils avaient projeté ensemble. Ils vont à San Lucido chez les Giuliani, puis à Fresnay, où ils emmènent aussi Scialoja, et, de Dieppe, ils font tout de même une petite expédition à Londres, nullement préméditée et fort gaie. Florence vient les rejoindre quelques jours à Fresnay, mais très rapidement, car Ludovic Halévy est très malade, et André ne peut que passer à Sucy. C'est assez cependant pour quelques conversations importantes. Florence persuade André qu'il lui faut travailler son dessin : qu'il aille à l'atelier de Simi aussitôt rentré chez sa mère. Il suit ce conseil et aussitôt c'est l'enthousiasme : « Il est content de moi, et je suis enthousiaste de lui ». André dessine des têtes, puis des nus. Il travaille six heures par jour ; on n'avait pas souvent vu cela ! Simi écrit à Florence qu'il est très doué et travaille avec beaucoup d'intelligence. Il fait de grands progrès ; il commence à s'essayer à la gravure. Il demande aussi des conseils à Trentacoste, sculpteur de talent et déjà réputé, homme charmant et d'une grande culture artistique et qui est un ami des Giuliani.

Cependant des difficultés surviennent qui lui font envisager de renoncer à cette nouvelle vie qui lui plaît tant. Mais sa sœur est maintenant convaincue que le dessin est sa vocation et ce sont ses vigoureuses interventions qui obtiendront qu'il continue à travailler chez Simi. Premier obstacle : le goût de leur mère pour la solitude qui la rend hésitante à héberger qui que ce soit, même André. Et puis, raisonnablement, elle veut qu'il finisse son droit, d'autant plus qu'elle le croit à mi-chemin de ses études. Or André a menti : il n'a jamais passé qu'un seul examen ! il a pris le droit en horreur ! Qu'à cela ne tienne, rétorque sa mère, il finira tout de même son droit, même si presque tout est encore à faire. A chaque

ANDRÉ NOUFFLARD. *Le peintre Simi. Dessin.* 24 × 18   ANDRÉ NOUFFLARD. *Guido Libertini. Dessin.* 14 × 9

stade, Florence intervient auprès de sa mère, auprès d'André : en tous cas, il faut qu'il continue à aller à l'atelier de Simi. Finalement, c'est André qui trouve une voie de conciliation. A Rome, où il suit un cours de perspective, il apprend par des camarades que dans certaines facultés de province, à Pérouse, par exemple, on passe très facilement les examens de droit ; un mois de présence à chaque session y suffit. Dans ces conditions, il accepte de céder aux exigences maternelles, qu'il juge absurdes : il vivra à Florence, travaillera chez Simi, au prix de deux mois de droit par an, qu'il juge sacrifiés.

L'Ombrie. Dessins de paysages

Il va donc à Pérouse dès le mois de mai de cette année 1908, et il va vite s'apercevoir que le temps qu'il passe en Ombrie (il sera plus souvent à Assise qu'à Pérouse) n'est nullement un temps «sacrifié».

«Mais qu'a donc ce pays, s'écrie-t-il, pour toucher si profondément mon âme ?» Il y trouve «une sérénité qui provient si étrangement des choses, des maisons, de la terre... », et il ajoute : «Toutes les fois que mon âme aura des tumultes, j'y reviendrai avec la certitude d'y retrouver le bonheur et la sérénité. C'est une terre sans pareille». Après la vie mouvementée qui avait été la sienne, qui l'attirait certes, mais qui ne le satisfaisait pas et qui lui laissait quelque amertume, il était là pleinement heureux. Et il ressentait avec une certaine exaltation le désir d'être bon, d'aimer ses amis, d'aimer la vie. «Je ne puis comprendre l'Ombrie autrement que mystique», dit-il à un de ses premiers séjours, et il ajoute que la poésie profane de son cher Carducci lui fait ici l'effet d'une fausse note, voire d'une obscénité. Il lit alors la vie de saint François par Sabatier et il aime de plus en plus « ce saint qui est l'âme de ce pays ». Mais à son tour il voit de façon assez peu chrétienne les rapports de saint François et de l'Ombrie :

> Tous ces studieux (sic) de saint François ne s'aperçoivent pas que c'est l'âme de l'Ombrie qu'ils adorent et étudient. Saint François est le dieu de l'Ombrie, comme Poséidon était le dieu de la mer et Arthemis la déesse de la lune.

On n'est pas surpris, en lisant ces lettres d'André, qu'Assise ait été un des premiers endroits où il ait voulu emmener Berthe après leur mariage.

Le jeune étudiant jouit là d'une vie tranquillement active. Il travaille un peu son droit, il lit beaucoup, il se promène, il dessine avec ardeur et c'est aussi dans ce beau pays qu'il est devenu paysagiste. Il est heureux de voir qu'il réussit des motifs compliqués et de mesurer le chemin parcouru depuis si peu de temps, en somme, qu'il s'est mis à dessiner. Les paysages sont si beaux, si poétiques.

> Pas un nuage... les collines sur le ciel bleu. La vallée est toute labourée, semée d'ormes d'or et d'oliviers d'argent, de toutes petites maisons, de petites meules, de petits cyprès — autour de Santa Maria degli Angeli dont la « Cupola bella del vignola » a l'air si étrangement solennel au milieu de toute cette simplicité champêtre. Et partout des imperceptibles personnages, des paysans et des paysannes aux mouchoirs rouges qui chantent tous comme enivrés par le beau temps, et là-bas une paire de tout petits bœufs blancs...

André fait aussi des portraits ; il trouve des modèles : une petite mendiante joufflue, une petite bergère, un vieil homme. Il remarque que ces modèles de la campagne sont bien plus intéressants que ceux de la ville, embellis qu'ils sont par leur vie de labeur paisible. De sa petite bergère, il dit :

> J'ai trouvé une petite bergère exquise — une petite tête de sphinx — nue sous son vêtement modelé par le vent... des attaches merveilleuses — son mouchoir à l'égyptienne avec quelques mèches blondes qui en sortaient. Elle courait après les chèvres, attrapait les agneaux et les transportait en riant hors d'un champ cultivé. Elle était en même temps berger et chien de berger... Je pense qu'à la sentir de près elle aurait plutôt l'odeur peu agréable de ses chèvres. Mais à la regarder, **je sens avec mes yeux** l'odeur du thym et des genets et des plantes sèches — et je sens le vent de sa montagne... Comprends-tu ?

Il a découvert cette enfant à San Fortunato, au-dessus d'Assise, auprès d'une mère aux yeux verts et très belle, dans une pauvre ferme. Il s'y trouve une petite chapelle, qu'on lui a ouverte et où il contemple une madone « tanto miracolosa » qui n'a guère de valeur artistique, mais qui le charme absolument par son doux visage, par l'amour avec lequel elle a été peinte. Il retourne plusieurs fois la voir.

A Pérouse, la vie mondaine bat son plein. A Assise, André trouve plus de tranquillité, mais sa vie n'est pas solitaire. A l'hôtel Subasio, il rencontre des touristes, de très nombreux pèlerins : prêtres américains, familles allemandes, etc., qu'il décrit drôlement ; et il y rencontre parfois des « franciscanisants » qui tiennent congrès. C'est ainsi qu'en 1909 il fait la connaissance de Johannes Jörgensen, qui avait beaucoup entendu parler de son père par Brandes, d'une originale et intéressante vieille demoiselle écossaise, Miss Stoddart, et aussi de Paul Sabatier, qu'il reverra et avec qui il continuera à correspondre.

Quant aux examens de droit, ils ne sont effectivement pas bien difficiles. Il travaille juste ce qu'il faut et il est toujours reçu, parfois brillamment. « J'espère qu'il y a en Italie des avocats qui en savent plus que toi ! », lui écrit ironiquement sa sœur.

Dessinateur et graveur

A Florence, André va être pendant trois ans l'élève de Simi. Pendant trois ans, il se consacrera essentiellement au dessin d'après des modèles, et à la gravure. Ces modèles, petites adolescentes des bas-fonds italiens, souvent fort belles, il va parfois lui-même les chercher en des expéditions pittoresques. Et, lors d'une visite des Halévy, il prend chez lui un de ces merveilleux petits modèles pour dessiner avec Florence. Autant il respecte l'avis de Simi pour le dessin, autant il juge celui-ci peu compétent pour la gravure. Il travaille seul le plus souvent, très intéressé par les problèmes techniques, et il échange des « recettes » avec Florence qui, elle aussi, à Sucy, fait beaucoup de gravure. Parfois aussi il demande des conseils à Colucci, un graveur de ses amis qu'il estime. Il fait surtout des eaux-fortes, et

ANDRÉ NOUFFLARD. *Sucy. La Haute Maison. Eau forte.*

24 × 34

16 × 12

ANDRÉ NOUFFLARD.
Marianne Halévy.
Eau forte
rehaussée de sanguine.

aussi quelques pointes-sèches. Ses tout premiers essais de peinture à l'huile datent de 1909 : ce sont quelques natures-mortes exécutées à l'atelier quand le modèle vient à manquer. L'été suivant, lorsqu'il va à San Lucido, c'est encore Florence qui lui conseille d'essayer de peindre ces paysages magnifiquement colorés. Cela nous vaut un charmant petit tableau, quoique inachevé, son tout premier paysage à l'huile dont, à la fin de sa vie, il allait faire cadeau à sa femme :

> un paysage d'ombre et de soleil. Des maisons blanches sur la mer bleue. La justesse des valeurs... donne du relief à ce gribouillage.

La vie à Florence n'était pas gaie tous les jours, en tête à tête avec une mère souvent en proie à la « neurasthénie », mais le bon docteur Chizzola, médecin et proche ami de la famille, aide à faire face à ces crises et l'extrême gentillesse d'André avec sa mère, son tact la conduisent à apprécier sa compagnie. Et puis il a un groupe de bons amis qu'il voit quotidiennement. Il y a d'abord un de ses anciens camarades de lycée, le si gentil Pavolini, que Florence et lui comparaient à un personnage de Dickens. Il poursuivait des études supérieures de botanique. Il y avait aussi leur ami Mayer, qui devait mourir jeune ; et, naturellement, Philos ; et Libertini, qui vivait alors à Florence et étudiait la sculpture avec Trentacoste ; enfin Scialoja était retourné à Rome, mais se joignait à eux lors de séjours qu'il faisait à Florence. Ces garçons se retrouvaient chaque jour pour marcher en causant dans les rues de la ville ou pour jouer aux cartes chez l'un ou chez l'autre, et, naturellement, la maison Giuliani leur était toujours accueillante.

Tous les étés maintenant, André va voir les Halévy. Hélas, Ludovic est mort en mai 1908, mais Tante Louise continue à accueillir André à Sucy et Françoise et Léon, les enfants de Daniel, sont devenus ses grands amis. En cette année 1908, les Elie passent l'été en Angleterre pour les recherches d'Elie, et André les rejoint à Oxford. Ils font là tous les trois un séjour mémorable, charmant et des plus gais, illustré par de multiples dessins d'André et de Florence. Ils sillonnent à bicyclette la campagne anglaise. Ils voisinent avec les Bertrand Russell, vieux amis des Halévy. André repart le premier pour rentrer en Italie en bateau, par Gibraltar. Les allusions à cet été enchanteur se répèteront longtemps dans leurs lettres. Pour la fin de l'année, André écrit à Florence avec cette drôlerie et cette gentillesse qui le faisaient aimer de tous :

> Sorellina, pour toi je rêve d'une longue vie de bonheur... pour **nous** je rêve qu'un jour les souvenirs de Fresnay, de Florence seront extraordinairement reculés mais toujours tout aussi clairs au milieu d'une foule d'autres souvenirs tout aussi doux de Rome, de Sucy, d'Oxford, de l'Ombrie. Trois petits vieux aux cheveux blancs, mais vigoureux et qui, grâce à l'hygiénique régime qu'ils auront suivi toute leur vie seront encore capables d'aller à bicyclette, feront le chemin Woodeaton-Islip en disant : « Vous souvenez-vous ? Il n'y avait pas tous ces aéroplanes et ces dirigeables, mais c'était bien joli tout de même et nous nous aimions comme aujourd'hui »... L'un d'eux sera un grand philosophe, l'autre un grand artiste et la petite vieille aux yeux vifs et au nez de travers pensera : « Et pourtant je suis la collaboratrice de l'un et... le point de départ de l'autre et moi je ne suis pas célèbre parce que j'ai su rester parfaitement une dame mais le silence et la non célébrité peuvent eux aussi donner des satisfactions... » Mais sa rêverie sera interrompue par un éclat de rire de l'artiste qui dira : « Tu te rappelles ? : Je vais chercher un policeman ! »

(souvenir d'une promenade à bicyclette dans les environs d'Oxford, au cours de laquelle cette phrase les fit rire, prononcée par «un vieux misérable à l'air noble» à propos de gamins perchés dans les branches d'un grand chêne).

Chaque année, André fait aussi un court séjour à Fresnay avec Florence, souvent avec Elie, une fois avec sa mère en visite à Sucy. Ils nettoient et rangent la maison, qui en a besoin, et ils commencent à classer les vieux papiers de famille.

Au cours de l'été 1909, André arrive seul à Fresnay, où Florence et Elie le rejoignent un peu plus tard, à leur retour d'Angleterre. Ils le trouvent si malade qu'ils le ramènent en ambulance à Sucy. Il a une fièvre typhoïde sévère. Ils le soignent avec compétence et affection et sa mère vient d'Italie pour être auprès de lui. Enfin convalescent, il craint de voir compromis deux projets auxquels il tenait presque autant l'un qu'à l'autre. Passionné par les débuts de l'aviation, il espérait se rendre à une fête aéronautique à Juvisy. Et puis, la petite Elisabeth allait revenir en Italie — le «joli petit rayon de gaieté» qu'il avait rencontré autrefois à Rome. Il ne l'avait pas revue depuis trois ans, mais ils avaient correspondu, et les jolies photos qu'il avait reçues la montraient devenue maintenant une vraie jeune fille. Sa sœur aînée s'était fiancée avec un officier italien et toute la famille allait venir à Rome.

André allait être guéri à temps pour ne rien manquer. Quand ils se revoient, ils sont de nouveau sous le charme tous les deux. Mais peut-être que ni pour l'un ni pour l'autre la réalité ne correspond exactement à l'image de son rêve. Et puis, Elisabeth est délicieuse et parfaitement franche, mais elle est aussi déconcertante et par moments André pense «qu'elle n'a pas d'âme». En réalité, elle souffre certainement elle aussi des incertitudes de la situation et de ses propres hésitations. Enfin, deux mois après le retour d'André à Florence d'un séjour à Berlin auprès d'Elisabeth et de sa famille, il envoie une lettre de rupture définitive : le souvenir lumineux qui l'avait si souvent et si longtemps soutenu s'est écroulé; ce n'était qu'une illusion.

Une année à Paris. Berthe Langweil

Seule la «douce sérénité» de Sucy, quand il y retourne en cet été de 1910, lui fait retrouver la paix. Il décide alors, comme Florence le lui suggère, de passer l'hiver suivant à Paris. Au point où il en est, il sera très bon pour lui d'avoir d'autres maîtres. Jacques-Emile Blanche lui donnera des conseils : il est un vieil ami des Halévy qui lui ont déjà présenté André. André travaillera à la Grande Chaumière et il pourra habiter quai de la Mégisserie l'appartement des Elie qui maintenant restent presque continuellement à Sucy où ils se font construire une maison.

Il commence par faire un séjour à Cuy chez les Saint-Marceaux. On y voit des gens intéressants; on dessine d'après des modèles; on fait de la musique. Les Henry Février sont là en séjour; ils font chanter André, lui trouvent une jolie voix et lui conseillent de faire du solfège. André traduira un poème de d'Annunzio pour Février qui veut en faire un opéra. René de Saint-Marceaux aime beaucoup André, apprécie ses dessins et l'a toujours encouragé. Peu de temps après, les objections que firent les Saint-Marceaux au mariage d'André, en raison de leur antisémitisme, mirent tristement un terme définitif à ces relations affectueuses.

A la fin d'octobre, André est installé à Paris et commence à aller à la Grande Chaumière, dans l'atelier où Lucien Simon et René Ménard corrigent à tour de rôle.

Plusieurs de ses camarades l'intéressent : Bona Gigliucci, florentine elle aussi et charmante, qu'il est très heureux de connaître ; une jeune Maggie Seligmann à qui il donne des conseils de gravure et qui l'invite chez elle ; un jeune homme « blafard », Jean de Gaigneron, avec qui il va voir des expositions, entre autres celle des peintures chinoises de Madame Langweil, chez Durand-Ruel, qui l'émerveille. Il sort aussi beaucoup : il va au spectacle avec Charlie Ballot, jeune historien grand ami des Halévy, qui sera tué en 1917 ; il va chez d'autres amis des Halévy : la charmante femme de lettres anglaise Mary Duclaux, les Xavier Léon, les Bouglé, qui lui font connaître le sculpteur Landowski. Il est très souvent invité chez les Saint-Marceaux et chez le fils de Meg, Jacques Baugnies ; il y rencontre de jeunes aviateurs et rêve d'être emmené par eux en avion ; il y rencontre aussi des artistes, très souvent les Jacques-Emile Blanche qui l'invitent chez eux à plusieurs reprises. Blanche le convie à venir assister à une de ses corrections. Il est enthousiasmé et déclare à Blanche que, s'il se décide à se mettre à la peinture, il ne veut pas avoir d'autre maître que lui. Blanche paraît flatté et l'invite à déjeuner pour le dimanche suivant, le 18 décembre : il y a là, entre autres, le pianiste Ricardo Viñes, qui joue délicieusement après le déjeuner, et Edmond Jaloux, qui vient pour le café, et puis une jeune fille qu'il a peut-être déjà aperçue à la Grande Chaumière, mais qu'il ne connaît pas encore et qu'il désigne à Florence comme « cet amour de Mademoiselle Langweil ».

Après cela, il s'absente : il utilise les cadeaux de Noël qu'il reçoit à se payer un voyage à Torquay pour tenir compagnie à Florence qui y est malade pendant que son mari travaille à Londres. Au retour, fin janvier 1911, il rencontre de nouveau Berthe Langweil à une soirée de musique. Il ne se la rappelle pas bien et il a une très agréable surprise — il la trouve si jeune, si gentille... A partir de ce jour, ils parlent beaucoup à l'atelier et elle commence à jouer un rôle qui sera souvent le sien : elle regarde et admire ce qu'il fait tout en l'aidant de critiques pleines de finesse et d'intelligence ; elle l'encourage, aux jours mauvais, en particulier lorsque Blanche l'aura attristé par de dures critiques. Il remarque combien elle est gentille avec tout le monde. Et puis un jour, elle apporte à l'atelier trois études pour le même tableau, inspiré par le ballet de Diaghilev sur le *Carnaval* de Schumann. André est émerveillé : « Figlia mia, écrie-t-il, ma quella ragazza a un vero talento, una pittura corretta, armoniosa, nervosa » [20]. Ils bavardent maintenant beaucoup, ils font l'école buissonnière au Luxembourg pendant une heure de dessin, chaperonnés, bien sûr, par la gouvernante de Berthe.

Après cela, nous ne savons plus rien, sinon, par tradition familiale, qu'un beau jour de février, André eut le grand bonheur de se fiancer avec Berthe, tout en découvrant avec surprise qu'elle était, elle, fiancée avec lui depuis la veille ! qu'ils prirent alors un taxi ensemble, sans chaperon, pour se rendre chez les Jacques-Emile Blanche, qui les reçurent à bras ouverts. Madame Blanche disait, au milieu de ses larmes d'émotion : « Vous êtes vraiment allés un peu vite ! » — et, le 27 avril 1911, ils étaient mariés.

Une cinquantaine d'années plus tard, en 1962, rappelant ses vieux souvenirs, André écrivait : « Ils (Florence et Elie) m'ont invité à passer mes étés en France auprès d'eux, et je ne puis ne pas penser que l'exemple de ce ménage si proche de mon cœur — de ce ménage uni dans les sentiments et dans les idées et travaillant au même travail, ait été pour beaucoup dans le grand bonheur qui m'est échu, à moi aussi, dix ans plus tard. »

(20) « Mais, ma fille, c'est que cette jeune personne a un réel talent, une peinture correcte, harmonieuse, nerveuse ! »

ANDRÉ NOUFFLARD. *Portrait de Madame Langweil.* 1932. (Musée de Colmar).

Madame Langweil
ou les racines alsaciennes de Berthe

La mère de Berthe Langweil était alsacienne. Elle fut antiquaire, mais une antiquaire d'un style bien particulier. Pour résumer d'un trait sa destinée, nous citerons ces lignes de M. Angelloz, recteur de l'Académie de Strasbourg :

> Nous nous émerveillons de l'étonnante existence de Madame Langweil, qui eut tant d'intuitions géniales ; la petite alsacienne de Wintzenheim découvrant l'art de la Chine et le révélant à l'Europe, quelle épopée !

C'était en 1964 ; le recteur Angelloz venait de présider à la remise solennelle du Prix Langweil, qui perpétuait officiellement l'œuvre du *Prix de Français en Alsace*.

Quelle « épopée », en effet, et quelles « intuitions », si l'on considère ses origines plus que modestes, les difficultés qu'elle a traversées, et ce qu'elle est devenue : le grand expert d'art d'Extrême-Orient dont les connaisseurs venaient de partout admirer les collections, et la grande dame que l'on fêtait sous le surnom de « bonne fée d'Alsace ».

La personnalité de Madame Langweil a profondément marqué la destinée de sa fille Berthe : l'ambiance de beauté qui l'entoura dès son plus jeune âge, et tout ce monde d'artistes et d'amateurs d'art éminents, au milieu duquel elle fut élevée, devaient jouer un rôle déterminant dans ses débuts de peintre.

Ceux qui ont connu Madame Langweil dans le dernier quart de sa longue vie — elle mourut presque centenaire en 1958 — gardent l'image d'une vieille dame imposante mais vive, de fière allure et l'air décidé, mais aimable et accueillante ; capable aussi bien de grandes colères que d'une gentillesse franche et avenante qui séduisait tous ses visiteurs.

Bien que de taille peu élevée, tout en elle était grand et large. Elle détestait ce qui était petit. Son visage avait de la grandeur et du caractère ; on devinait qu'elle avait été fort belle. Elle s'habillait grand, toujours de noir et blanc, dans un style bien à elle, avec de grands chapeaux souvent sans bords, des gants blancs, sa rosette sur un large revers. En tout ce qu'elle entreprenait elle voyait grand, et sans doute ce trait a-t-il été un facteur de succès dans ses affaires. Elle aimait passionnément rendre service ; sa générosité était vaste, inventive et spontanée. Les spéculations psychologiques ne l'intéressaient pas, mais dès qu'il fallait agir, sa psychologie naturelle était d'une étonnante perspicacité. Pourtant la vie n'était pas toujours facile pour qui était à son service.

Après qu'elle eût quitté les affaires, elle passa de longues heures à s'ennuyer. Mais si l'on évoquait les souvenirs du temps de son activité, l'ennui se dissipait à l'instant. Les anecdotes ne manquaient pas. Elle aimait à les raconter. Ses réparties étaient célèbres. Elle s'exprimait avec vigueur et drôlerie, et son léger accent alsacien ajoutait de la saveur à son récit. Elle retrouvait de même toute sa vitalité lorsque l'idée lui venait d'une action à entreprendre : tout alors devait être exécuté immédiatement, et bien souvent c'est son intuition qui se révélait clairvoyante, alors que tout le monde voulait la convaincre de renoncer à un projet jugé déraisonnable.

Elle était fière de ses origines simples, passionnément française, alsacienne fidèle. Pour la France et l'Alsace se dépensant personnellement ; pour tous ceux qu'elle voulait aider prodiguant la fortune qu'elle avait su amasser et gérer avec sagesse, et qui permit à sa générosité de se déployer dans toute son ampleur. Cette générosité, trait dominant de son caractère, eut une influence déterminante sur la vie de Berthe et d'André Noufflard, car c'est elle qui leur permit de vivre confortablement, et de travailler sans souci tout au long de leur existence.

La jeunesse de Madame Langweil.

Mais qui était Madame Langweil ?

Florine Ebstein était née le 10 septembre 1861 à Wintzenheim, village proche de Colmar, à l'entrée de l'harmonieuse vallée de Munster, dans une famille juive et pauvre [1]. Son enfance s'était écoulée sans histoire, parmi de braves gens, simples et honnêtes, chez qui, se rappelait-elle, on ne mangeait pas toujours à sa faim. Son père était un ancien soldat de Crimée, un patriote français, farouchement résistant à l'annexion allemande. Madame Langweil racontait avoir vu, petite fille, en 1870, les Uhlans [2] entrer dans son village. L'un au moins de ses frères, Salomon, alla s'installer à Delle (Belfort), pour rester français [3].

Berthe Noufflard écrit :

Quand ma mère, à vingt ou vingt-et-un ans, c'est-à-dire en 1881 ou 1882, vint à Paris, elle était orpheline, et habita chez une cousine qui tenait une petite pâtisserie alsacienne, et juive, rue Montholon. J'ai connu la cousine, que nous appelions Tante Nannette, son mari — en haut

(1) Cette famille, descendant d'un Abraham Lévy qui vivait à Wintzenheim en 1784, aurait dû s'appeler Lévy ; mais à la suite d'un décret napoléonien tendant à différencier les trop nombreuses familles de même nom, elle avait pris en 1908 le nom d'Ebstein.

(2) Lanciers de l'armée allemande.

(3) Il eut trois fils : Edmond, Paul et Gaston.

*Charles Langweil,
le père de Berthe.*

bonnet blanc — ses enfants, ses gâteaux, délicieux dans mon souvenir, très lointain... C'est dans cette pâtisserie qu'elle a rencontré Charles Langweil, de vingt-cinq ans plus âgé qu'elle, autrichien (de Bohême : aujourd'hui on dirait tchèque) et d'un milieu beaucoup plus — faut-il dire élevé ? — que le sien. Il avait un magasin d'antiquités, dont il s'occupait peu et mal. Il était fantaisiste, et préférait passer ses journées dans un bateau, à pêcher à la ligne sur le lac du bois de Boulogne, ou sur des rivières plus lointaines. Les affaires marchaient mal ; le ménage pas très bien. Huit ans après le mariage, mon père est parti un jour, abandonnant ma mère avec deux enfants à élever et des dettes. J'avais alors sept ans, et je me rappelle fort bien la maison vide un soir, et le désespoir de ma mère. Ma sœur avait six ans [4].

A la petite villageoise sans culture, son mari avait offert une vie assez luxueuse et oisive, la tenant écartée de ses affaires. Et la voilà du jour au lendemain seule avec deux petites filles et un magasin criblé de dettes. Elle décide de faire face ; elle se lance dans une vie d'homme d'affaires — combien de femmes, à cette époque, s'y sont-elles risquées ? — dans ce milieu redoutable des antiquaires et des amateurs, alors qu'elle n'y était préparée par aucune formation.

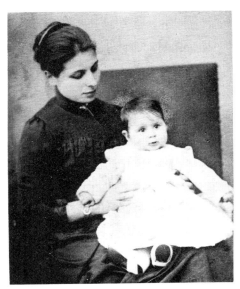

Berthe et sa mère.

Berthe et Lily Langweil.

Antiquaire.

Courageusement elle reprend ces affaires en mains. Passionnée par l'art japonais, alors peu connu et connu surtout par ce qu'il a de moins authentique, elle en pressent l'avenir, et décide — première «intuition géniale» — de spécialiser son magasin dans cet art : elle liquide hardiment tout le reste.

Son flair indéniable, l'intelligence, la passion, la ténacité qu'elle mit à ce travail, et un sens inné des affaires, lui permirent de payer toutes les dettes en quelques années, et d'établir solidement la réputation de sa maison. Bientôt celle-ci allait prospérer et devenir

(4) Charles Langweil, fixé à Londres, devait y mourir en décembre 1920.

l'un des premiers centres artistiques parisiens de l'époque. Ses connaissances, acquises non dans les livres, mais en regardant, en cherchant, «en se trompant», comme elle le disait plaisamment dans sa vieillesse, ses succès qui la firent connaître et reconnaître de ce monde si exigeant, l'amenèrent à devenir, en son temps, l'un des plus grands spécialistes de l'art extrême-oriental.

Après la mort de sa mère, Berthe Noufflard écrira ses souvenirs sur *La maison d'affaires de Madame Langweil,* en vue de la vente de ses collections. Nous lui laissons la parole :

«Importation directe d'objets d'art anciens de la Chine et du Japon». Tel était le titre que ma mère avait inscrit sur la grille de sa maison, place Saint-Georges. Et c'est l'occupation qui a rempli sa vie de 1893 à 1913.

Très vite elle s'était intéressée aux estampes et aux objets japonais qui arrivaient en Europe à la fin du siècle dernier et avait aidé ainsi les précurseurs de ce temps-là dans leurs découvertes en art extrême-oriental. Parmi eux : Louis Gonse, Gillot, Vever le grand joaillier — même Clemenceau qui collectionnait les kogos, petits pots à parfums en céramique coiffés de couvercles d'ivoire, M. Gasnault, le fondateur du Musée des Arts Décoratifs. De grands artistes furent pris d'admiration pour cet art, et connurent vite le chemin du magasin qui était alors 4, boulevard des Italiens, au fond de la cour : Degas, Toulouse-Lautrec, Henri Rivière entre autres. Arsène Alexandre, se souvenant de ce temps, écrivait dans le *Figaro* en 1913 : «.... Jadis, c'était dans un petit local du boulevard des Italiens, près du passage de «l'Opéra, au rez-de-chaussée d'une cour un peu sombre, qu'elle exerça son rôle de révéla-«trice. La sensation y était singulière, en sortant du fourmillement boulevardier, de se «trouver soudain à l'autre bout du monde, parmi des entassements de couleurs, de lueurs, «de formes, qui étaient d'un ciel si différent. Déjà les curieux, avertis par la passion et «par l'instinct, venaient dénicher là maintes choses rares. Des savants comme Burty, des «fondateurs de musée comme Guimet, des hommes de goût excellent comme R. Koechlin, «des artistes comme Henri Rivière faisaient modestement d'importantes trouvailles, et «c'était à tout point de vue un plaisir, car on savait que, pour le prix "avec Madame Langweil «on s'arrangeait toujours". En vérité, elle avait tant de plaisir à recevoir ces fervents, à en «voir s'augmenter le nombre, que pour cette marchande sans analogue, la question de «bénéfice semblait n'exister point. L'art avant tout régnait dans ce recoin délicat et loyal...

«Un jour, le petit magasin du boulevard des Italiens dut renoncer à recevoir tant de «choses magnifiques et altières. Madame Langweil acheta alors cette vaste, accueillante et «aristocratique maison de la place Saint-Georges, dont l'inauguration fut une des plus «charmantes féeries de Paris. Jamais on n'y eut l'impression d'un "magasin" mais celle d'une «demeure des Mille et une Nuits, dont l'hôtesse magicienne avait pris la figure d'une femme «du monde, affable et parfaite. Que de choses dans ces salons ! Que de scintillements de «cristal, d'améthyste, de chrysoprase ! La caresse des jades, la noblesse des bronzes massifs, «les couleurs si richement effacées des céramiques, le sourire des Bouddahs ! Tout cela ne «se peut décrire.»

A l'art japonais, ma mère préféra l'art chinois quand, peu à peu, de beaux objets lui furent envoyés de Chine, de plus en plus anciens à mesure qu'on les découvrait, à mesure qu'on s'y intéressait davantage. Elle eut affaire alors aux amateurs de céramique, comme M. Grandidier ; les porcelaines données par lui au Louvre et qui sont maintenant au Musée Guimet, comptent bien des exemplaires qui viennent de chez elle. Et les artistes, les gens du monde, les grands personnages, alors que ces beaux objets devenaient à la mode, décoraient leurs demeures de beaux laques, de précieuses porcelaines et de jades, continuant ou retrouvant une tradition qui remonte aux XVIIe et XVIIIe siècles, mais par des objets beaucoup plus anciens et plus particulièrement chinois que ceux qu'avait importés autrefois la Compagnie des Indes. Cartier composa des bijoux en se servant de jade, cette pierre dure à peu près inconnue jusque-là dans nos pays. Ma mère eut l'idée de lui demander une chaîne d'or garnie de boules de jade vert, tenues chacune entre deux perles fines. Je crois bien que ce fut là le premier bijou fait en France avec des jades.

Un jour, dans un «arrivage» de Chine, on vit surgir un grand paravent à fond d'or tel qu'on n'en connaissait et qu'on n'en connaît encore aucun autre. Ce fut un événement. Dans le *New York Herald,* Georges Bal écrivit à ce propos :

«On a beaucoup parlé ces jours derniers, dans le petit cénacle des grands amateurs «d'art chinois, d'un merveilleux paravent qu'aurait reçu depuis peu Mme Langweil dans «ses galeries de la place Saint-Georges, 26. Je me suis empressé, aussitôt qu'il m'a été signalé, «d'aller le voir, et j'ai pu me rendre compte qu'on n'avait rien exagéré.» Suit une longue description. Georges Bal ajoute : «Mme Langweil m'a dit qu'elle était fermement résolue à ne «pas se séparer de son paravent, quelles que fussent les offres tentantes qui pourraient lui «être faites...» Elle a tenu parole [5]. Et, quelque temps après, un autre paravent, aussi beau, aussi rare, avec son grand décor d'arbres, de nuages et d'ibis, composition unique elle aussi, vint s'ajouter aux grands objets qu'elle tenait à conserver [6].

Madame Langweil, femme d'affaires.

(5) Au milliardaire américain John Pierpont-Morgan, qui insistait pour l'acquérir, elle fit cette réponse surprenante : «You are not rich enough». (Vous n'êtes pas assez riche). Après sa mort, il a été acquis par le Rijksmuseum d'Amsterdam.

(6) Aujourd'hui au musée Guimet. Cf. photo page 76.

En 1910 arrivèrent les premières belles peintures chinoises et les figures de fouilles : terres cuites faites dans le même esprit que les Tanagra. Ma mère organisa deux expositions en 1910 et 1911 de ces peintures et de ces figurines chez Durand-Ruel, qui attirèrent une grande affluence et firent l'effet d'une découverte. Anatole France aimait particulièrement deux portraits d'un beau style, un homme et une femme, et Rodin acheta toute une vitrine de statuettes. Les grands musées — on peut bien dire du monde entier — furent clients de cette maison. Il n'en est pas, je crois, qui ne possèdent des objets qui en proviennent. De célèbres collections américaines aussi, entrées aujourd'hui dans les musées des Etats-Unis. De même on en trouvait dans ceux de Hambourg, de Düsseldorf, au musée Steiglitz de Saint-Petersbourg, etc. La reine Marie de Roumanie, le roi Alexandre de Serbie, le grand-duc Paul et sa femme, le grand-duc Alexis venaient voir et acquérir de ces objets. Les gens les plus divers ont fréquenté cette maison : Henri Rochefort et Robert de Montesquiou, M. Groult et Henri de Régnier par exemple. La Loïe Fuller et Jeanne Granier, Gertrude Stein, Edmond Rostand, d'Annunzio... Surtout, il y eut les grands habitués de la maison, nos fidèles amis : le professeur Fournier, son fils et sa femme, les frères Rouart, Henri Rivière, Jean-Jacques Reubell, M. Gentien qui aimait les jades « sans défaut » et les beaux Corot, M. Mutiaux au goût exquis. Souvent on y voyait la marquise de Ganay et sa sœur la comtesse de Béhague qui s'amusaient tant à venir « déballer » quand arrivaient les caisses de Chine, Mme Pierre Girod, nos amis Jacques-Emile Blanche. Et beaucoup d'autres venus de milieux et de pays très divers furent intéressés et touchés par cette activité. Le pape lui-même, Pie XI, demanda un jour l'avis de ma mère sur les collections du Latran.

Les Collectionneurs.

Parmi les personnages qui fréquentèrent cette maison, citons les deux frères Rouart, collectionneurs parmi les plus célèbres, amis de Degas, alliés à Manet et à Berthe Morisot... En 1951, Berthe Noufflard écrivit ce portrait :

M. Alexis Rouart, le vieil ami familier, qu'on trouvait là — si souvent — bien installé dans un des petits fauteuils de maman, la tête en arrière, sa tête rose, souriante, double-menton rengorgé, dans son col raide à deux pointes dressées de chaque côté du cou sans le serrer (on n'en voit plus de ces cols-là), un grand front rose, surmonté de fins cheveux blancs ramenés d'un côté mais qui se dressaient un peu, petits yeux malins, gros sourcils **noirs** — étonnamment noirs dans ce rose et gris — et relevés très haut dans le front, ce qui leur donnait une drôle d'expression ; le nez en bataille — un assez grand nez d'un beau dessin, planté haut, avec une bosse bien dessinée, et finissant carré par des facettes finement modelés — un peu rouge ce nez. Dessous, une grosse moustache presque blanche qui allait rejoindre une barbe formant favoris et encadrant sa bonne figure. Et sous la moustache la plus gentille bouche, une bouche prête à vous embrasser quand on était petite, à vous dire : « Qu'est-ce qui te ferait plaisir, mon cher petit ? », et « Ta, ta, ta, ta, Mademoiselle », quand vous étiez devenue trop vieille pour être tutoyée : à 15 ans...

Les colères de M. Rouart ! On n'y croyait pas beaucoup. Mais on avait peur tout de même parce qu'il devenait si rouge — et même violet —... Et il criait ! « Nous en avons assez ! Nous n'en voulons plus des Juifs et des Protestants ! [7] C'était en 1903 ou 1904.

---

(7) Monsieur Rouart, mon cher Monsieur Rouart, était aussi le bourgeois français le plus étroitement nationaliste qui fût jamais. Il me disait : « Les Allemands sont grossiers et cruels, les Anglais hypocrites et pleins de morgue, les Italiens faux... Il n'y a que les Français qui soient gentils — et encore ! pas protestants, et pas juifs. Les Juifs ne sont pas des Français. — Mais... moi ? Oh ! vous... »

BERTHE LANGWEIL.
M. Alexis Rouart.
Lithographie. 1907.

23 × 18

Un jour maman lui a répondu « Eh bien, qu'est-ce que vous voulez leur faire ? » et moi :
« Oui, voulez-vous nous tuer, Monsieur Rouart ? » Il nous a regardées, calmé tout à coup.
« Vous ? » Il avait les yeux pleins de larmes et il a dit, en cessant de crier : « Vous — si jamais
il y avait des troubles, si vous étiez menacées, c'est dans ma maison que je vous mettrais. »

Le vendredi, il était toujours chez nous de 2 heures à 6 ou 7 heures du soir — comme
d'ailleurs le lundi et le mercredi ! Il avait dit à ses amis de venir le voir ces jours-là chez
Madame Langweil. Maman prit l'habitude de servir le thé, et bientôt ses amis à elle vinrent la
voir et se rencontrer entre eux, le vendredi, place Saint-Georges. Ma sœur et moi servions le thé.
Le vendredi, Monsieur Rouart avait des histoires à raconter sur Degas, qu'il avait vu le
mercredi... et je me rappelle un jour où Degas avait été aimable, au grand soulagement de
chacun, ce qui amena Monsieur Rouart à me dire, un peu mélancoliquement : « Quand quelqu'un a mauvais caractère et que, une fois, il est aimable, tout le monde en est ravi et recon-
naissant. Mais si vous êtes habituellement gentil, personne ne s'en aperçoit ! »

Si, mon cher Monsieur Rouart, on s'en apercevait ! Et votre gentillesse, extrême et
délicieuse, m'est restée comme une chose des plus précieuses, des plus tendres de mon enfance
et de ma jeunesse. Et si je me mets à écrire ces pages, c'est beaucoup pour essayer de ne pas
en laisser perdre le souvenir.

Enfin, imagine-t-on ce que c'était que ce collectionneur, passionné de découvertes, de
trouvailles, de possession aussi — qui, le jour où une petite jeune fille admire à son mur les
deux belles petites pages du carnet que Millet emportait aux champs, en détache une de ce
mur et dit à la petite : « Tu vas l'emporter ! » — préférant, et avec quel bon et fin sourire —
la joie qu'il voit qu'il donne à la précieuse chose qu'il conservait. C'est mon petit faucheur, qui
ne m'a jamais quittée, dans son petit cadre choisi par Monsieur Rouart, pareil à l'autre resté à
son mur — dans mes valises pendant les deux guerres, même dans celle préparée pour nous
sauver devant la Gestapo. De même, mon beau petit chat égyptien que vous admirez tous :
n'oubliez pas comment il est ici ! Lui aussi m'a suivie partout. Un jour, très jeune, je suis
revenue du musée du Louvre, ayant découvert, pour la première fois, la beauté des chats

égyptiens; et j'en ai parlé, parlé avec toute l'animation et la joie que me donnaient alors ces premières expériences, devant Monsieur Rouart qui m'écoutait, et qui, le lendemain, revint avec celui-ci dans sa poche, qu'il m'a offert avec son bon sourire, en disant comme explication : «j'en ai deux».

Les affaires.

Pendant cette période d'activité intense, la vie n'est pas facile pour Madame Langweil; pour les enfants non plus. Berthe et sa sœur Lily ne voient guère leur mère, qui les confie à une gouvernante ou à des domestiques. Elle court d'une vente à l'autre, parfois en province ou à Londres : très vite elle a compris l'importance du marché londonien et des collections américaines, et aussitôt elle a décidé d'apprendre l'anglais. Elle est souvent harrassée, souvent soucieuse, et l'humeur s'en ressent. De très bons amis la soutiendront dans ses difficultés; parmi eux Clemenceau, qui l'aida avec une bonté et une efficacité qu'elle ne devait jamais l'oublier : elle lui voua une indéfectible reconnaissance.

Dans ses affaires, comme en toutes choses, le caractère de Madame Langweil s'est manifesté avec force. On a vu sa volonté, son sens des belles choses. Sa droiture, son honnêteté devenue légendaire, contribuèrent aussi à la réputation et au succès de sa maison.

Un jour qu'elle changeait de train à Dijon, écrit Berthe, elle s'est un peu promenée dans la ville, et a vu chez une antiquaire une Kwan-Yin [8] sur soie d'une jolie couleur. Elle a demandé le prix. «C'est 15 francs, et je ne veux pas qu'on marchande.» Maman paye, prend la Kwan-Yin, retourne à la gare. Dans le train, seule dans son compartiment, elle ouvre le paquet, regarde, et s'aperçoit que c'était un kosseu [9], si fin qu'il semblait une peinture! Rentrée chez elle, elle pense à l'antiquaire, aux 15 francs : «ça ne va pas!» Elle lui écrit et lui envoie 500 francs, en ajoutant que «à Paris, il y a des gens qui ne marchandent pas.»

Elle raconte l'histoire à M. Alexis Rouart, qui aime l'objet et l'achète pour les 1 000 francs qu'elle demande. Après la mort de Monsieur Rouart, elle rachète à sa vente la Kwan-Yin pour beaucoup plus (elle croit se rappeler 2 000 francs), et elle la revend, pour peut-être 3 000 francs, à Mr Bigelow de Boston : et cela doit être encore à la Bigelow Collection, au musée de Boston.

Elle aimait aussi rappeler l'histoire des deux vieilles demoiselles de Versailles qui, gênées, désiraient se défaire d'une potiche chinoise. S'étant rendue chez elles, elle prit la potiche et l'examina. «Combien en voulez-vous?» — «300 francs.» — «Eh bien, moi je vous en donne 3 000!» Sa fille, qui l'avait accompagnée, revoyait toujours le saisissement et le bonheur se peindre sur le visage des deux vieilles dames... «Oui, disait Madame Langweil, j'ai bien agi dans mes affaires et cela a été la force de ma maison...»

Il y avait souvent de l'humour et une franchise malicieuse dans ses réparties.

Lord Kitchener [10] m'avait envoyé de l'Inde un paquet de photographies représentant des porcelaines de Chine de la Compagnie des Indes — ces porcelaines que je n'ai jamais

---

[8] Kwan-Yin : la plus populaire des divinités bouddhiques de la Chine, elle est l'incarnation de la grâce divine.
[9] Kosseu : genre de tapisserie chinoise de soie extrêmement fine, tissée par petits morceaux assemblés.
[10] Maréchal britannique, qui reconquit le Soudan.

aimées ; elles n'ont pas été faites pour la Chine mais pour l'Europe. Il me demandait si j'avais des objets de ce genre. Je lui ai écrit, en renvoyant les photographies, qu'il était certainement un grand militaire, mais pas un grand connaisseur en vieux Chine ; que j'avais bien des porcelaines de ce genre, mais que je me ferais un cas de conscience de les lui vendre à lui. Quelque temps après, il est venu à Paris. En entrant chez moi, il me dit : « We were laughing very much about your letters. » Je lui ai dit que j'avais de ces porcelaines : «je ne peux pas m'en défaire, je les déteste ; si vous les voulez... » — « No, thank you. I changed my mind ! » A partir de ce moment-là, il a complètement changé sa façon de collectionner.

J'avais un beau paravent de Coromandel qui portait une inscription disant : «Ce paravent a été fait au XVIIe siècle, par souscription, pour un général victorieux.» Lord Kitchener, l'ayant vu, a trouvé que cela irait bien chez lui. Il me dit : « The French ought to give it to me. » A quoi j'ai répondu : «What for, Monsieur le Maréchal ? For Fachoda, perhaps ? » [11] Pas de réponse.

L'ambassadeur d'Allemagne tenta de négocier l'achat du paravent d'or : « Le Kaiser vous donnerait n'importe quoi !... » — « L'Alsace et la Lorraine », répondit-elle.

Mais pour une femme, jeune et jolie, très sérieuse et presque prude, tout n'était pas facile dans ce monde d'antiquaires, et de grands amateurs. Elle sut toujours se faire respecter. Quoique discrète sur ce sujet, elle racontait parfois que l'un de ses clients, un collectionneur, l'ayant entraînée un jour dans le dernier salon, ferma la porte et prit la clef. Comprenant soudain, elle saisit un vase précieux, et, le tenant très haut, cria : « Si vous m'approchez je le casse ! » Et lui, ne doutant pas qu'elle le ferait — et c'était un objet de grand prix — remit la clef sur la porte...

Jeunesse.

Berthe et Lily font leurs études dans une école de l'Alliance Israélite, dont elles garderont un bon souvenir, et où se noueront des amitiés solides. Avec une jeune Suédoise d'origine allemande, Hedwig Lion-Waldenström, se tissèrent les liens d'une amitié profonde qui devait durer toujours, et s'étendre même à trois générations !

Madame Langweil est restée en relations avec sa famille ; ses frères de Wintzenheim, et surtout ses neveux Ebstein de Delle, qui devaient lui rester si proches ainsi que des Noufflard ; de même sa cousine Lucie Dumoulin.

Quand ses filles étaient encore petites, elle les avait emmenées en Autriche dans sa belle-famille : personnes sympathiques, d'une bourgeoisie israélite traditionaliste, qui avaient ressenti douloureusement la conduite de leur parent à l'égard de sa jeune femme, et avaient toujours conservé des liens affectueux avec elle. Aussi leur demeura-t-elle fidèlement attachée. Plus tard elle envoya une aide régulière à ses deux belles-sœurs en difficulté [12], et, au temps du nazisme, elle devait être heureuse d'aider sa petite-nièce Marie Black à émigrer aux Etats-Unis avec son frère et sa mère.

(11) Fachoda, occupée par les Français, fut reprise par les Anglais commandés par Kitchener en 1898.

(12) Mathilde, veuve de Sigmund Piesen, et Emma Rosenstein, les deux sœurs de Charles Langweil. Il avait aussi deux frères : Heinrich, l'aîné, changea son nom en Langwill et vécut en Russie, à Kief, avec sa femme Maritza et sa fille Loussia (Aristov) ; Richard, fixé à Dresde, a eu deux fils dont l'un s'appelait Arthur. Quand Charles Langweil mourut en 1920, il laissait une somme d'argent qui fut envoyée à Mme Langweil. Elle la partagea entre ses deux belles-sœurs. Les lettres touchantes qu'elles lui écrivirent à cette occasion montrent que leur frère ne leur avait donné aucun signe de vie depuis de nombreuses années.

Parfois Mme Langweil emmène ses filles en villégiature dans un grand hôtel, dans une ville d'eaux, souvent en Suisse. Berthe ne s'y amuse guère, mais elle observe, et remplit des carnets de croquis. En 1903, elle assiste avec sa mère au Congrès sioniste de Bâle. Jusqu'à sa vieillesse, Berthe y faisait souvent allusion, rappelant l'impression profonde que lui avait faite Théodore Herzl [13]. D'un autre séjour en Suisse, elle évoquait souvent le souvenir heureux. C'était en 1906, à Schöneck, dans un hôtel fréquenté surtout par des Italiens qui suivaient des cures diététiques. Elle y accompagnait sa sœur, déjà très nerveuse et trop maigre. Ce fut son premier contact avec une haute société italienne qui lui rappelait *la Chartreuse de Parme* qu'elle venait de découvrir avec délectation. Elle y a connu une jeune Siennoise remarquable et d'une grande culture, Donna Isa Chigi, principessa Colonna. Leur amitié devait durer toujours, alimentée par une correspondance très vivante.

Les débuts de Berthe Langweil.

Berthe dessinait depuis son enfance. Lorsque, très jeune fille, elle se mit à peindre, c'est Henri Rivière, peintre, graveur et collectionneur, qui l'encouragea et la guida. Grand ami de la famille, il avait su découvrir dans l'adolescente primesautière et passionnée l'œil d'un vrai peintre ; dès lors, il saisissait toutes les occasions de la former, en lui faisant admirer de belles choses.

Rivière, le vieux camarade, le vieil ami, était beaucoup moins vieux que les autres collectionneurs... Il me traitait toujours avec la gentillesse taquine d'un « vieux monsieur » de quarante ans à l'égard d'une petite fille de quinze ans... Un jour où je revenais de l'ouverture de la Collection Dutuit, au Petit Palais, flanquée d'une femme de chambre ou de la malheureuse qui m'accompagnait partout, s'ennuyant bien — m'ennuyant bien, Rivière m'a paru très drôle avec sa barbiche noire et ses yeux malins et rieurs derrière ses lunettes... « Eh bien ! m'a-t-il demandé, que préférez-vous là-dedans ? » Et j'ai nommé le beau dessin de Rembrandt — Saskia malade — le premier dessin de Rembrandt que j'aie regardé. « Eh mais, Mademoiselle, vous avez bien bon goût ! » — « Tiens, tiens, Monsieur, il paraît que c'est le vôtre si vous le trouvez bon... ! » Ont suivi des conversations et des chamaillages infinis toutes les fois que nous nous voyions : tous les vendredis. Il donnait dans le style 1900 que je n'ai jamais pu apprécier. Mais j'aimais son travail à lui, ses belles gravures, ses dessins, et sa façon de comprendre et de respecter son beau métier.

Il venait me chercher quand il avait vu quelque beau tableau chez un marchand, et je partais avec lui, toujours flanquée de l'inévitable femme de chambre... comme, par exemple, quand il m'a menée ainsi chez Durand-Ruel, où le gentil vieil employé Prosper a tiré, à sa demande, d'un placard, un Degas — extraordinaire. C'était «le Viol», qu'il m'a présenté comme «Scène d'intérieur»...

Je me le rappelle un jour, accroupi par terre, déballant des objets, et — tirant la langue dans le dos d'un «connaisseur» dont j'écoutais les phrases solennelles. Debout, je faisais face à la fois au monsieur pontifiant **et** à Rivière qui tirait la langue derrière lui, situation épouvantable, prise que j'étais par une irrésistible envie de rire et me sentant devenir cramoisie !

Mes vieux amis m'ont bien inculqué l'irrespect pour les pontifiants, les critiques qui parlent de ce qu'ils ne connaissent pas, pour la mode dans les choses de l'esprit.

Rivière m'a bien aidée à commencer à peindre. Et d'abord par ses encouragements. Et

(13) Berthe se sentait bien plus française que juive, bien trop française pour être, malgré sa sympathie, elle-même sioniste véritablement.

13 × 9

BERTHE LANGWEIL.
1902 (15 ans).
Croquis de vacances.

18 × 11

BERTHE LANGWEIL.
Au congrès sioniste de Bâle.
1903 (16 ans).

BERTHE LANGWEIL.
Premier portrait.
(18 ans). 1905.
Henri Rivière.

73 × 60

il a posé — mon Dieu quand j'y pense ! — quarante fois pour le mauvais portrait que j'ai peint de lui (1905), tout tarabiscoté au milieu de boîtes japonaises (déballant). Maman lui a fait cadeau à la fin de la boîte à parfums qu'il avait, en posant, regardée indéfiniment ! Il arrivait à l'heure tapant, frappait à la porte de mon petit salon, place Saint-Georges, en disant : « Modellô », et posait avec une patience d'ange.

71

BERTHE LANGWEIL.
Monsieur Mutiaux.
Lithographie.
1907.

25 × 19

Vers la même époque, M. Alexis Rouart posa, lui aussi, pour un portrait à l'huile et Monsieur Mutiaux pour une lithographie. Ainsi ses chers vieux amis collectionneurs, après l'avoir si bien aidée à «apprendre à regarder», lui donnèrent-ils généreusement leur temps pour permettre au peintre en herbe d'apprendre son métier.

Elève de Jacques-Emile Blanche. La rencontre.

Les premières toiles conservées de Berthe Langweil datent de 1904-1905. C'est vers cette époque qu'elle commence à travailler la peinture avec Jacques-Emile Blanche, qui est, lui aussi, un habitué de la maison de Madame Langweil. Il accueille Berthe dans son atelier privé d'Auteuil. Elle profite de ses modèles et devient bientôt sa «chère et excellente petite élève» [14]. Plus tard, elle le suivra à *la Palette,* atelier de la rue du Val-de-Grâce, où enseignent également Lucien Simon, René Ménard, Charles Cottet. Il la reçoit aussi dans

(14) Dédicace d'une photographie.

son salon, particulièrement brillant, où l'on rencontre tout ce que Paris compte de plus intéressant dans le monde artistique, littéraire, politique, musical : ainsi Paul Valéry, François Mauriac, André Gide, la comtesse de Noailles, Francis Poulenc, et tant d'autres... De nombreuses personnalités britanniques aussi, car Blanche a beaucoup travaillé en Angleterre : George Moore, Sickert, Mary Robinson, Hilda Trevelyan, les Saxton Noble et leurs enfants...

Souvent les Blanche emmènent Berthe dans leur propriété normande d'Offranville. Madame Blanche et ses deux sœurs sont accueillantes. L'atmosphère est raffinée et cordiale ; on visite de beaux endroits : ce sont des moments merveilleux pour la jeune fille, à qui cette amitié de M. et Mme Blanche apportera une ouverture, une liberté et des joies qu'elle ne trouvait guère en famille, et qui éclaireront toute sa vie.

En 1910 elle fréquente l'atelier de Lucien Simon à la Grande Chaumière. Là, parmi les autres étudiants peintres, travaille un jeune florentin au nom français, plein de charme : « Il avait l'air d'un très grand petit garçon ». André Noufflard avait été présenté à Blanche par son beau-frère, Elie Halévy, et Monsieur Blanche l'invitait parfois chez lui. Un jour, il lui fit rencontrer Berthe Langweil, et le lendemain, à l'atelier, ils causèrent longuement... Désormais chaque jour ils se parlèrent beaucoup. La rencontre eut lieu en janvier 1911, le mariage le 27 avril.

BERTHE LANGWEIL.
Etude d'atelier.
1911.

46 × 38

Après un voyage de noces en Angleterre, le jeune ménage s'installe dans un joli appartement parisien, rue Las Cases, mais séjourne souvent aussi à Courcelle, le château que Madame Langweil a pu acquérir il y a quelques années, si bien situé au milieu d'un parc, dans la vallée de Chevreuse. Ils y peignent ensemble, exposent à divers salons, commencent une vie heureuse de ménage uni. Elle devait durer cinquante-sept ans.

Madame Langweil se retire.

Quelques mois avant le Première Guerre mondiale, une nouvelle vient semer la consternation dans le milieu des amateurs d'art : après vingt années d'activité, en plein succès, en pleine force, Madame Langweil a décidé de se retirer des affaires. Le 11 novembre 1913, le *Figaro* publie en première page un article d'Arsène Alexandre, sous le titre *Fin d'un rêve d'art* :

> ... Madame Langweil va fermer cette maison de la place Saint-Georges où pendant des années étaient venus affluer les plus rares trésors de l'art extrême-oriental, et d'où ces objets incomparables s'étaient répandus dans les collections des amateurs les plus raffinés... Telle est la nouvelle qui va désoler les familiers de ce centre artistique, exquis et original entre tous... Il faut avoir suivi dans son évolution cette femme vraiment supérieure, et de qui le rôle dans notre initiation aux arts de l'Orient aura été si considérable, pour se rendre compte de l'importance de cette retraite et du vide qu'elle va causer.
>
> Pendant trente ans, Madame Langweil, seule, tout lui passant par les mains, tous les connaisseurs les plus subtils et les plus exigeants n'ayant affaire qu'à elle, a importé pour des millions d'objets d'art japonais, coréens et chinois, avec un goût surprenant de sûreté et parfois aussi de prescience. Grâce à ses dons charmants d'enthousiasme et de persuasion, elle a porté les derniers coups à la camelote brillante que les orientaux jugeaient bonne pour l'Europe, et fait avancer à sa place légitime l'art grandiose de leurs primitifs dont eux-mêmes ne semblaient pas apprécier l'âpre noblesse ou la majesté. En faisant comprendre ces œuvres vénérables, en les rendant comme de force à la lumière, elle a ajouté des tons profonds à la palette du raffinement. L'esthétique de l'art oriental peu à peu se modifiait, et se dessinait grâce à ces incessants et intelligents arrivages de chefs-d'œuvre dédaignés. Madame Langweil ne se lassait pas de signaler l'intérêt et la beauté des pièces antiques, la profondeur de l'art des Ming et des Soung, en un mot de prédire l'avenir de ce passé !... Et il faut se résigner à ne plus voir que peu de temps ce décor et cet amoncellement de prestiges. Madame Langweil estime que son rôle d'initiation est terminé... Il n'y a qu'à s'incliner, à enregistrer le rôle prépondérant qu'elle aura joué dans le mouvement artistique de cette époque...

En 1914, elle s'installe rue de Varenne où elle vient d'acheter un hôtel ancien à la façade austère, entre cour et jardin [15]. Les grands salons qu'elle occupe ont été décorés par le Maréchal Lannes. Elle s'y entoure de toutes les plus belles pièces de ses collections, celles qu'elle n'avait jamais voulu vendre, tels les deux grands paravents de Coromandel.

Elle avait à peine dépassé la cinquantaine, et elle devait vivre encore presque autant d'années...

La guerre de 14-18.

Quand la guerre éclate, Madame Langweil s'occupe aussitôt des réfugiés belges : elle en accueille vingt-huit dans son château de Courcelle et les prend entièrement à sa charge. Puis, de 1915 à 1919, c'est une trentaine de militaires convalescents qu'elle y installe. confiant «la direction de cette formation à deux sœurs de Saint-Vincent de Paul.»

---

(15) C'est ce qui reste du bel Hôtel Mazarin, détruit en 1826 — sauf cette aile — par le percement de la rue Mademoiselle, l'actuelle rue Vaneau.

Pendant ces années sombres elle ira souvent retrouver Berthe, installée à Albertville dans les Alpes près de sa belle-sœur Florence et de son beau-frère Elie Halévy, avec la petite Henriette, née juste avant le départ de son père sur le front italien.

Madame Langweil pense à l'Alsace et espère.

En l'année 1915, toute une part de la France est encore envahie ; elle croit néanmoins si fort en la victoire finale qu'elle fonde et installe rue de Varenne :

> La Renaissance des foyers en Alsace, œuvre qui s'efforce de substituer aux banales aumônes, l'assistance par le travail, en donnant à faire, aux femmes évacuées d'Alsace, de la couture et du tricot, et qui, lorsque le moment sera venu de réinstaller de façon stable les familles chez elles, s'appliquera à remplir les armoires vides [16].

En Avril 1916, elle organise rue de Varenne au profit de cette œuvre une exposition de *Peintures et œuvres d'art anciennes de la Chine et du Japon, tirées des plus célèbres collections de Paris,* dont la splendeur fait grand bruit dans la presse. L'exposition comprend aussi une salle de peintures de fleurs de Jacques-Emile Blanche. Madame Langweil se dépense

Les salons de la rue de Varenne.
Au fond, le grand paravent noir, aujourd'hui au musée Guimet.

(16) Prospectus de l'œuvre, 1915.

sans compter et envoie elle-même cinq mille invitations. L'affluence et le succès sont considérables. Le cadre que constitue sa nouvelle demeure y est, dit-on, pour beaucoup.

Berthe Noufflard écrit (1966) :

> On voit combien profonds et constants ont été pour ma mère le souci de son petit pays et le besoin de l'aider, car dans les pires moments de la guerre, elle entassait chez elle vêtements, linge, provisions de toutes sortes, pour les porter en Alsace le jour de la victoire, à la stupéfaction de ses amis, parfois un peu ironiques... aux pires moments !...

L'aide de Madame Langweil à ses compatriotes évacués prenait les formes les plus diverses. Elle note par exemple qu'en 1917, elle «a fait transporter un troupeau de chèvres laitières avec leur chevrier à Roy-Lassigny, où on les a distribuées à douze familles ayant des petits enfants». De plus, elle ne cessait d'envoyer des colis au front, aux combattants alsaciens notamment. Nombreuses sont les lettres de remerciements, s'émerveillant de la qualité des dons reçus. Parmi ces combattants, ses neveux Paul et Edmond, qui furent dans les premiers engagés volontaires.

Quand, peu avant la fin de la guerre, Berthe vient à Paris avec sa petite fille, Madame Langweil lui installe un appartement rue de Varenne. Quelle joie transparaît dans les lettres qu'elle écrit en les attendant ! Elle y loge également Lily, dont le système nerveux, déjà fragile, a été éprouvé par la guerre : elle a servi comme infirmière. La tension entre la mère et la fille ira croissant, jusqu'à l'éloignement définitif dans les années 20. Ce sera un crève-cœur pour Madame Langweil, sa vie durant, qui n'entamera pourtant jamais sa générosité ; ce sera aussi une situation bien douloureuse pour Berthe qui cherchera toujours à apaiser, à trouver des solutions... Jusqu'à la fin de sa vie, elle restera tendrement attachée à sa sœur malade, lui écrivant chaque jour une longue lettre.

> C'est à la fin de 1918, poursuit Berthe Noufflard, que ma mère partit sur un camion militaire qui transportait des munitions, que lui avait procuré son vieil ami Clemenceau ; elle y avait fait entasser tout ce qu'elle avait pu y mettre de ses précieuses réserves. Puis elle revint chaque année avec des livres, des bonnets de police pour les petits garçons, du chocolat pour tout le monde. Les enfants l'appelaient «die Chocolate Motome».

C'était déjà le germe du *Prix de Français en Alsace,* mais cette œuvre ne devait naître qu'en 1923.

La Paix revenue.

La vie reprend. Rue de Varenne, Madame Langweil occupe le rez-de-chaussée avec ses collections. Elle voit quotidiennement les Noufflard et leurs deux filles, installés au-dessus d'elle. Le vendredi, elle reçoit comme jadis ses amis collectionneurs et alsaciens. Hansi, Rivière, le colonel Wild, Arsène Alexandre sont des habitués, ainsi que Mme Georges Mallet, le général Koechlin... Elle fait de fréquents séjours à Fresnay, chez les Noufflard, ou en Alsace. L'année 1921 lui apporte une grande joie : au cours d'une belle fête à Wintzenheim, son village natal, elle reçoit la croix de la Légion d'Honneur pour son action pendant la guerre. Toute la famille est réunie autour d'elle.

Madame Langweil se soucie des musées d'Alsace, bien pauvres en art français après cinquante années de domination allemande. En mars 1922 s'ouvre à Paris [17] une

_____

(17) Rue de la Ville-l'Evêque, chambre syndicale de la curiosité et des Beaux-Arts.

importante exposition intitulée : *Cent ans de peinture française d'Ingres au Cubisme.* Elle a été organisée dans le but d'acheter des tableaux français pour le musée des Beaux-Arts de Strasbourg par un comité actif qui comprend Jacques-Emile Blanche, Raymond Koechlin, Louis Metman, Jean-Louis Vaudoyer, André Lhote, Hans Haug et Madame Langweil. Cette dernière en a été la cheville ouvrière ; le secrétariat se tenait chez elle, rue de Varenne. Ce fut une « manifestation d'art d'un intérêt considérable » qui groupa des toiles importantes (Delacroix, Ingres, Chassériau, Manet, Corot, Berthe Morisot, Pissaro, Renoir...) prêtées par de grands collectionneurs.

Le Prix de Français en Alsace.

Madame Langweil observe la situation de l'Alsace retrouvée, et les problèmes que posent pour les Alsaciens leurs difficultés linguistiques après les cinquante années ou la langue française avait été proscrite. Avec son ami Jean-Jacques Waltz, le célèbre « Oncle Hansi » [18], elle a, pour reprendre les termes du Recteur Angelloz, cette nouvelle « intuition géniale » : la question d'Alsace, telle qu'elle se pose au lendemain de l'armistice, est avant tout une question de langue.

> Désireuse de servir à la fois la France et l'Alsace, elle chercha le moyen de faire connaître davantage la mère-patrie à la province enfin libérée du joug allemand, et, se rendant compte que le meilleur moyen demeurait le véhicule de la langue nationale, cette Alsacienne au grand cœur s'ingénia dorénavant à soutenir l'enseignement du français et à provoquer l'émulation des enfants... [19].

Ainsi fut fondée l'œuvre du *Prix de français en Alsace,* qui devait être la grande œuvre de sa vie. Là se donnèrent libre cours son patriotisme, son amour de l'Alsace et sa générosité. Elle fut soutenue aussitôt par un comité d'Alsaciens et de nombreux souscripteurs, par l'appui du président de la République, M. Millerand, et du ministre de l'Instruction publique... par celui de l'abbé Wetterlé, grand patriote alsacien et député français, célèbre pour sa lutte ardente contre le parti autonomiste.

> Dès 1923, on distribue autant de livres qu'il y a en Alsace d'écoles primaires (entre 1700 et 1800). Pour chacune, un beau livre, prix d'honneur pour l'élève parlant le mieux le français. Les quatre distributions solennelles, le 13 et le 14 juillet, dans deux communes du Haut-Rhin et deux du Bas-Rhin, comportaient en outre un prix pour *chaque* élève des écoles, cadeaux personnels de Madame Langweil, qui les distribuait elle-même, en les accompagnant de « bonnets de police » ou de bérets basques — à cocarde — pour chaque garçon, d'un petit mouchoir de soie à drapeau pour chaque petite fille ; distribution dans les villages pavoisés, sous les banderoles, les drapeaux, les guirlandes ; la jeunesse en costumes ; compliments, saynètes, bouquets, Marseillaise, musique des pompiers, en présence du Préfet, de la Préfète, de généraux en grand uniforme, du Recteur de l'Académie de Strasbourg, et Hansi, naturellement, qui dédicaçait ses livres dans un coin en causant avec les enfants.

---

(18) Peintre, illustrateur, humoriste, il était aussi héraldiste, et un grand patriote. Conservateur alors du musée des Unterlinden à Colmar, sa haute silhouette voûtée, coiffée d'un feutre à grands bords, reste un symbole de l'Alsace française.

(19) Journal d'Alsace.

Encouragement aussi aux maîtres, qui se voyaient attribuer la médaille du Prix de Français, œuvre de Berthe Noufflard, figurant une jeune Alsacienne en costume, et gravée à leur nom.

Distribution de Prix en Alsace.

BERTHE NOUFFLARD. *Plaquette du Prix de Français en Alsace.* 1924.   6,7 × 4,6

Vin d'honneur et kugelhopf à la mairie, et puis banquet offert par Madame Langweil aux autorités, aux journalistes, aux amis : truites, foies gras, vacherins glacés... Souvent une réception chez des châtelains du voisinage ; et le soir, Madame Langweil offrait encore un grand dîner aux journalistes, dont beaucoup étaient venus de Paris tout exprès [20].

La présidence, toute l'organisation sont assurées par Mme Langweil. C'est un travail considérable, auquel elle se donne sans compter. Son gendre André Noufflard assume le rôle de trésorier et l'aide beaucoup. Elle veille à tout personnellement, y compris au choix des livres, qui viennent s'entasser rue de Varenne en attendant l'été. Chaque année, elle reçoit des centaines de lettres touchantes de petits écoliers qui la remercient de leurs prix.

Madame Langweil est toujours occupée par sa célèbre collection. Bien souvent des personnalités de passage viennent la visiter. Elle se prête toujours de bonne grâce à ces visites, de même qu'aux expertises qu'on lui demande, comme jadis lorsqu'elle s'était rendue à Rome appelée par le Pape ; elle lui avait d'ailleurs répondu respectueusement que les collections du Latran n'avaient guère de valeur artistique... Madame Langweil fait des dons importants aux musées, surtout aux musées d'Alsace. A Colmar comme à Strasbourg, des *Salles Langweil* exposent non seulement des objets d'art et des peintures d'Extrême-Orient, mais aussi des peintures de l'Ecole française. On y voit également deux portraits de la donatrice, l'un par J.-E. Blanche à Colmar, l'autre à Strasbourg par André Noufflard. A Mulhouse, le musée des Arts décoratifs et le musée de l'Impression sur étoffes possèdent un grand nombre de pièces données par elle.

(20) Lettre de Berthe Noufflard à M. Henri Weiss en 1966.

Néanmoins, pour cette femme si active, les journées sont longues; bien souvent, devant son grand paravent, on la voit faire des patiences pour passer le temps. Berthe et André descendent régulièrement chez elle, et la partie de cartes ou de dominos avec son gendre a pris figure d'institution.

Chaque été, avant le 14 juillet, les Noufflard retrouvent Madame Langweil en Alsace pour les fêtes : deux journées brillantes, éprouvantes et enivrantes à la fois, où la longueur des discours est tempérée, pour les jeunes auditeurs, par la gentillesse amusante des enfants, où les allocutions émouvantes alternent avec la musique entraînante des fanfares. Pour les jeunes, même très gourmands, la durée des banquets était redoutable; mais il y avait l'Oncle Hansi, sa gentillesse et sa drôlerie, et toutes ses histoires inénarrables, ses contrepèteries cocasses, son inimitable accent. Le soir, toute la famille était épuisée, tous sauf l'héroïne de la fête, la « bonne fée d'Alsace », qui était tout à son affaire, recevant avec entrain, et prête à recommencer le lendemain.

L'année 1935 fut marquée par la promotion de Madame Langweil au grade d'officier de la Légion d'Honneur. La rosette lui fut remise par le général Andréa au cours d'une revue à Colmar. « Journée triomphale pour Mère, écrit son gendre, et très touchante ».

Le séjour se prolongeait habituellement en famille aux Trois-Epis, dans la fraîcheur des Vosges, face à la grande vue sur la plaine d'Alsace. Quelques belles promenades marquaient ces séjours, souvent avec Hansi qui connaissait tout, et aimait faire découvrir villages pittoresques ou belles églises.

L'Oncle Hansi.
(Jean-Jacques Waltz).

La Deuxième Guerre mondiale.

En 1939, alors qu'on sent s'approcher la guerre, les fêtes des Distributions ont lieu dans la ferveur, mais l'atmosphère est lourde. Plus tard, lors de son quatre-vingt-dixième anniversaire, Madame Langweil recevra, parmi tant d'autres, ce message du Maire de Mittelbergheim :

Honneur et reconnaissance de l'Ecole de Mittelbergheim
à la grande bienfaitrice, Madame Langweil,
qui le 14 juillet 1939 a séjourné parmi nous,
rendant heureux les cœurs des élèves et des Parents.
Cette journée de distribution de prix,
la dernière « Fête Langweil » avant la grande tourmente, est restée inoubliable
chez la population entière.
Le film tourné à cette occasion, et projeté de temps à autre clandestinement,
a largement contribué à maintenir en nous,
durant les sombres années d'occupation,
l'espoir d'un prochain retour à la Mère-Patrie.

Au nom de tout le village,
Mittelbergheim, le 29 août 1951,
Le Maire.

Malgré ses 78 ans, Madame Langweil a gardé, dans cette « grande tourmente », toute sa fougue et sa combativité. Sa confiance en la victoire ne faiblira pas, malgré la terrible souffrance qu'elle partage avec ses enfants dès l'annonce de l'armistice en 1940, et la vieille dame manque s'étouffer d'horreur en entendant la déclaration du maréchal Pétain à la radio ; malgré aussi des moments de découragement où elle se lamente : « Jamais je ne reverrai l'Alsace ! »

Durant les quatre années tragiques, elle ne quittera pas les Noufflard : Albi, Peyrat-le-Château, puis Toulouse, où se renouent les échanges avec l'Alsace, du moins la part d'Alsace repliée dans la région d'Agen. Hansi écrit le 3 novembre 1940 :

On attend ces jours-ci 300 expulsés du Bas-Rhin... Mes pauvres compatriotes n'ont même plus le choix entre l'expulsion et l'esclavage... On a mis à la disposition des fonctionnaires de la Préfecture une grande maison, inhabitée depuis des années. Les Alsaciens se sont débrouillés, ont récuré, se sont installés aussi bien que possible. La popote est au rez-de-chaussée, et à tour de rôle les dames font la cuisine pour trente personnes, ce qui n'est pas une sinécure — le résultat ne rappelle en rien un déjeuner du vendredi rue de Varenne ! — Mais ils ont tous du courage, et une magnifique certitude de rentrer chez eux !

Après avoir échappé par miracle à un attentat à Agen, Hansi circule à travers la France, mais l'incognito s'avère difficile pour ce personnage si typique.

A Annecy comme ici, je rencontre des compatriotes, des gens qui me connaissent, à chaque pas, et il ne m'est décidément pas possible de passer inaperçu. J'irai ailleurs, je ne sais où... Tout cela serait presque amusant, si l'on avait trente ans de moins, si la France n'était pas occupée ni l'Alsace si malheureuse !

Après une année à Toulouse, les Noufflard et Madame Langweil achètent une propriété en Dordogne : le Cireygeol. Ils y passeront les années 1941-1943.

Le sort des collections.

Les collections étaient restées à Paris; une partie avait été mise à l'abri dès 1939 dans une chambre forte de la Banque de France, notamment les deux fameux paravents. Mais l'humidité devait attaquer la laque. Plus tard, dès qu'on s'en aperçut, ils furent cachés dans les réserves du musée Guimet, et ainsi sauvés, grâce à l'aide généreuse de MM. Georges Salles et Grousset.

Une grande partie des collections était demeurée cependant rue de Varenne. Un jour de 1941, des Allemands survinrent avec des caisses. Ils en remplirent trente-trois d'objets précieux, et les dirigèrent sur l'Allemagne. Malgré cela, il restait encore de nombreux objets d'art dans les salons. Tous furent sauvés grâce au dévouement, au courage et à la présence d'esprit des gardiens et amis, M. et Mme François Garzoli. Ils réussirent à éviter que les Allemands mettent les scellés sur la porte, en donnant comme prétexte les lapins qu'ils élevaient dans le jardin, de l'autre côté des salons. Les Allemands acceptèrent, sous condition que les gardiens seraient personnellement responsables du contenu de l'appartement. Henriette arriva peu après. Les Garzoli insistèrent, endossant eux-mêmes le risque, pour qu'elle expédiât tout à sa grand-mère en Dordogne, ce qui fut fait.

La Commission alliée de récupération restitua par la suite presque toutes les caisses, revenues d'Allemagne non déballées. Chaque pièce portait une étiquette «LAN». Madame Langweil eut donc le bonheur, après la Libération, de pouvoir reconstituer dans ses salons de la rue de Varenne, sa collection, à peu près complète.

Mais à la fin de 1943, la France est encore déchirée. Depuis que les Allemands sont entrés dans la zone d'abord non-occupée, la retraite de Dordogne n'est plus sûre, surtout pour la patriote alsacienne, et juive, qui se disait volontiers «sur la liste noire». On décide soudainement le départ, avec de fausses cartes d'identité : les Noufflard emmènent «Madame Langlois» à Paris d'abord, puis en Normandie près de Verneuil, où ils passeront les huit mois qui les séparent encore de la Libération. «Madame Langlois» tient bon, quoiqu'elle supporte mal l'idée de vivre sous un faux nom, plus mal encore le voisinage des SS, qui pendant un certain temps habitent sous le même toit. L'un d'eux, un jour, osa s'introduire dans sa chambre : il en ressortit aussitôt, terrifié par les hurlements —«Raus ! Raus !...» — lancés furieusement par la vieille dame, dressée sur son lit !

L'Alsace retrouvée.

Le bonheur de retrouver l'Alsace délivrée ! Geneviève le connut d'abord, bouleversée par l'accueil délirant des Alsaciens aux F.F.I. qui arrivent; puis Henriette, traversant Strasbourg au cours d'une mission médicale : toutes deux écrivent aussitôt leur joie à leur grand-mère.

Ce que fut le premier retour de Madame Langweil, Berthe Noufflard le décrit :

Les distributions de 1945 furent des fêtes extraordinaires, fêtes belles et chaleureuses — l'Alsace délivrée — l'accueil vibrant aux soldats — à Maman — aux livres français ! On n'avait pas d'autos : nous étions dans un tramway de Colmar, tout pavoisé, et les pompiers marchaient en avant avec leur fanfare... Les centaines d'Alsaciennes en costume marchant avec les soldats. Maman rajeunie de vingt ans, et tenant le coup au milieu des discours, musiques militaires, foules, chaleur, marseillaises !...

Retour en Alsace.

Un miracle avait permis ces fêtes. L'Alsace était libérée, mais la vie normale n'avait pas repris, et il n'y avait pas de livres à acheter chez les libraires. Madame Langweil, qui avait craint si fort de ne jamais revoir l'Alsace, soupirait maintenant qu'elle ne pourrait pas y distribuer de prix ! Un ami l'entendit, le docteur Pol Le Cœur. Sans rien en dire, il proposa à un groupe de scouts routiers d'entreprendre une collecte de livres pour rendre possible la première distribution du Prix de Français dans l'Alsace libérée. Et voilà que des piles de livres, non plus neufs mais souvent fort beaux, étaient venus s'entasser comme autrefois dans l'antichambre de la rue de Varenne... De quoi remplir le gros camion procuré lui aussi par les scouts...

L'Alsace était plus pavoisée que jamais. Comme il était encore impossible de se procurer des tissus, on devinait quels risques représentait chacun de ces drapeaux, cachés pendant toute la guerre à l'occupant nazi !

De Colmar, Mme Noufflard écrit encore à sa fille, alors aux Etats-Unis :

Hier, Papa a vu par hasard remettre Rapp sur un socle de charpente, à sa place au Champ de Mars. Les Allemands l'avaient déboulonné, en cassant des morceaux, que les Colmariens ont recueillis et conservés soigneusement. On a tout remis ensemble. Et hier, des chevaux parés de rubans et de fleurs tricolores l'ont ramené là, le vieux Rapp de bronze avec son grand sabre, ses grandes bottes, son geste impérieux : « *D'r Robbe-Changui* », comme on l'appelle affectueusement : « *Le Rapp-Jean* » (Jeannot).

T'ai-je jamais raconté comme je le regardais quand j'étais petite fille ? Et les Allemands qui se promenaient autour — en sachant qu'en 1870 mon oncle Jules avait été arrêté par ces soldats, ou des pareils. Il avait quatorze ans. En passant devant Rapp, les soldats avaient dit : « Nous allons bientôt le mettre par terre. » A quoi mon petit oncle avait osé répondre : « Il est plus solide que vous. » Toujours est-il qu'ils l'avaient laissé, avec son inscription : « Ma parole est sacrée... Siège de Dantzig... » Hitler est par terre. L'Allemagne aussi. D'r Robbe-Changui est revenu...

BERTHE NOUFFLARD.
Madame Langweil.
1943.

55 × 46

84

Madame Langweil présida personnellement les Distributions jusqu'en 1947. Elle avait alors 86 ans. Ensuite et jusqu'à sa mort, elles les a suivies de loin, s'y intéressant, recevant toujours avec joie les lettres des petits lauréats. D'une de ces cérémonies Berthe Noufflard fixa le souvenir sur une toile qu'elle offrit à la mairie de Wintzenheim.

Dans les années 50, la grand-mère devint arrière-grand-mère, et, comme toute la famille, accueillit à bras ouverts les enfants adoptés par Henriette, Jean d'abord, puis François. Elle trouvait toujours des idées nouvelles pour les gâter. Elle ne connut Sylvie que peu avant sa mort.

Madame Langweil mourut chez elle à Paris, à la veille de Noël 1958, dans sa quatre-vingt-dix-huitième année. Elle se servait à peine de ses lunettes pour lire son journal. Elle avait gardé toute sa lucidité. Quelques mois auparavant, en Normandie, elle se promenait dans la cour en ramassant des noix.

★

Les collections de Madame Langweil, après sa mort, furent vendues selon sa volonté. L'exposition, à la galerie Charpentier, fut brillante comme elle l'avait souhaité. Le paravent noir aux ibis fut offert au musée Guimet, qui l'avait hébergé et sauvé pendant les jours sombres. Le paravent d'or fut acheté par le Rijksmuseum d'Amsterdam.

Le prix de Français en Alsace fut repris par l'Académie de Strasbourg, et chaque année encore aujourd'hui, le Recteur va remettre solennellement le Prix Langweil, ainsi que la médaille de Berthe Noufflard, à une école choisie pour son mérite, dans chacun des trois départements : Haut-Rhin, Bas-Rhin et Moselle.

★ ★
★

En 1966, Berthe Noufflard se rend à Wintzenheim pour l'inauguration d'une plaque apposée sur la maison natale de sa mère. La jolie petite place Langweil est pavoisée. Monsieur Weiss, président de la Renaissance Française prononce un discours. Madame Noufflard, entourée de ses filles et de plusieurs amis ainsi que d'une grande foule alsacienne, dévoile la plaque.

Les Petits Chanteurs de Thann sont là avec leur directeur, M. Schreiber. Dix années auparavant, pour les 95 ans de la « Bonne Fée d'Alsace », celui-ci s'était rendu en grand secret, accompagné de trois de ses petits chanteurs et de leurs costumes — deux garçons et une fille — jusqu'à la vieille maison normande. Le matin de son anniversaire, la vieille dame avait vu entrer dans sa chambre ce groupe joyeux, venu tout exprès pour lui chanter les belles chansons de son Alsace !

Ce jour de 1966, à Wintzenheim, les petits chanteurs d'alors, devenus deux jeunes messieurs et une charmante jeune femme, se souviennent. Les mentalités peuvent avoir changé, les chansons sont les mêmes, et d'autres petits chanteurs portent les mêmes costumes. Si le dialecte a repris ses droits, c'est que la communication en français ne pose plus de problèmes. Sans doute les jeunes doivent-ils faire effort pour comprendre le patriotisme passionné des Alsaciens d'après l'annexion ; sans doute est-il heureux qu'aujourd'hui on recherche avant tout la compréhension mutuelle et les échanges avec le voisin d'Outre-Rhin. Mais la vieille Alsace est toujours là. Elle a gardé son visage et son cœur.

BERTHE NOUFFLARD.
***Frise représentant le jeune ménage à Courcelle,
entouré de famille et amis.***
1911 ou 1912.
De gauche à droite :
Yvonne Lumley, Lily Langweil, Madame Langweil,
Florence Halévy, Jeanne Blaringhem,
Léon et Françoise Halévy, Madeleine Comte
et deux autres enfants plus petits.
Au fond, Marie Catinaud, Maria et Pauline.

André et Berthe Noufflard
leur vie, leur peinture

23 × 147

C'est en peignant dans le même atelier qu'André Noufflard et Berthe Langweil se sont rencontrés. C'était à la fin de 1910. André était venu étudier la peinture à Paris. Il avait vingt-cinq ans et elle vingt-quatre.

Leur enfance à tous deux avait été facile, mais il y manquait douloureusement la présence d'un père. Berthe était venue à la peinture très jeune, comme naturellement, poussée par une sorte de nécessité. André, lui, avait hésité longtemps, après des études pénibles, se croyant appelé à une carrière littéraire. Mais dès qu'il avait commencé à étudier le dessin, il avait compris que c'était là sa voie.

L'essai de chronologie que nous proposons en page de gauche est destiné à replacer dans leur contexte les tableaux portant une date, ou que l'on peut dater.

Pour établir cette chronologie, nous avons utilisé deux sources : les indications laissées par André et Berthe Noufflard, surtout dans leurs agendas de poche souvent très explicites, et les renseignements que des personnes possédant des tableaux ont bien voulu nous communiquer.

La liste des œuvres ne peut être complète. Les tableaux que nous possédons sans pouvoir les dater n'y figurent pas ; pas davantage ceux, dispersés, auxquels nous n'avons pu avoir accès ou que nous ignorons. Il se peut en revanche que deux références concernent une même œuvre, dans le cas où le rapprochement reste incertain.

Sauf indication contraire (dessin, aquarelle...) il s'agit de peintures à l'huile.

Nous avons indiqué les dates extrêmes du travail lorsqu'elles nous étaient connues, ainsi que le nombre des séances (par exemple : 2-5 juillet. 5 s.). Quand le carnet portait la simple mention d'un travail nous avons noté la date de cette mention.

Les chiffres entre parenthèses en fin de paragraphe correspondent aux numéros des deux fichiers établis après la mort des Noufflard et concernent les tableaux se trouvant alors à leur domicile.

André Noufflard

18 janvier 1885. Naissance d'André Noufflard à Florence. Il a deux sœurs : Florence, huit ans, et Jeanne, trois. La vie de Georges et d'Emilia (Lina) Noufflard se partage entre Florence et Fresnay-le-Long (Normandie).

1895-1896. Georges Noufflard est malade. La famille se fixe à Lugano. André est pensionnaire au collège Join-Lambert à Rouen. Il travaille mal. On le dit élève «intelligent mais mou».

1897. Mort de Georges Noufflard. Mme Noufflard s'installe à Florence, 64, via Cavour. André est élève au Liceo Galilei.

1901. Mariage de Florence avec Elie Halévy. Elle part pour la France (Paris, Sucy-en-Brie), mais saura maintenir avec son petit frère une correspondance continuelle et confiante.

1901-1905. Pensionnaire au collège Cicognini à Prato, André n'y est pas heureux, et travaille encore mal. Il se lie pourtant avec des jeunes gens très remarquables et se fait des amis pour toujours : Guido Libertini, Angelo Pavolini, Carlo Scialoja, Gabriele d'Annunzio II, dont il admire tant le père. Il passe ses jours libres à Florence, où il mène une vie plaisante avec son petit groupe d'amis.

1904. Mariage de Jeanne avec Luigi Acquaviva (Gigino). Ils vont vivre à Faenza. Sa mère et André quittent la via Cavour pour la via Bonifacio Lupi, 19.

1905. André écrit des poèmes qu'il travaille beaucoup.

1905-1907. André, étudiant à Rome, cherche sa vocation. Il pense à une carrière littéraire.

Berthe Noufflard

5 juillet 1886. Naissance, à Paris, de Berthe Langweil. Son père tient un magasin d'antiquité.

13 juin 1887. Naissance de Lucie Langweil (Lily), sœur de Berthe.

1893. Départ de leur père, Charles Langweil, qui désormais vivra à Londres, et ne donnera plus de nouvelles. Mme Langweil restera seule avec ses deux petites filles.

Berthe fait ses études au collège de l'Alliance israélite. Elle côtoie dans la maison d'affaires de sa mère un monde exceptionnel d'artistes et d'amateurs d'art.

1901. Vacances à Saint-Beatenberg.

1902. Berthe a quinze ans. Une grande amitié se noue entre elle et Henri Rivière, qui lui semble un vieux monsieur : il a 38 ans. Vacances à Kreuznach.

1903. Inauguration de la nouvelle maison d'affaires de Mme Langweil, 26, place Saint-Georges. Vacances à Bürgenstock.

1904. Premières peintures de Berthe.
- **Fleurs jaunes.** (415).
- **Cafetière d'argent.** (97).

1905. Berthe étudie la peinture avec M. Jacques-Emile Blanche. Elle s'intéresse déjà particulièrement au portrait.
- Nombreuses **études de nus.** (84-89).
- **Femme**, une fleur rouge au chapeau. (36).
- **Modèle**, rousse assise. Janvier 1905. (59).

Correction de Jacques-Emile Blanche. A sa droite, **Berthe Langweil.**

- **Modèle** en noir au parapluie. Mars. (57).
- **Femme** avec châle et mousseline. (37).
- **Henri Rivière.** Novembre 1905. (63).
- **Pochade au miroir.** Décembre 1905. (107).

1906. A sa majorité, André opte pour la nationalité italienne. Il fait des études de droit.

En été, il va à Sucy et y retournera désormais tous les ans. Il observe les étoiles à la longue-vue et inspire au philosophe Alain le « Propos » sur Saturne et le « jeune homme à raquette », (cf. p. 307). Pour la première fois, il se met à dessiner son entourage.

1906. Séjour à Schöneck : début de l'amitié avec Donna Isabella Chigi.

- **Modèle habillée** avec bijou. Janvier. (50).
- **Femme en noir** cousant.(38).
- **Intérieur avec Désirée.** (20).
- **Modèle assoupie** devant la glace. (58).
- **Modèle habillée** avec col. (52).
- **Le cousin jaune :** premier tableau exposé au Salon de la Société nationale des Beaux-Arts, vendu aux U.S.A.
- **M. Alexis Rouart** et ses collections (Coll. A. Rouart), (premières commandes de B.L.). 1906 ou 1907.
- **Copie** d'après Fragonard. (75).
- **Guy Deshayes** enfant.

1907. **André commence à étudier le dessin :** désormais il a découvert son orientation et travaillera sérieusement et avec goût. L'été, séjours en Calabre chez ses amis Giuliani, à Fresnay, à Sucy. A son retour à Florence, il commence à fréquenter l'atelier de Simi.

Dessins, caricatures.

1907. Berthe profite souvent d'un modèle de Monsieur Blanche : Désirée.

- **Désirée de profil.** (23).
- **Désirée à la jupe brillante.** (Coll. part., U.S.A.).
- **Désirée en blanc.** (413).
- **Désirée devant la glace.** (19).
- **Désirée de profil.** (23).
- **Jeune fille au petit chien** (acheté au Salon par M. Alexis Rouart pour le musée de Guéret).

1908. André continue à travailler le dessin. Il poursuit en même temps son droit à l'Université de Pérouse, et fait de longs séjours à Assise. C'est en Ombrie qu'il se met au paysage.

En été il vient en France et séjourne à Cuy chez ses cousins de Saint-Marceaux. En septembre, séjour à Londres et Oxford avec les Elie Halévy, et retour par mer de Southampton à Gênes via Lisbonne et Gibraltar.

1908

- **Désirée** à la tasse de café. (25).
- **Le thé au jardin.** (26).
- **Lily en blanc :** deux grands portraits. (41-42).
- **Désirée au secrétaire.** (24).
- **Désirée** sur le canapé jaune. (15).
- **Désirée** devant le paravent de Coromandel. (21).

1909. André fait beaucoup de **gravures.**

En été, en Calabre : il peint à San Lucido son premier paysage à l'huile (598) ; et chez les Scialoja à Procida. A Naples, il contracte une fièvre typhoïde. Il en sera très malade pendant deux mois, à Fresnay et à Sucy.

A Florence, il continue à étudier à l'atelier Simi.

1909

- **Désirée aux chapeaux** (Coll. part. U.S.A.).
- **Modèle** au grand décolleté. (56).
- **La coiffeuse,** Courcelle. (100).

1910

A l'automne, André va habiter chez sa sœur Florence Halévy, pour étudier la peinture à **PARIS** à la Grande Chaumière (Atelier René Ménard, puis Lucien Simon). Le 5 décembre, il est invité pour la première fois à dîner chez J.-E. Blanche, à qui les Halévy l'ont présenté ; il y rencontre le peintre Charles Cottet, qui par la suite l'encouragera et le

A.N.

- **Vue de ma chambre** à Florence. (581).
- **Vue de ma chambre** de garçon. (580).
- **Marianne Halévy,** dessin en vue de la gravure (Coll. part.).

B.L.

Berthe suit avec passion à l'Ecole du Louvre le cours de M. Potier sur l'art grec.

- **Etude de ballet.** (69).
- **Le Carnaval,** études (67-68).
- **Le Carnaval.** (66).

66 × 54

Jeune ménage.

Fiancés en février, André et Berthe se marient en avril 1911, à Paris. Pour leur voyage de noces, ils se rendent en Angleterre. Très vite, André emmène sa jeune femme voir le Long-Fresnay, la maison de ses vacances d'enfant en Normandie. Mais ils ne décideront que plus tard de la remettre en état. Pour le moment, c'est l'Italie qui les attire. Dès ce premier automne, ils y font un voyage que Berthe âgée citait encore comme le plus beau de tous ses souvenirs, particulièrement les jours qu'ils passèrent ensemble à Assise.

Le jeune ménage s'est installé dans un joli appartement de la rive gauche, rue Las Cases. Ils peignent tous deux ; André fait des gravures, Berthe des poupées qu'elle habille. Ils exposent à divers salons, rencontrent des gens intéressants dans le cercle qui entoure les Halévy, grâce aussi aux relations de Mme Langweil, et à l'amitié de M. et Mme Blanche.

BERTHE NOUFFLARD. *Monsieur Blanche.* 1931. (Musée d'Art Moderne).

64 × 47

BERTHE NOUFFLARD.
Madame Blanche. 1912.

46 × 37

BERTHE NOUFFLARD.
Soirée à Offranville. Lady Noble et J.-E. Blanche.

C'est l'époque où Paris émerveillé vient de découvrir les Ballets Russes, et cet art si complet a conquis le public. Peu avant son mariage, Berthe avait entrepris un grand tableau : après avoir assisté à une représentation du *Carnaval,* ballet de Diaghilev sur la musique de Schumann, elle avait modelé des figurines de cire, sur le conseil de son maître Jacques-Emile Blanche ; elle les avait peintes, habillées, disposées, éclairées, d'après son souvenir... Ce sera « le Carnaval », un tableau qui, au Salon de la Société nationale des Beaux-Arts, connut un succès certain[1], Berthe Noufflard fut marquée profondément par cet art qui s'adressait à l'œil, à l'oreille, à l'esprit et au cœur. Dans sa vieillesse, elle en évoquait la découverte :

> Il y a eu la merveille éblouissante de l'Opéra et des Ballets Russes et leur grande influence sur les peintres. Ce fut, pour nos yeux habitués à des spectacles réalistes, plus ou moins conventionnels et généralement assez ternes, une chose extraordinaire que la fantasmagorie apportée par Diaghilev : Ivan le Terrible, Boris Godounov, le Prince Igor dans leurs couleurs somptueuses, vives et belles, la musique russe, la danse ! et Chaliapine ! et Nijinsky !... Comment oublier l'enchantement du Carnaval, du Spectre de la Rose : danses délicieuses, couleurs exquises, personnages vifs et charmants dont les danses, les gestes rapides ou lents, ont laissé une impression de beauté qui allait jusqu'à une sorte de mélancolique poésie...

(1) Cf. p. 113.

soutiendra. Le 17 décembre, il va à l'atelier de J.-E. Blanche, dont la correction l'enthousiasme.

Le 18 décembre, déjeuner chez les Blanche avec Mlle Langweil et d'autres personnes, dont le pianiste Ricardo Viñes.

A.N.

B.N.
- **Les poupées** (Musée du Louvre). Légué par le collectionneur Paul Cosson en 1926.

1911

Janvier. André et Berthe se revoient à une soirée musicale. Désormais ils se parleront chaque jour à l'atelier.

Février. Fiançailles d'André Noufflard et Berthe Langweil.

Le **mariage** a lieu le 27 avril, au domicile de Mme Langweil, 47, rue Boissière. M. Blanche, qui les a réunis, est l'un des témoins.

Voyage de noces en Cornouaille, en **ANGLE-TERRE** : Torquay, Penzance, Londres.

A.N.
- **Berthe devant la mer** à Torquay. (611).
- **Palmier.** (481).
- **Boutique** à Penzance. (484).
- **Baie de Torquay** dans la brume. (489).
- **Lumières de Torquay.** (492).
- **Torquay la nuit.** (493).

Eaux fortes et croquis (carnet II).

B.N.
- **Etude à l'atelier.** (1).

- **Personnages** sous un grand cèdre (cf. croquis, carnet 17). (81-82).

Installation à **PARIS**, 24, rue Las Cases.

Première visite à Fresnay.

Juillet. Séjour à **CHAMONIX**, avec Mme et Mlle Langweil. André emmène sa jeune femme (en jupe longue...) faire l'ascension du Brévent.

A.N.
- **14 juillet** rue Las Cases. (367).
- **L'aiguille du Goûter.** (498).
- **Berthe** rue Las Cases. (558).
- **Berthe peint.** (613).
- **Berthe** 3/4 perdus. (612).

B.N.
- **Florence au châle jaune.** Sucy, Haute-Maison. (Guy-Loé.)

Octobre. Voyage en **ITALIE**. Berthe fait la connaissance, à Florence, des amis et des cousins italiens d'André, et séjourne chez sa belle-sœur, Jeanne Acquaviva, à Faenza. Assise, Pérouse, Arezzo.

A.N.
- **Assise** : San Francesco et les cyprès (557).
- **Assise** : San Francesco vu d'en haut. (558).
- **Assise** : Reflets de crépuscule. (556).

B.N.
- **Assise.** San Pietro. (94).

1912

2 avril - 15 mai. Voyage en Italie, par le train, via Colmar, Lucerne, Lugano, Milan. Séjour à **VENISE** (7-28 avril).

15 mai. Retour à **PARIS**.

26 mai. Visite à Fresnay.

A.N.
- **Nu** dans l'atelier de la rue Boissière. (668).

- **Berthe à Courcelle**, cousant. (614).

B.N.
- **Venise.** Gondoliers. (110).
- **Venise.** San Giorgio. (111).
- **A l'atelier.** Réplique de l'étude de 1911 (Guy-Loé).
- **Frise** représentant Courcelle, avec le jeune ménage Noufflard entouré de famille et amis. (78).

Souvent les Noufflard se rendent en Italie. Lors d'un de ces voyages, ils décident l'acquisition de Broncigliano, une *villa* séculaire de la campagne florentine ; sur sa colline, au milieu des pins et des oliviers, elle jouxte Casignano, celle des Giuliani, les amis de toujours. Dès 1912, la nouvelle demeure s'organise, dans un style bien florentin : murs blancs, sols de briques entretenus à l'huile d'olive, rideaux en grosse toile blanche ou *ermesino* de soie pourpre. S'y intègrent harmonieusement quelques beaux objets chinois et le confort des meubles anglais rapportés du voyage de noces. André et Berthe emménagent à l'automne, et reçoivent presque aussitôt leur ami Henri Rivière, dont c'est le premier voyage hors de France. Ils peignent ensemble dans la campagne environnante, puis parcourent avec bonheur la Toscane et l'Ombrie. Les Noufflard sont heureux de faire découvrir à Rivière, dans leur réalité, tant de chefs-d'œuvre déjà si bien connus et aimés.

38 × 46

BERTHE NOUFFLARD.
Autoportrait. 1914.

55 × 48

BERTHE NOUFFLARD.
Lily dans le jardin de Broncigliano. 1914.

Ils vivront désormais beaucoup plus à Broncigliano qu'à Paris, où ils ne feront que des séjours plus brefs. La campagne florentine inspire André. C'est là qu'il peint en 1914 le village de Mosciano, perché sur sa colline : un petit tableau serein au ciel très bleu, si cher au cœur de Berthe qu'il la suivra partout jusqu'à la fin de sa vie [2].

(2) Cf. p. 115.

Eté. LENZER HEIDE (Grisons).

A.N.

- **Lenzer Heide.** L'église. (509).
- **Lenzer Heide.** Eglise et montagne. (510).
- **Lenzer Heide.** Montagne et prés. (511).
- **Mme Conz** à Lenzer Heide, dessin. 31 août (Carnet 13).

B.N.

- **Portrait de Mme Conz** août. Coll. part. Turin. (78).

Automne. Au cours d'un séjour à Florence, première visite de la villa de Broncigliano, dont les Noufflard vont se porter acquéreurs.

- **Berthe** sous la lampe. (406).

- **Madame Blanche.** Déc. (daté 1913), 5 s. (5).

1913

Juin. Séjour à **VICHY**.

Eté. Villégiature à **COGNE**, village montagnard du Val-d'Aoste. André prépare un grand tableau : des femmes en costume local groupées devant le porche de l'église.

20 octobre. Installation à **BRONCIGLIANO**.

7 nov. - 15 décembre. Visite d'Henri Rivière. Voyage avec lui **(17 - 22 nov.)** à travers **la Toscane et l'Ombrie :** San Gimignano, Sienne, Monte Oliveto, Orvieto, Assise.

- **Salle à manger** rue Las Cases. (369).
- **Aronne :** Collines. (519).
- **Aronne :** L'église (596).
- **Cogne.** Portail de l'église, grand tableau terminé en 1914 à Courcelle. (566).
- **Cogne.** Esquisses et portraits en vue du grand tableau (567 à 574).
- **Broncigliano.** L'entrée. (559).
- **Palier du Salon** avec Silvia. (560).
- **Giogoli,** eau forte.
- **Giogoli.** (586).
- **Giogoli,** l'église. (588).
- **Rivière** à Giogoli, dessin. (691).
- **Assise.** San Francesco, la place inférieure. (555).

1914

Achat de l'hôtel, 61, rue de Varenne, par Mme Langweil.

Fin mars. BRONCIGLIANO.

En été, à **COGNE**, André et Berthe profitent de la montagne avec Charlie Ballot, un ami très proche : ayant perdu sa mère très jeune, il avait grandi pour ainsi dire chez les Halévy. En août, lorsque **la guerre** les surprend, Charlie part aussitôt, refusant d'avoir « les montagnes entre soi et son pays ». Il sera tué en 1917. Les Noufflard attendent à Gènes chez leurs amis Conz que la situation se précise.

L'Italie déclare sa neutralité.

- **Marianne Halévy.** Janvier. (5 s.).
- **Mosciano.** (595).
- **Mosciano** et sa colline. (596).

- **Self-portrait,** à Courcelle (115).
- **Lily Langweil** dans le jardin de Broncigliano. (47).
- **La grille de Broncigliano,** dessin, mai (carnet 16).
- **Jeune fille de Cogne.** (39).

ANDRÉ NOUFFLARD.
Le portail de l'église de Cogne.
1913.

195 × 153

La guerre.

Le jeune ménage se trouve à la montagne, au Val-d'Aoste, lorsque la guerre éclate. Au milieu de l'angoisse générale, il y a, pour André, une angoisse personnelle : il est italien, et on craint que l'Italie n'entre en guerre aux côtés des Autrichiens. Il songe à s'enrôler immédiatement dans l'armée française, mais la frontière est fermée : on le laisserait rejoindre l'armée, mais Berthe ne pourrait pas entrer en France. Il voudrait aussi connaître les intentions de son beau-frère, Elie Halévy, et éventuellement s'enrôler avec lui. Ils vont attendre à Gênes chez leurs amis Conz [3], qu'il soit devenu possible de rentrer en France. Ils pensent que si l'Italie, qui vient de déclarer sa neutralité, combattait après tout dans le camp des alliés, alors il ferait simplement son devoir d'Italien. C'est ce qui arrive.

Mobilisé comme officier télégraphiste dans l'armée italienne, André est d'abord affecté à Florence, où il habite avec sa femme qui attend un bébé. Henriette naît via Curtatone. Elle sera baptisée dans le beau baptistère San Giovanni de Florence.

▷ *page 103*

(3) Ménage ami germano-gênois, parents de Mary Conz, chère amie d'enfance d'André, et du futur amiral Ugo Conz, dont la fille Pupa habitera Paris dans les années 30, après son mariage avec Aldo Peano.

1915

Mai. L'Italie entre en guerre aux côtés des Alliés. André est appelé. Il sera officier télégraphiste de l'armée italienne (3e régiment du Génie, 44e compagnie de télégraphistes, 18e corps d'armée, 1re Armée). Il reste tout d'abord à **FLORENCE**. André et Berthe attendent leur premier enfant.

10 novembre. Naissance d'Henriette à Florence.

1916

Février. André est envoyé à **PAVIE**, où il reste plusieurs mois, retournant toutes les fois qu'il le peut à Florence, où Berthe loge avec son bébé à l'hôtel Anglo-Américain.

14-18 juin. Visite de M. Parodi à Broncigliano.

1er août. André part pour **le front.** Bataille du Carso. Primolano, Grigno, Mestre, Turriaco, Udine.

15 août. Berthe va s'installer à **ALBERTVILLE** (Savoie) auprès des Elie Halévy. Les deux grand' mères, Rivière, Françoise Halévy, viennent l'y voir.

Octobre. Envoi à **l'exposition de poupées** au musée des Arts Décoratifs.

Démarches à Florence pour obtenir un laissez-passer pour pénétrer en zone de guerre. Allées et venues de Lily Langweil entre Paris et Albertville.

31 décembre. Arrivée du permis. Départ la nuit-même. Au cours de ce voyage difficile, Berthe rencontre dans le train, Flavia Farina, une dame de Florence, descendante des Cantagalli des céramiques (Della Robbia), qui deviendra et restera son amie.

1917

1-17 janvier. Séjour de Berthe près du front à **PALMANOVA**, petite ville du Frioul. Elle loge à l'hôtel Rosa d'Oro, où André vient la rejoindre quant il peut s'échapper.

18 janvier. Grosse offensive sur le Carso. Journée particulièrement rude. C'est le trente-deuxième anniversaire d'André.

2-19 février. Permission à Albertville. Installation aux Adoubes, dans la vieille maison à tourelles

- **Florence et Elie Halévy** à Albertville (Guy-Loé).

- **Henriette** nouveau-né, croquis. Décembre (carnet 16).

- **Poupées.**

Berthe et Henriette. Première leçon de dessin.

37 × 49

BERTHE NOUFFLARD. *Florence et Elie Halévy à Albertville.* 1915.

et à larges balcons où Henriette va faire ses premiers pas.

Juillet. Deuxième voyage de Berthe au front. Séjour de tout le mois à AJELLO, où l'unité d'André est engagée. Parmi ses compagnons d'armes, son cousin Cesare Padovani. Ils se lient avec le capitaine Calcaterra, qui commande la Compagnie.

Octobre. André remonte en ligne. Bataille sévère. Retraite de CAPORETTO.

Mort de Mario Mayer l'ami de jeunesse d'André.

12 décembre. Mort de Charlie Ballot. Célibataire, il avait refusé de rester à l'arrière, comme une blessure lui en donnait le droit. Le front, disait-il, n'est pas la place des pères de famille. Il fut tué près de Verdun.

A.N.

B.N.

- **Yette** au ruban bleu. 13 mai. (135).
- **Tante Louise**, dessin. 12 juin. (carnet 16).
- **Yette** sur les genoux de tante Florence, croquis. 28 juin. (carnet 16).
- **Mlle Elsa Micheli-Zignoni**, dessin. 23-24 juillet.

- **Poupées.**

1918

Janvier. André est renvoyé à l'arrière. Permission à Albertville.

Mars. Berthe se rend à PARIS avec la petite Henriette. La «grosse Bertha» envoie des bombes toutes les 20 minutes sur la ville. Elles doivent se replier, avec Mme Langweil, à Versailles.

18 mars. Berthe note cette date mémorable : rencontre de Degas, avec Rivière et Mme Ludovic Halévy.

André est affecté à l'instruction des jeunes recrues à FLORENCE.

Mai. Commandant de la Place à MONTECATINI-ALTO, André y est toujours chargé de l'instruction des jeunes soldats. Berthe s'occupe activement de la «casa del soldato». Henriette, dite «Titi» est très populaire.

Novembre. Les Noufflard apprennent à Montecatini la **fin des hostilités** en France.

27 novembre. L'Alsace est libérée. Dès le 14 décembre, Mme Langweil part pour l'Alsace sur un camion militaire chargé de provisions.

- **Albertville.** Pochade sous le noyer avec la petite Arlette, 1er février.

- **Françoise Halévy**, de profil, dessin. 1er janvier (carnet 16).

- **Titi** en robe de chambre rouge (Guy-Loé).

- **Montecatini.** Femmes portant des gerbes de blé. 11 juillet.(79).
- **Montecatini. La rue.** Trois fillettes. (245).

- **Les soldats français accueillis en Alsace,** «grande image pour Henriette». 14 décembre. (220). Le jour du départ de Mme Langweil.

BERTHE NOUFFLARD.
Hauteur : 35 cm

Poupées : la fée de la nuit et la fée du jour.

BERTHE NOUFFLARD.

Poupées : bébés.

Berthe travaillant à une poupée.

1919

André, affecté à **FLORENCE**, loge chez sa mère, 21, via Bonifacio Lupi, avec sa famille.

Mars. Démobilisation.

19 mars. Retour à **PARIS**. Installation 61, rue de Varenne. Envoi de deux paysages de Mosciano (1914) au Salon.

19 juin - 26 septembre. Long séjour en **BRETAGNE**, au Ris-Huella près de Douarnenez. Visite de Daniel Halévy, et de tous les membres de sa famille.

23 septembre. Décision de remettre en état la vieille maison de **FRESNAY**.

Octobre. Visite de Fresnay avec un architecte.

26 décembre. Berthe note : « Visite des Blanche. Très encourageant pour notre travail. »

A.N.

- **Deux cyprès.** Eau forte. Avril (cf. « la Fauvette », carnet 14).
- **Frênes de Sucy.** Eau forte.
- **Modèle nu** sur fond de paravent argent. Avril-mai. (672).
- **Giogoli.** Grande Réplique. 24 mai. (587).
- **Dans le potager** de Sucy par grosse chaleur. 2 juin.

- **Champ** surplombant la mer. (473).
- **Douarnenez** vu du Ris.. (474) (cf. carnet 14).
- **Les pins.** (475).
- **Le grand Ris.** (476).
- **Tresmalouen,** la plage. (497).
- **Un petit port.** (487).
- **Le clocher de Ploaré.** (Cf. carnet 14). Septembre. (486).

- **Grande image** pour Henriette. Octobre.
- **Nature-morte** avec œufs, finie le 11 octobre. (540).
- **Léon Halévy.** Dessin. 26 octobre (carnet 15).
- **Le Ris,** eau forte. 1er état. 12 novembre.
- **Turriaco,** d'Orsini, eau forte. 17 novembre.
- **Poireau et oignons.** Novembre. (547).
- **Le canapé bleu.** (Mlle Faux bâton). Commencé le 6 décembre, sera achevé en février 1920. (656) (cf. carnet 12).
- **Nature morte.** Fruits et cruche blanche. (545).
- **Nature morte** au bougeoir. (541).
- **Mme Ludovic Halévy.** (Coll. part., Paris).

B.N.

Livre d'images, commencé en janvier.

- **Jeanne Blaringhem** (perdu).
- **Une autre tête de bébé,** modelage. 11 avril.

Poupées. Pourparlers en vue de fabrication, mais rien n'est conclu. Mai-juin.

- **Tante Louise** dans son bureau. 2 juin.
- **Françoise Halévy,** dessin. 9 juin (carnet 17).

- **La pêche aux crevettes** et aux crabes. Juin. (80) (cf. carnet 17).
- **Bretonnes,** esquisse d'un tableau. 26 juin. (30).
- **André et Henriette.** 28 juillet - 17 août (8 s.). (117).
- **Françoise Halévy** en blanc. Septembre (2 s.). (Coll. part. Paris).

- **Françoise Halévy** sur le fauteuil bleu, rue de Varenne. 14 octobre - 11 novembre (4 s.). (Coll. part., Paris).
- **Charlotte Vaudoyer et sa fille Michelle.** 27 octobre - 21 novembre (6 s.).

André part pour le front le 1er août 1916. Il pose des lignes, bien souvent sous le feu de l'ennemi. C'est la bataille du Carso. Alors Berthe va retrouver les Halévy à Albertville, en Savoie, où Elie, qui a passé l'âge de la mobilisation, s'est engagé comme infirmier à l'hôpital militaire. C'est près d'eux qu'elle vivra toute cette période de séparation et d'anxiété. L'attente des lettres est souvent bien longue. Néanmoins Berthe est toujours occupée. Elle modèle et habille des poupées qu'elle va expédier à Paris ; le musée des Arts Décoratifs en expose toute une vitrine, que Rivière se chargera d'arranger.

Au prix de voyages répétés à Florence et de démarches interminables, Berthe réussit par deux fois à obtenir l'autorisation de pénétrer en zone de guerre pour aller voir son mari au front. A Palmanova d'abord, dans le Frioul, puis dans le petit village d'Ajello, où l'on entend le canon du front tout proche et les mitrailleuses des avions. Du grenier, Berthe regarde les fumées et les flammes du combat, les éclats des schrappnells. Son permis prolongé, elle pourra passer tout un mois auprès d'André. Elle fait des portraits au crayon, elle travaille à une tête de poupée qu'elle a emportée...

En octobre 1917, à Albertville, elle apprendra qu'André «monte en ligne à la tête de ses hommes». Ce sera une bataille meurtrière pour la libération de Trieste, puis, hélas, la dramatique retraite de Caporetto. Attente interminable des nouvelles. Le 23 novembre enfin, elle peut noter : «Les Italiens tiennent toujours sur la Piave.» Enfin, en mars, en avril, on trouve tous les jours sur son carnet : «On tient.» «On tient partout.» «On tient sous la nouvelle attaque.»

Ce printemps 1918, un ordre du Haut-Commandement renvoie André au dépôt à Florence. Il y a un grand nombre de jeunes à former. On lui donne le commandement d'une compagnie chargée de l'instruction des jeunes recrues. Berthe attend à Chambéry de pouvoir passer la frontière pour le rejoindre. «Après vingt mois de guerre et vingt-sept de vie militaire», André lui fait part de ses premières impressions d'instructeur.

23 h 10. Je viens de faire une tournée dans toutes les chambrées. Je reviens tout ému par les petits de la classe 20. Il en est arrivé 25 ce soir, du midi, encore en civil, — l'air malheureux et éperdus. Je les ai trouvés qui ne pouvaient pas s'endormir. Plusieurs écrivaient sur leurs genoux. Je leur ai parlé doucement, mettant ma main sur l'épaule d'un petit qui était encore debout. L'un d'eux, avec des larmes dans la voix, m'a dit qu'ils avaient été dans le train le jour de Pâques. «Pensez à ceux qui ce jour-là étaient dans les tranchées. Mes enfants, il faut être braves ; vous verrez que la vie militaire n'est pas si mauvaise, si vous faites votre devoir. Et maintenant, reposez-vous, dormez, mettez-vous l'âme en paix.» «Buona notte signor Tenente», m'ont-ils dit en chœur d'une voix ragaillardie, et j'ai été content parce que j'ai senti que je leur avais vraiment fait du bien en étant paternel. Pauvres petits gosses !...

Après avoir été commandant de la Place à Montecatini Alto, André attend à Florence l'ordre de démobilisation. Il arrive en mars 1919.

Presque aussitôt c'est le retour à Paris et l'installation rue de Varenne, dans le grand appartement du premier étage. Dès le lendemain : «Nous déballons et nous regardons nos vieilles peintures. André envoie deux toiles d'Italie au Salon, où elles sont reçues avec succès.» Les Noufflard revoient leurs amis, se rendent souvent à Courcelle. Jacqueline Parodi vient jouer avec Henriette : c'est le début d'une amitié de toujours. ▷ *page 107*

Françoise

1ᵉʳ janvier 1918

BERTHE NOUFFLARD. *Françoise Halévy.* Dessin. 1918.   22 × 17

46 × 38

BERTHE NOUFFLARD. *Portrait de Françoise Halévy.* 1919.

1920

16 janvier-6 février. Séjour à **BIARRITZ** avec les Niaudet, Françoise Halévy, Madeleine Comte. André et Berthe ont l'idée de fabriquer un théâtre de marionnettes, pour monter le *Jeu de l'Amour et du Hasard* de Marivaux.

Dès le printemps, les Noufflard commencent à installer Fresnay, logeant d'abord à Tôtes (Hôtel du Cygne) ; on déblaye, on nettoie, on arrange la vieille maison, avec l'aide des fermiers Marais. Berthe apprend à connaître le voisinage.

Quand, pour la première fois, ils couchent dans la maison, la félicité se lit dans le carnet de Berthe : « **Nous sommes ravis... Le 8 juin, réveil à Fresnay. Beau temps frais. Charmante vieille maison !** »

Une semaine après, retour à Paris pour attendre le bébé qui tarde.

Naissance de Geneviève rue de Varenne le 23 juillet, jour de l'anniversaire de sa grand-mère florentine qui est venue à Paris la recevoir.

12 août. Toute la famille part en deux voitures pour s'installer à **FRESNAY**. Les Noufflard y passent un premier été heureux, n'était l'évolution pénible de la maladie de Lily qui à l'automne devra entrer dans une maison de santé d'Ivry.

8 septembre. Première visite aux Parodi à Saint-Aubin-sur-Mer.

12 décembre. Mort de Karl Langweil à Londres.

A.N.

• **Les marionnettes**, premiers dessins (cf. carnets 12 et 15).

• **Marionnettes**, modelage Mars.

• **Joséphine Maréchal** cousant. Juin. (654).

• **Fresnay.** La maison. (1).

• **La maison** vue du verger. (55).

• **Nature morte** de pêches. Août. (731).

• **La charreterie** de Fresnay, dessin au crayon noir (carnet 15).

• **M. Marais et Berthe Bosquer,** (733) et **Bâtiments de ferme,** (30), pochades pour servir au tableau de 1921. 10 septembre. (Cf. carnet 15).

• **Berthe, Florence et Henriette** dans la salle à manger. Septembre-octobre (cf. carnet 15). (648).

• **Meule** à l'automne. (191).

• **Le grand charme.** (51).

• **Le meunier, son fils et l'âne,** trumeau (cf. carnet 15). (212).

B.N.

Costumes des poupées.

• **Madeleine Comte** rue de Varenne. Février-avril. 7 s. (Coll. part. Paris).

• **Tante Louise Halévy,** un tout petit portrait. Mars-avril. (Coll. part. Paris).

• **Sylvia** et **Lisette,** modelage. 22 mars.

Costumes de Dorante et de Mario.

• **Geneviève,** sept semaines, croquis. 12 septembre (carnet 21).

• **Henriette au salon.** 15-19 septembre. (137).

• **Henriette** plus grande. 19 septembre.

1921

5 février. Rivière présente aux Noufflard le graveur Pierre-Louis Moreau.

7 avril. Arrivée d'une jeune alsacienne, Marguerite Sitter, pour s'occuper de Geneviève.

A.N.

• **Grand tableau,** d'après 30 et 733, fini le 10 janvier. (86).

• **Notre-Dame** vue de la berge. 21 février. (363).

• **Elie Halévy** à Sucy. Mars. (Guy-Loé).

B.N.

• **Henriette et Geneviève.** Janvier. (138).

• **Léon Halévy.** Février-mars. (6 s.).

• **Madeleine Bréguet.** 28 février - 7 mars. 4 s. (Coll. Durand-Ruel, Paris).

• **Simone Bréguet et ses deux filles.** 12-18 mars. 5 s. (233).

BERTHE NOUFFLARD.
*Geneviève
dans son berceau.*
1921.

22 × 27

Les années 20

Ce sera une période de vie familiale heureuse, de fécondité artistique aussi. Aussitôt installés chez eux, les Noufflard se sont mis au travail. Ils travailleront aussi beaucoup à Fresnay. La vieille demeure en plein champ a repris vie en effet, peu après la naissance de Geneviève. En donnant à la maison normande un nouveau visage, Berthe a su respecter son long passé, tout en lui imprimant la marque de leur goût propre. Désormais ils y passeront presque la moitié de chaque année, André peignant des paysages et des architectures, Berthe plutôt des portraits et des intérieurs.

A Paris, ils habitent maintenant l'appartement du haut de la maison [4], leur salon ouvrant ses trois fenêtres sur le grand marronnier du jardin. Ils entourent Mme Langweil, qui occupe le rez-de-chaussée, au milieu de ses collections d'art extrême-oriental.

Ils lisent beaucoup, souvent ensemble à haute voix, des livres anglais ou italiens autant que français. Dans cette existence, où le travail tient une grande place, mais avec une liberté que permet leur situation privilégiée, aucune mondanité : un cercle d'amis intéressants et proches. Parmi les plus proches, les Parodi, amis de longue date d'Elie Halévy, qui leur ouvrent un milieu universitaire nouveau. M. Dominique Parodi était inspecteur général de philosophie. Par eux, Madame Benoist devient leur amie. Agrégée, professeur de Lettres au lycée Victor-Duruy, elle avait perdu son mari, disparu dès le début de la guerre, et élevait seule sa fille Françoise — Mimi — qui devint une grande amie d'Henriette, et de toute la famille ensuite.

(4) Ils l'occuperont jusqu'à la mort d'André Noufflard en 1968.

A.N. **B.N.**

19 avril - 20 mai. Séjour en Alsace, à **KAISERS-BERG** ; le 15 mai, grande fête à Wintzenheim, où Mme Langweil est décorée de la Légion d'Honneur.

Fin mai. Installation à **FRESNAY** pour six mois.

18-23 août. Visite de Tante Louise.

Fin novembre. Retour à **PARIS**. Henriette entre au Cours Boutet-de-Monvel, où elle fera ses études jusqu'à la seconde.

A.N.

Strasbourg, pochade. (528).
Village alsacien, Kaysersberg. (529).

• **Marguerite Sitter** avec Geneviève sous les marronniers. Juin. (638).

• **La cour** avec la buanderie. Juin. (706).

• **La maison** (2).

• **Marguerite Sitter** tricotant. (655).

• **Le château de Bosmelet.** Novembre. (Coll. part.).

• **Madame Parodi,** dessin (carnet 12).

B.N.

• **Jeanne Niaudet.** 23 mars - 1er avril. 4 s. (Coll. part. Paris).

• **Henriette** en alsacienne, dessin. 8 mai (carnet 22).

• **Henriette** en alsacienne. 14 juin. (Jean Guyot- Noufflard).

• **Geneviève** à la pomme. 15 juin. (162).

• **Marguerite Sitter,** dessin. 15 juin (carnet 21).

• **Geneviève** dans son berceau. 22-27 juin. 2 s. (163).

• **Henriette** au sun-bonnet. 24 juillet. (139).

• **Les enfants** dans la cabane. 11-17 août. 6 s.

• **Geneviève** au salon sur sa chaise. 5 septembre - 1er octobre. 3 s. (164).

• **La cheminée** du salon. 8-10 octobre. 2 s.

• **Images** pour la "boîte verte". 9-11 octobre.

• **Bouquet** de chrysanthèmes. 27 octobre.

Cendrillon à minuit. (71). Croquis (carnets 21 et 27).

• **Henriette et Geneviève** en costumes de papier. 30 décembre. (Guy-Loé).

1922

7 mars. Répétition générale des marionnettes. Perle-Odette Cohen lit le rôle de Sylvia ; Yvonne Stransky est Lisette. Prêtent également leur voix Suzanne Lemoisne, Daniel Guérin... Henri Rivière et André Noufflard tiennent les fils.

9 mars - 16 h 30. Représentation du *Jeu de l'Amour et du Hasard* **par nos marionnettes. 41 personnes. Grand succès, surtout auprès des peintres.**

11 mars. Deuxième représentation.

16 janvier. Commande de poupées régionales pour le Touring-Club de France.

• **Une petite Alsacienne,** modelage. Hansi apprend à Berthe à faire le nœud de la coiffe. 27 janvier.

• **Une Tarine,** modelage de la tête. 31 janvier.

• **Une Bigoudenne.** Février.

Costumes des marionnettes.

• **Une Lorraine.** Mars.

Les Noufflard sont très proches des Elie Halévy, qui passent régulièrement rue de Varenne la soirée du mardi, après le cours d'Elie à l'Ecole Libre des Sciences Politiques ; souvent les deux ménages vont ensemble au théâtre. André et Berthe se rendent fréquemment le dimanche à Sucy. Ils y voient Françoise Halévy, dont le charme, depuis son enfance, a bien souvent inspiré les deux peintres (elle deviendra Mme Louis Joxe), et, parmi toute une jeunesse amie, Amy Pichon, la future Mme Jean Bernard. Les visites à Mme Ludovic Halévy (Tante Louise), tiendront une place importante dans leur vie d'alors, et dans leurs souvenirs plus tard.

BERTHE NOUFFLARD. *Madame Ludovic Halévy.* 1919.
26 · 35

Le jeudi, ils reçoivent leurs amis peintres. Outre les Blanche, qu'ils vont voir souvent aussi à Auteuil, les Lucien Simon et leurs enfants — Pauline particulièrement, qui épousera le comédien Bernard de La Jarrige — Pierre-Louis Moreau, Félicien Cacan, André Barbier, Achener, le sculpteur Vallette, les André-Lemoisne[5]... Leurs amis florentins ; des amis anglais, tels le peintre Hilda Trevelyan, le poète Mary Duclaux et sa sœur Miss Mabel Robinson. Par elles, ils ont fait amitié avec Madame Hecht, vieille dame d'une rare culture, amie intime de la mère de Marcel Proust.

Chez les Blanche, ils rencontrent tout un monde différent. Parmi les habitués, Mme de Noailles, Hélène Vacaresco, la Princesse Lucien Murat, la Princesse de Polignac ; mais aussi François Mauriac, Paul Valéry, André Gide, Pourtalès et Radiguet, les frères Tharaud ; les peintres Sert, Simon, Jean de Gaigneron, des musiciens comme Francis Poulenc, Georges Auric, Darius Milhaud, Casella, le pianiste Ricardo Viñes... comme aussi de nombreuses personnalités britanniques.
▷ *page 121*

(5) André-Lemoisne n'était pas peintre, mais le grand spécialiste de l'œuvre de Degas et Conservateur des Archives nationales.

28 × 39

BERTHE NOUFFLARD.
Miss Mabel Robinson.
1931.

ANDRÉ NOUFFLARD.
Madame Hecht.
1931.

BERTHE NOUFF
Madame Mary Du

61 × 50

21 mars - 20 avril. André Noufflard va seul à **FLORENCE** pour déménager la propriété de Broncigliano et la mettre en vente.

Avril. Les Noufflard rencontrent Mme Hecht, chez Mme Duclaux.

Mai. A Fresnay, pour la construction de la ferme, petite maison qui va permettre de libérer entièrement la grande.

31 mai. Installation à **FRESNAY**.

3 juillet - 5 septembre. Séjour **à la mer** à **Saint-Aubin**. On va régulièrement à Fresnay s'approvisionner en légumes, en fleurs, en beurre et en œufs. Les Rivière sont à Clères, Mme Langweil à Pourville.

29 août. On pose le téléphone à Fresnay (il précède de quatre ans l'électricité).

20 septembre - 4 octobre. Visite des Parodi à Fresnay.

Fin octobre. Le fascisme en Italie. Mussolini forme un ministère.

7 novembre. Retour à **PARIS** et installation au deuxième étage, 61, rue de Varenne.

A.N.

• **Florence.** Vue de chez Byba Coster (Costa Scarpuccia). Le ciel a été repeint à Paris le 21 avril. (A figuré à l'exposition de 1924. Photo.)

• **Bacqueville.**
• **La maison du Messager.** (84).
• **Saint-Victor,** l'église. (245).
• **Le coin de la maison** et le four. (8).
• **Nature morte :** le bateau et le poussah-juge. (532).

• **Tôtes,** les combles de l'hôtel du Cygne. Septembre. (Coll. part. Paris).
• **L'église de Fresnay** et le puits (mairie de Fresnay).
• **Aux environs de Saint-Victor.** Octobre.

• **Buste de femme.** Copie, d'après Goya, au Louvre. Décembre. (692).

B.N.

• **Florence Halévy,** petit portrait. 25 mars - 25 avril. 5 s. (213).
• **Une Bordelaise,** finie le 28 mars.
• **Henriette lisant** tout haut les *Mémoires d'un âne.* 14-17 avril. (141).

• **Roses roses.** 6-7 juin.

• **Jacqueline Parodi** à Fresnay. 23 septembre - 3 octobre. 10 s. (Coll. part. Paris).

• **Hélène Parodi.** Décembre. (296).

1923

Voyage en **ITALIE.** Gênes, Florence.

28 mars - 27 avril. Séjour à **SIENNE**. (Visite de Tante Maritza Langwill et de sa fille Loussia Aristov). Puis Florence, Faenza, Ravenne, Cervia.

André commence un grand tableau des **Jarre**, qu'il abandonnera. Il se servira de la toile pour son arbre généalogique en 1929. Cf. carnet 16.

• **Maguette Jarre.** Portrait commencé en novembre 1922, fini en janvier 1943. (651).
• **Guizelle Jarre.** (649).
• **André Jarre.** Jarre (carnet 16).

• **Sienne.** Chemin, ville, ciel très couvert. (599).
• **San Domenico** vu de l'autre côté de la vallée de Fonte Branda. (603).
• **Sienne** plafonnant. Valle Piatta. (604).
• **Sienne,** près de San Giuseppe, la ville avec la tour.

• **Angelina Grifoni,** l'hôtelière de Sienne (de ce tableau existe une photographie). 7 avril.

▷ *page 122*

92 × 100

BERTHE LANGWEIL. *Le Carnaval.* 1910.

152 × 195

BERTHE NOUFFLARD. *Florence Halévy à Sucy,* 1912.

35 × 26

ANDRÉ NOUFFLARD. *Mosciano,* 1914.

23 × 17

BERTHE NOUFFLARD.
Henriette.
1917.

BERTHE NOUFFLARD.
Geneviève.
1921.

35 × 27

116

33 × 46

ANDRÉ NOUFFLARD.
La Valouine.

ANDRÉ NOUFFLARD.
Florence. Le Duomo.
1936.

19 × 24

46 × 55

BERTHE NOUFFLARD. *André Noufflard à Fresnay.* 1962.

33 × 41

ANDRÉ NOUFFLARD. *Galtür (Tyrol). Chalets à la fin du jour.* 1936.

50 × 61

ANDRÉ NOUFFLARD. *Ciel normand (Bosc-le-Hard).* 1951.

Au printemps 1922, une fête mémorable a lieu chez les Noufflard. Ils ont monté un théâtre de marionnettes, et offert à leurs amis une représentation du *Jeu de l'amour et du hasard* de Marivaux. Ils y pensent et y travaillent depuis deux ans. C'est André qui a construit le théâtre et les décors, guidé par la compétence de Rivière. Il a aussi modelé tous les personnages masculins, et peint leur visage et leurs mains, tandis que Berthe se chargeait de Lisette et de Sylvia ; de la couture aussi : toutes les marionnettes sont habillées par ses soins des costumes les plus raffinés, coupés souvent dans d'authentiques tissus anciens. Elle a recherché de tout petits boutons, des dentelles minuscules. André brosse les décors, Rivière installe l'éclairage. Les répétitions sont passionnantes, les rôles lus par quelques amis choisis, pendant qu'André Noufflard et Rivière manœuvrent les fils. A chacune des deux représentations, le 9 et le 11 mars, une quarantaine d'invités sont accueillis par les deux petites filles en « costume Chardin », ouvrage aussi de leur mère. Le succès est considérable. « Rivière se dépasse, écrit André, et nous électrise tous. »

Outre les marionnettes, Berthe fabrique toujours des poupées régionales, commandées pour le musée du Tourisme par M. Baudry de Saunier, président du Touring-Club de France. Le travail est complexe : recherche de documents, modelage, peinture, habillage.

▷ *page 125*

BERTHE NOUFFLARD.
Poupée régionale.
Femme de la vallée de Munster.
(Musée de Colmar).

Hauteur : 50 cm environ

ANDRÉ NOUFFLARD. et BERTHE NOUFFLARD.
Le Jeu de l'Amour et du Hasard. Cinq des marionnettes : *M. Orgon, Dorante, Sylvia, Mario, Lisette.* 1922.

Hauteur : 35 cm environ

• **Angelina**, dessin. 8 avril (carnet 16).

• **L'Osservanza.** (602).

• **Chemin tournant.** Tour d'une villa (Guy-Loé).

8 mai. Retour à **PARIS**.

13 juin. FRESNAY. Les Marais quittent la partie de la maison qu'ils occupaient et emménagent à la ferme.

3-15 août. Deuxième séjour à **SAINT-AUBIN-SUR-MER**.

• **Nature morte** aux poupées (Guy-Loé).

• **Cendrillon**, inspirée par Angelina (cf. dessin, carnet 21). (70).

• **Henriette** couronnée de pâquerettes. (140).

• **Geneviève** au chat noir (165).

• **Bourg-Dun.** L'église et le bourg. Août-septembre. 9 s. (117).

• **Paysage normand.** (Coll. part. Florence).

• **Près de Bosc-le-Hard.** Champs et grand ciel. Août. (113).

12 septembre. Naissance à la ferme : Jean Marais, le futur fermier de Fresnay.

20 septembre - 1ᵉʳ octobre. Séjour de tous les Parodi, prolongé jusqu'en novembre par René et Paulette.

• **Ciel menaçant**, entre Saint-Victor et Auffay. Septembre. (134).

• **Château de Rombosc.** Septembre. (235).

• **Cailly.** Octobre. (125).

• **Au-delà de Bosc-le-Hard**, mouvement de terrain, nuages. Octobre.

• **La briqueterie**, dans un vent formidable. Octobre.

• **Imbleville.** La vallée. Octobre. (Coll. part. Paris).

9 novembre. Retour à **PARIS**.

• **René Parodi**, dessin (carnet 16).

• **Paulette en blanc** sur un fauteuil bleu. 22 s. (Coll. part., Paris. Cf. carnet 16).

1924

Janvier. Commande à Berthe Noufflard d'une plaquette pour les instituteurs d'Alsace.

Février. Exposition à la galerie Simonson, rue Caumartin. *Peintures d'André et Berthe Noufflard. Poupées de Berthe Noufflard.* Préface de Jean-Louis Vaudoyer. « Cela paraît, note André, un vrai, solide succès pour tous deux. »

Mars. Mort de l'oncle Salomon Ebstein.

10 mars - 18 avril. Séjour aux **LECQUES**, dans le Midi. André emmène ses petites filles sur la plage : il sait leur faire découvrir longuement les merveilles des flaques, des coquillages minuscules et multicolores. Là les Noufflard se lient avec le colonel Dorling et le sculpteur américain Paul Manship.

• **La plaquette pour l'Alsace**, modelage.

• **La Normande.** 2 janvier.

• **La Lorraine.** 28 janvier.

• **Fred Vaudoyer** et sa fille Geneviève. Février-mars. 7 s. (Coll. part., Paris).

• **Mare d'eau saumâtre** avec pins et mouvement de terrain. (329).

• **Petite maison** avec un cyprès et la mer dans le lointain.

▷ *page 126*

61 × 50

BERTHE NOUFFLARD. *Henriette couronnée de pâquerettes.* 1923.

38 × 46

ANDRÉ NOUFFLARD.
La maison de Fresnay,
côté jardin.

Diamètre : 6,8 cm

BERTHE NOUFFLARD.
Médaillon.
1924.

55 × 46

Au fil de longs étés qu'ils passent à Fresnay, les Noufflard s'y sentent de plus en plus « chez eux », de plus en plus en harmonie avec le pays. André a maintenant une Citroën, qu'il conduit avec plaisir. De grandes promenades font découvrir les endroits où l'on aimera retourner, comme la belle ferme rose de la Valouine. On voisine avec les Blanche à

- Très beau motif derrière l'hôtel. 4 avril.
- **Colonel Dorling,** dessin (carnet 16).
- **Béringe.** 12 avril. « Acheté par l'Etat : qu'est-il devenu ? »

- **Colonel Dorling,** portrait (inachevé).

(26 mai. André, hypermétrope, commence à porter des lunettes.)

2 juin - 7 novembre : FRESNAY.

- **Paris, le Pont-Neuf** et la Samaritaine. (Coll. part., Paris).

- **Poupée alsacienne.** 23-24 avril.
- **André dans le salon.** 27 avril - 15 mai. 10 s. (405).
- **Geneviève** dans la cabane. Juin. (168)
- **Nature morte à la laitue.** 28 juin. (400).
- **Geneviève IV ans,** médaillon.

Juillet-août. Dorothy Gilbert, une étudiante anglaise, première d'une longue série, passe deux mois dans la famille pour parler anglais aux enfants : on apprend en s'amusant, on joue la comédie : *The Sleeping Beauty,* etc.

Visites de Hansi, des Manship, de Perle-Odette et Mme Cohen, des Rivière en séjour à Tôtes.

2-12 août. Séjour à **SAINT-AUBIN-SUR-MER,** non loin des Parodi.

- **Bacqueville,** la place. 11 juillet. (100).
- **Solstice d'été,** entre Auffay et Bennetôt. 12 juillet. (Coll. part.).
- **Bacqueville** avec le calvaire et la Gendarmerie. 18 juillet. (Musée de Rouen).
- **Orage sur Clères.** (Coll. part.). (140).

- **Geneviève** au lit. 7-8 juillet. (166).
- **Pauline Manship.** 9-10 juillet. (263).
- **Mme Duclaux** de profil. 17-22 juillet. 5 s. (Coll. part., Paris).

- **La Salle,** intérieur. 2 septembre.
- **Bouquet rouge et rose.** 26-27 octobre. 3 s. (398).
- **Geneviève.** 27-29 octobre. 3 s. (167).

- **Claville.** La mare et le pigeonnier. Octobre. (138).
- **Paysage normand** avec arbre. (Coll. part., Florence).
- **Saint-Victor.** La Forge. (248).

- **Henriette.** 30 octobre - 1er novembre. 4 s. (142).

7 novembre. PARIS. Les Noufflard voient beaucoup les Manship.

20 Décembre. Toute la famille part pour **FLORENCE,** via Gênes (visite aux Conz).

- **Louis Blaringhem,** portrait. « Commande livrée le 17 décembre et très bien accueillie ». (Coll. part.).

- **Mme André Lemoisne.** 1er-17 décembre. 10 s. (Coll. part., Paris).
- **Vue de Broncigliano,** dessin (carnet 23).
- **Casignano,** dessin (carnet 23).

1925

Les Noufflard séjournent à **MAJANO,** dans les environs de Florence (Hôtel Savoia). Invités à déjeuner au Palmerino, villa voisine, ils font la connaissance de Miss Paget, l'écrivain anglais Vernon Lee, amie de Mme Duclaux. C'est le début d'une grande amitié.

A Fresnay, les Noufflard occupant maintenant toute la maison, entreprennent des travaux pour ouvrir des portes de communication, et installer des chambres pour les enfants.

- **Les cyprès de Majano.** (591).
- **Les collines de Majano** et le Monte Ceceri. (593). Tableau acheté par M. Trélat qui le met ensuite à l'Hôtel des ventes où André le rachète.
- **Une petite métairie** près du Palmerino. (Coll. part.).
- **Fiesole.** Henriette dessine. (576).

Offranville, avec les Ménard et les Cacan à Varengeville, avec Miss Sands et Miss Hudson qui habitent le joli château d'Auppegard. Les Parodi sont à Saint-Aubin-sur-Mer. On se voit souvent. Plusieurs fois la famille fait un séjour prolongé à la mer non loin d'eux. Les soirées chez les Parodi sont occupées par de grands jeux comme le *bachot russe*, les parties effrénées de *presto*, ou les lectures à haute voix de Monsieur Parodi, et éclairées toujours par le sourire tout de douceur de Madame Parodi. Dorénavant les Parodi viendront souvent en septembre faire en famille un séjour à Fresnay. C'est là que Berthe peindra un premier portrait de Jacqueline. Alexandre, pendant son service militaire, les y rejoindra lors d'une permission. On sait quel rôle jouera par la suite Alexandre Parodi dans la vie de la France. Son amitié fidèle accompagnera les Noufflard tout au long de leur existence, et ses visites, ses récits, écoutés avec un immense intérêt, resteront toujours pour eux des moments privilégiés.

ANDRÉ NOUFFLARD. *Monsieur Dominique Parodi.* 1932.

BERTHE NOUFFLARD. *Madame Dominique Parodi.* 1923.

45 × 37

61 × 50

30 mai. Le Dr Chizzola, vieil ami de la famille, est mort à Florence. André s'y rend aussitôt, et ramène sa mère.

14 juin. FRESNAY, avec Paulette Parodi. Les Rivière sont à Tôtes.

27 juin - 1er juillet. Première visite de Miss Paget. André note : « **Conversation avec elle sur le fascisme. Elle a l'air bien heureuse de nous sentir les mêmes idées qu'elle. Elle a l'air heureuse, en confiance et si amicale : charmante.** »

Août. Séjour à la mer à QUIBERVILLE.

A.N.

● **Portrait de Berthe,** que Rivière aime beaucoup. 23 avril - 21 mai. (616).

● **Bretteville** (avec Rivière). 30 juin. (121).

● **La briqueterie** de Tôtes. 10-14 juillet.

● **Nos arbres,** meules, vus du Coudray. (72).

● **Paysage normand :** meules de foin. (Coll. part., Angleterre).

● **Fresnay. Entrée de la cour,** arbres et champs. (Coll. part., Angleterre).

● **Foins dans le vallon.** Etaimpuis. (159).

● **Bourg-Dun.** L'église. (118).

● **Cailly.** Contre-jour avec une vache. (124).

● **Paysage** avec hêtre et terres labourées. (225).

B.N.

● **Fenêtre de la grande chambre.** « Pour Miss Paget ». (348).

● **Fée de la nuit,** chatte et lapins. Tableau peint pour Geneviève. (73).

● **Yvonne Marais et ses filles.**

1926

8 janvier. André fait son premier film, avec sa nouvelle caméra Pathé-Baby : Hansi et le Dr Guillemot. Ses films fixeront l'histoire de la famille de 1926 à 1940 : les enfants, les amis, les voyages, avec des détails d'architectures et de sculptures.

12 janvier. André Maurois, Jacques-Emile Blanche, et les Elie Halévy dînent rue de Varenne.

Février. Exposition André Noufflard à la galerie Hector Brame : *Paysages d'Italie et de Provence.*

10 mars. Dîner chez les Blanche avec François Mauriac.

27 mars - 28 avril. Tout un mois à AVIGNON, avec Mme Langweil.

André Barbier raconte à Berthe que Rivière lui a dit d'elle avec émotion : « **Je l'aime comme une sœur — non — comme un frère.** »

A.N.

● **Le Fort Saint-André.** 29 mars - 21 avril. 5 s. (305).

● **La tour de Philippe le Bel.** Avril. 5 s. (304). Donné à Rivière, qui l'avait dans son atelier.

● **Oliviers.** Palais des Papes dans le fond. Avril. 8 s. (303).

● **Le pont Saint-Bénézet.** 7-20 avril. 6 s. (302).

B.N.

● **May Wallas.** Janvier-février. (Coll. part., Angleterre).

● **Jeanne Niaudet.** Janvier. 10 s.

● **Deux petites filles** du cours, d'après un croquis. 24 février.

● **Mme Isaac Koechlin.** 15-20 mars. (Coll. part., Suisse).

● **L'escalier de Saint-Agricol,** Avignon. 30 mars - 13 avril. 4 s. (371).

● **Place du Palais des Papes.** 14-22 avril. 3 s. (368).

● **Les bords du Rhône** avec les enfants, pochade. 23 avril. 2 s. (Guy-Loé).

● **Henriette couchée.** 24-25 avril. (Guy-Loé). Cf. croquis 22 avril.

BERTHE NOUFFLARD
Miss Paget (Vernon Lee).
1931.

27 × 21

C'est en 1925 que les Noufflard font la connaissance de Miss Paget, lors d'un séjour à Florence au moment du nouvel an. Déjà très âgée à cette époque, Miss Paget, plus connue sous le nom d'écrivain Vernon Lee, est une amie de Madame Duclaux ; elle les reçoit à déjeuner dans sa belle maison de la campagne florentine, il Palmerino, non loin de Majano (Fiesole), où séjournent alors les Noufflard. D'une sympathie immédiatement réciproque naîtra une amitié profonde qui va désormais marquer leur vie. Dès l'été suivant, elle passera plusieurs jours à Fresnay, et pendant dix ans, jusqu'à la fin de sa vie, elle y reviendra chaque année, souvent longuement. Pour Berthe, c'est la découverte d'un esprit exceptionnel, qui comble ses aspirations les plus variées :

	A.N.	B.N.
9 juin. FRESNAY, avec la nouvelle Citroën et la remorque. **11 juin.** Nouveauté à Fresnay : l'électricité ! On remise les lampes Pigeon... **5-12 juillet.** Séjour de Miss Paget ; puis de Graham Wallas, économiste anglais, sa femme, et sa fille May.	• **Clères.** La rue. (139). • **La Croque** et le Pays de Bray. (150). • **Près de Saint-Victor**, plein été, Henriette dans les prés. (252). • **Mary Hardcastle** : « French cooking ». (640). • **Meule à Fresnay.** (Guy-Loé).	• **Madeleine Langlois avec Jean-Pierre et Guy.** 1er-10 mai. 6 s. (256). • **Mme Isaac Koechlin** chez elle. 15 mai - 4 juin. 6 s. Cf. croquis du 15 mai. • **Bouquet de fleurs.** Trumeau pour la grande chambre. 16 juin. (412). • **Capucines sur le mur d'ardoises.** 15-16 juillet. (405). • **Henriette dans la salle.** (145). • **Henriette.** 18 juillet. (143). • **Henriette et Geneviève** à Offranville, posant pour J.-E. Blanche. (144). • **Florence Halévy** à Fresnay. 5-14 septembre. 7 s. (Guy-Loé). • **Dieppe.** Derrière Saint-Rémy. 10 septembre. (351).
7 novembre. Retour à PARIS. [**8 novembre.** On coupe les nattes d'Henriette.] **10 novembre.** Mariage de Françoise Halévy et Louis Joxe, à Sucy.		• **Henriette** dans sa chambre, petit portrait. 1er octobre. • **Madeleine Langlois** dans le salon. Décembre. (257).

1927

	A.N.	B.N.
La mode raccourcit. **4 janvier** : « Tante Louise me fait dire que mes jupes sont trop longues, que je vais être la dame qui ne veut pas montrer ses jambes, que c'en est inconvenant ! » **6 janvier.** « Chez Tante Louise avec une robe raccourcie. » **8 janvier.** La rue de Varenne est le cadre d'une réception aussi colorée qu'inaccoutumée, dont elle gardera longtemps le souvenir : Mme Langweil accueille les évêques chinois nouvellement sacrés, qui sont en visite à Paris. Ils lui sont amenés, accompagnés de nombreux prélats et religieux français : le Cardinal Dubois, Mgr Baudrillart, Mgr Chaptal, Mgr de Guébriant, Mgr Olichon... **19 janvier - 1er février.** Séjour à CHAMONIX. Luge et premiers pas à skis des enfants.	• **Lena Emetaz,** portrait commencé en novembre 1926. (Coll. part., U.S.A.). • **Groupe de famille** dans le salon, rue de Varenne. (630). • **Chamonix.** Dans la neige. 22 janvier. (237). (Cf. croquis carnet 22). • **Dans notre chambre.** (238).	• **André,** dans le groupe peint par lui (cf. 630).

130

ANDRÉ NOUFFLARD.
Majano.
1925.

38 × 55

J'allais, avec elle, de surprise en surprise. Fermée que j'étais, rebutée par presque tout le monde — par l'étroitesse de nos amis artistes, leur incompréhension de ce qui se passait dans le monde, leur façon de tourner le dos à toutes les questions sociales, questions de vie ou de mort — (pis encore que la mort : la vie misérable, souffrante et abjecte) pour des millions de gens... **et** par l'étroitesse et l'incompréhension des autres devant le passé, les religions, et — tout ce qui donne pour moi du prix, du charme à la vie : beauté, sentiment de la beauté des choses, **compréhension** des aspirations, des sentiments humains — et les doctrines plus ou moins étroites, enfin, ce qui est stupide dans M. Homais — à différents degrés !

Et voilà que je trouvais un esprit qui semblait tout comprendre — qui semblait réunir, et de la façon la plus naturelle, l'intelligence, le besoin de recherche sur toutes les questions sociales et politiques, le plus ardent besoin de vérité, le sentiment le plus généreux, le plus humain — et, en même temps le goût, la connaissance des époques passées, une façon de les faire revivre — avec une profonde sympathie humaine— et un amour des belles choses — belles églises, poésie, musique, tout, tout — avec la sensibilité la plus profonde et la plus fine ! J'étais dans une sorte d'enchantement — et — folle de joie...

La mort de Miss Paget, en 1935, mettra fin à des échanges enrichissants et heureux. Parmi ses nombreux écrits sur l'art, Berthe Noufflard fit un choix qu'elle traduisit et publia sous le titre *Etudes et réflexions sur l'Art* [6].

(6) Vernon Lee. *Etudes et réflexions sur l'art.* Editions Corrêa, Paris, 1938.

131

Février-mars. Exposition André Noufflard à la galerie Brame.

Avril. La jeune anglaise Molly Porter fait son premier séjour dans la famille.

Les Noufflard vont à Fresnay pour s'occuper de l'installation à Tôtes d'une infirmière visiteuse.

23 avril. Mort de l'oncle Jacques Ebstein.

15 mai. Mme Langweil reçoit 24 petits alsaciens à goûter dans le jardin.

21 mai - 25 juin. Premier séjour à LA BOURBOULE en Auvergne. Cure des enfants.

14-16 juin. André Noufflard se rend à Paris pour sa réintégration. Il redevient français.

25-29 juin. Voyage transversal Auvergne-Savoie.

29 juin - 3 septembre. Deux mois à MEGÈVE (Chalet Belvédère). Visites des Benoist, de Paulette Parodi, que sa mère vient rechercher. *Little boy blue,* comédie avec Molly Porter. Giulio Caprin, qui est alors le directeur du *Corriere della sera,* raconte que Clemenceau dit de Poincaré : « Sait tout, comprend rien », et de Briand : « Sait rien, comprend tout. »

3-10 septembre. Retour via Tournus, Avallon, Vézelay, Sucy, Paris.

10 septembre - 28 novembre. FRESNAY. Séjours de Doletta Caprin, de René Parodi. *Cinderella,* avec Mary Hardcastle.

29 décembre. Arbre de Noël rue de Varenne. Les enfants jouent *The Weather Clark*. Ninon Labbé tient le rôle de l'Arc-en-ciel.

1928

Présence toute cette année chez les Noufflard d'Elisabet Waldenström.

25 janvier - 10 février. André Noufflard va travailler à NYONS avec Henri Rivière.

A.N.

- « Printemps à Paris ». Les Invalides et la chapelle Biron de chez Mme Duclaux. (362).

- Murat-le-Quaire. 23 mai. (480).
- La Croix de Liourmat. 1er juin. 5 s.
- Châteauneuf. 22 juin.
- Chemin grimpant, genêts. (464).
- Paysage d'Auvergne. (466).
- Paysage avec le Sancy. (467).
- Le Sancy et la Banne d'Ordanche. (470).

- Le Charvin. 4-19 juillet. 7 s. (Coll. part., Vallorcine).
- Les aiguilles de Warens. 4 juillet - 1er août. 5 s. (513).
- La vallée, le Charvin au fond. 19 juillet. 5 s. (515).
- Platé et les Fiz. 1er août. (Coll. part., Paris).
- Cirque du Mont Joly. (517).
- Paysage de montagne. Coll. part., Paris).

- Les Authieux. Façade avec le peuplier d'or. (96).
- Derrière Saint-Victor en plein automne. (251).

- Le vieux Nyons (froid et venteux). 26 janvier - 10 février.
- Dans le lit du torrent sur la route d'Orange. 28-30 janvier. 2 s. (335).
- Au pont. 30 janvier - 9 février. (334).

B.N.

- Le Dr Fournier. 28 février-7 mars. 10 s.
- Béatrice Alexandre. 21 mars - 12 avril. (7 s.).

- L'Auvergnate, poupée.
- Geneviève. 26 mai. (169).
- Mlle Couturon en vert. 31 mai - 4 juin. 3 s. (Coll. part.).
- Henriette. 14-18 juin. 4 s. (146).
- Jacquie Blériot. 21-22 juin. (Coll. part.).

- Petite tête de Geneviève. 10-17 juillet. 4 s.

- Jardin de Fresnay un soir d'automne. (Guy-Loé).
- Doletta. 8-29 octobre. 7 s. (283).

- Ninon Labbé en « Arc-en-ciel » devant le paravent d'or. 31 décembre. (Coll. part.).

- Béatrice Alexandre, fini le 25 janvier.
- Elisabet Waldenström. 22 février-4 mars. 6 s. (Coll. part. Stockholm).
- Mme Langlois-Berthelot. 17-24 mars. 2 s. (perdu).

61 × 50

Les Noufflard accueillent volontiers de la jeunesse venue de loin. Outre la jeune fille britannique habituellement présente pour que les enfants parlent anglais, diverses « nièces » séjournent souvent parmi eux. Ainsi Doletta Caprin, la fille du vieil ami d'André — conseiller fidèle de sa jeunesse florentine — fait des séjours fréquents à Paris ou à Fresnay ; Elisabet Waldenström, la « nièce de Suède », passera chez les Noufflard toute l'année de ses vingt ans. Sa mère, Hedwig Lion-Waldenström, avait été l'amie de classe de Berthe et de Lily Langweil. Cette amitié devait non seulement durer toute la vie, mais se transmettre aux trois générations suivantes.

133

1928

«Séance délicieuse et un peu folle où je finis mes cyprès.». 9 février. (333).
- **Remparts.** 3 février.
- **La Sainte-Jaune.** 4-7 février.

30 mars - 16 avril. Séjour à FRESNAY. Visite de Doletta Caprin, en route pour l'Angleterre.

- **Elisabet devant le paravent noir.** 28 avril. (329).
- **Le cavalier vert.** Pochade au retour d'un spectacle à l'Empire. 16 mai. (236). Cf. croquis carnet 20.

- **Fiesole,** Henriette dessine. Réplique en grand du n° 576. (577).

23 mai - 19 juin. Nouveau séjour (cure) à LA BOURBOULE. Voyage via Bourges, avec Elisabet, et Mary Hardcastle.

10 juin. Comédie *Peter Pan,* avec Mary Hardcastle, et la jeune Nancy Schenk rencontrée à l'hôtel (Pension Borghese).

19-26 juin. Voyage de retour, avec une étape à Guéret, pour visiter le musée, riche des collections données par M. Alexis Rouart (parmi lesquelles le tableau de Berthe Langweil qu'il avait acheté au Salon dans ce but), riche aussi d'estampes données par Mme Langweil. On visite ensuite La Souterraine, Gargilesse, Savigny, Poitiers, Vendôme, Chartres, Châteaudun...

- **Petite tête de Geneviève,** robe bleue. Juin.

- **Carrière** au bord de la route. (450).

- **Mme Olga Mordvinoff.** 30 juin. 2 s. (281).

3 juillet - 16 novembre. FRESNAY. Mary Hardcastle est là, et met en scène une représentation d'*Aladin.* De nombreuses visites se succèdent : les Benoist, les Fuchs, Mrs Wallas, Mme Hecht, Mme Duclaux et Miss Mabel, les Parodi, les André-Lemoisne, Doletta et Elisabet.

- **Moyettes** avec un arbre. (216).
- **Bosc-le-Hard.** La maison rouge. (108).
- **Mme E. Noufflard** écrivant. (626).
- **Mrs Graham Wallas.** 29 juillet. (Coll. part., Londres).
- **Champ de blé en moyettes.** (Coll. part.).
- **Paysage** avec meule. (Coll. part. Milan).
- **Etude dans les champs.** par très beau temps. Septembre.
- **Meule à la herse bleue.** (64).
- **Meule à l'automne** (695).
- **Forêt d'Eawy** à l'automne, pochade. (155).
- **Lammerville.** (179).
- **Meules sombres** et ciel orageux. (196).

- **L'atelier en 1911,** tableau d'après ma vieille étude. 6-9 juillet. 5 s. (409).

- **Miss Mabel,** petite étude. 13 août. (318).
- **André dans son coin avec ses joujoux** (T.S.F., etc.). 2 septembre. 1 s. (119).
- **Miss Paget écrivant.** Septembre. (288).
- **Elisabet cousant.** 28 septembre - 1er octobre. 3 s. (330).
- **Paulette Parodi.** Petite tête de profil. 2 octobre. (Coll. part., Paris).
- **Mme Langweil** faisant une patience. 4 octobre. 1 s. (202).
- **Etude dans le potager** au soleil couchant. 22 octobre. (336).
- **Petite étude dans ma chambre.** (très beau temps). 6 novembre.

Du 16 au 22 septembre, Miss Paget.

12 octobre. Henriette rentre pour reprendre ses classes à Paris. Elle habite Sucy.

BERTHE NOUFFLARD. *Doletta Oxilia.* 1946.

Chaque année dorénavant, la famille part vers le midi pour les vacances de Pâques, la « petite citron » suivie d'une remorque chargée du matériel de peinture. On fait la route en trois ou quatre étapes, afin d'avoir tout le temps de s'arrêter partout où peuvent se découvrir vieilles églises ou belles demeures, dont André engrange les images sur film. On séjourne dans un bel endroit, d'où l'on rayonne avec boîtes et chevalets, et l'on rapporte à Paris un chargement de toiles nouvelles. Avignon en 1926, puis Aix-en-Provence, Arles, Cassis...

▷ *page 139*

28 décembre. Mort de Tante Mathilde, sœur de Charles Langweil, à Vienne.

• **Geneviève au piano.** (171).

• **Mme Blocq-Serruys.** 19 novembre - 8 décembre. 8 s. (229).

• **Mme Duclaux chez Mme Hecht,** croquis (carnet 20).

• **Mme Blocq-Serruys,** autre portrait.

1929

• **Doletta Caprin.** (622).

• **Mme E. Noufflard tricotant.** (627).

• **Mme E. Noufflard** lisant, avec sa chaufferette. (629).

• **Paulette Parodi** en mauve. (297).

19 mars - 14 avril. AIX-EN-PROVENCE. Les Noufflard y voient les Xavier Léon, les André-Lemoisne.

• **Petite bastide** sur la route de Vauvenargues. 24 mars. (291).

• **La montagne Sainte-Victoire,** temps clair. 25-30 mars. (289).

• **Vauvenargues.** Château dans le paysage. (719).

• **Aqueduc.** 26-27 mars. (292).

• **Hameau des Bonfillons,** temps médiocre. 29 mars. (285).

• **Un pin et la Sainte-Victoire.** 29 mars. (744).

• **Beaurecueil** (dessiné et peint du coup). 5 avril. (290).

• **Aix.** L'Archevêché. (Guy-Loé).

• **Aix.** La Place. (366).

• **La famille Xavier Léon** à Aix (fini le 4 avril). (Coll. part., Paris).

André et Berthe travaillant près d'Aix-en-Provence.

• **Henriette dans la salle.** (642).

• **Pavilly.** L'église. (223).

• **La maison par temps gris** (Jean Guyot-Noufflard).

• **La maison vue du jardin,** Doletta à sa fenêtre. (9).

• **Geneviève devant la glace.** (639).

• **Pigeonnier normand** (Coll. part., Milan).

• **L'église de Fresnay** vue de la route. (82).

• **Arbre généalogique** des Noufflard, devant de cheminée pour la chambre d'A.N. (531).

• **Biville-la-Baignarde,** l'église. (106).

• **Bacqueville,** la Place. (Coll. part.).

• **Fresquienne,** l'église. (169).

• **L'église de Saint-Victor.** (246).

• **Geneviève** à Fresnay, tête. (173).

• **Henriette au jardin.** (147).

• **André** dans la chambre de B.N. (124).

• **Doletta Caprin** à Fresnay. (Coll. part., Milan).

• **Mme Duclaux.** (240).

Présence à **FRESNAY** cet été de Balbina Braïnina, la pianiste russe rencontrée il y a quelques mois. Visites des Rivière, des Caprin, de Mme Hecht et Mme Duclaux. On joue *The jug that wouldn't break* avec Mary Hardcastle.

Excursion à Caen et au Mont-Saint-Michel.

20 × 18

Aux vieux amis peintres s'en est joint un tout jeune, Heini Waser, peintre suisse qu'André Noufflard emmène souvent sur le motif avec lui. Mais surtout, en 1931, la rencontre avec Alexandre Benois apporte un élément nouveau et très enrichissant à la vie des Noufflard. Ils se lient avec lui et avec sa famille d'une très grande amitié qui ne fera que croître avec les années. Cette amitié, faite d'une profonde communion de pensée et de sensibilité sur le plan de l'art, leur ouvre tout un monde russe et artiste qu'ils fréquentent avec bonheur.

Les liens italiens ne se relâchent pas, avec les cousins, avec les amis de toujours, comme Mary Conz, Doletta Oxilia et ses parents les Caprin, dont les visites en France sont fréquentes.

▷ *page 153*

149

En juillet, André conduit Geneviève en Angleterre dans le Kent. Henriette est en visite chez les Herbert Fisher. Plus tard, André et Berthe vont voir à Oxford Miss Paget et Miss Price, et toute la famille se retrouve à Londres, avant de rentrer par le bateau de Dieppe.

Août-septembre. Cure à LA BOURBOULE, avec May Aubert. Les Noufflard, dès le retour d'Angleterre, passent la chercher à Saint-Maurice-lès-Charencey, près de Verneuil, dans la maison qui sera leur refuge dix ans plus tard.

11 septembre. Retour à FRESNAY.

24 novembre - 9 décembre. André Noufflard va seul à VAISON-LA-ROMAINE pour retrouver Henri Rivière et travailler avec lui.

1934

6 février. Troubles à Paris.

A.N.

- Le cirque du Sancy et le fond de la vallée. 21-29 août. 6 s. (471).
- Chaîne des Dômes au-delà du Lac de Guéry par vent et froid. 22-27 août. 4 s. (472).
- Le lac de Guéry. 26 août. (469).
- La Roche Sanadoire. 3-5 septembre. 3 s. (488).
- Le lac de Guéry et le Sancy. (468).

- Bacqueville. L'église. 15-21 septembre. 3 s. (101).
- Le fauteuil blanc. (16).
- La toilette rose. (25).
- Lisière de grands hêtres. (183).
- Ferme de la Comète à Châteaufort (Vallée de Chevreuse). 28 octobre. 3 s.

- Crestet avec Rivière. 25 novembre - 5 décembre. 5 s. (313).
- Près de Roaix, paysage sans architecture. 25 novembre - 2 décembre. 5 s. Acheté en 1937 par Sir William Rothenstein pour le Musée. (Musée de Carlisle).
- Le rocher de Vaison avec le vieux Vaison. 27 novembre - 7 décembre. 4 s. Trumeau de la chambre d'A.N. à Fresnay. (332).
- Crestet. Pochade par temps gris. 29 novembre. (314).
- Rasteau, froid et vent. 29 novembre - 4 décembre. 3 s.
- Crestet de plus près. 3-7 décembre. 4 s. (312).

- Elie Halévy de profil. 18 janvier - 22 février. 7 s.
- Elie de face. 9 mars. (645).
- Paris. Saint-Gervais de chez les Donner. 3-18 mars. (364).

B.N.

- Mme Blanche, croquis, 21 juillet, (carnet 24).
- Françoise Benoist, dessin. 28 juillet (carnet 24).
- Jacqueline Parodi, dessin. 28 juillet (carnet 24).
- Mary Fisher. 29-30 juillet. 2 s. (Coll. part., Angleterre).
- Mary Fisher, croquis. 2 août (carnet 24).
- Miss Paget lisant à Oxford, dessin. 10 août (carnet 24).
- Verneuil-sur-Avre. Ange, dessin (carnet 24).

- Mme. E. Noufflard. 5-7 octobre. 3 s. (212). (Cf. croquis carnet 24).
- Pupa Peano et Alberto bébé. 28 octobre. (Coll. part., Turin).
- Jeannie Aeschimann. 17-31 octobre. 3 s. (Coll. part., Paris).

- Florence Halévy. 6 décembre. (215).
- Violette Fillonneau. (Bon offert pour la loterie du Collège Sévigné). 14 décembre.

- La partie de dominos : Mme Langweil dans son salon, avec son gendre. (203).

ANDRÉ NOUFFLARD. *La chaîne des Dômes.* 1933.

19 × 55

ANDRÉ NOUFFLARD.
Crestet.
On aperçoit Rivière devant le motif.
1933.

ANDRÉ NOUFFLARD.
Près de Domme (Dordogne).
1934.

46 × 38   55 × 46

151

1934

	A.N.	**B.N.**
24 mars - 7 avril. Séjour à CASSIS avec les Bauer et Paulette Parodi.	• **Cassis,** le matin par temps gris. 28 mars - 2 avril. 4 s. • **Ferme-Bastide.** (A.N. n'en est pas content). 28-30 mars. (340). • **Au col de la route de Marseille,** une montagne qui se dresse admirablement. 30 mars. (309). • **La Gineste,** pochade. Ma montagne dans les nuages. 4 avril. (308).	• **Cassis.** Marché. (365).
Mai. André et Berthe Noufflard participent à l'exposition *Peintres français en Italie* chez Bernheim, aux côtés de Vuillard, Maurice Denis, J.-E. Blanche, etc.	• **La maison de Sisley.** 21-22 mai. 2 s. (397).	
Pentecôte chez les Parodi à LA GRAVINE.	• **Bièvres,** avec la statue. 11 juin. (Avec Alexandre Benois). (Coll. part., Paris).	
22 juin. FRESNAY.	• **Le pressoir à cidre.** 29 juin-9 juillet. 5 s. (62). • **La bergerie.** 2 juillet. (Coll. part.). • **L'église,** côté abside. (81). • **Le pressoir,** dessin. 8 juillet. (63). • **Le pressoir,** avec la grande vis et la roue. 10 juillet. (61).	• **Henriette** lisant à Fresnay. (151). • **Geneviève** en travers d'un fauteuil. (179). • **Miss Paget,** grand portrait. Juillet. (294). • **Geneviève** en culotte de garçon. (180).
4-23 octobre. André Noufflard va peindre en DORDOGNE, et Henriette l'accompagne avant de commencer son P.C.B. (année préparatoire à la Médecine).	• **Domme,** Dordogne : paysage vu d'en haut. 6-9 octobre. (723). • **Vitrac.** La belle petite église. 6-7 octobre. 2 s. (440). • **La vallée,** peupliers et falaise. 10 octobre. 2 s. (438). • **Beynac.** Beau motif : la ferme sous la falaise. 8-12 octobre. 3 s. (437). • **Castelnau.** 12 octobre. (415). • **Castelnau.** Derrière le château avec Henriette. (414). • **Beynac.** Le château. (413).	• **Madeleine Durand-Ruel.** 7 novembre.
22 décembre. Départ de tous les Noufflard pour le Tyrol autrichien. Premier séjour à GALTÜR, avec les Bauer, Fanny Roussel et autres amis.	• **Galtür** et la vallée. 23 décembre. (729). • **Fond de la vallée.** 23 décembre. (700). • **L'église** vue de la fenêtre de l'hôtel. 25 décembre. (506). • « **Les pentes** » : très joli motif du village avec les rochers. 29-31 décembre. (508). • **Galtür** et la **Ballunspitze.** (501). • **La Ballunspitze** quand le temps se gâte. (503).	• **Galtür.** Croquis rehaussé (carnet 25).

BERTHE NOUFFLARD.
Miss Ethel Sands.
Dessin.
1947.

Chelsea Square - 9 oct. 1947

22 × 17

Leurs amis anglais, c'est surtout à Fresnay que les Noufflard les reçoivent, car à cette époque on voyage en bateau, et Fresnay est sur le chemin de Dieppe. Les amitiés cosmopolites ne s'arrêtent pas aux pays frontaliers. Outre les amis russes, les Waldenström viennent de Suède, les Coster [7], des Etats-Unis comme les Manship [8]. Les Noufflard se sont liés aussi avec l'ambassadeur et Madame John Loudon des Pays-Bas, et avec la famille thaïlandaise de Marguerite Sitter, la nurse alsacienne de Geneviève qui s'est mariée à Bangkok...

(7) Byba Giuliani, amie d'enfance d'André, et son mari Henry Coster.
(8) Paul Manship, sculpteur américain rencontré en 1924 ; auteur entre autres du grand ensemble qui orne la Rockfeller PLaza de New York.

153

1935

Berthe Noufflard participe à l'exposition *Qui fera mon portrait?* chez Guy Steyn.

13 février. Mort de Miss Paget.

14-28 avril. Vacances de Pâques à LOCHES avec les Bauer, près du camp d'éclaireuses où se trouve Geneviève.

Mai. Exposition Berthe Noufflard à la galerie Brame.

Ce début d'été, les Noufflard voient leurs cousins italiens Cesare et Maria-Luisa Padovani, leurs amis Caprin et Salvemini.

4 juillet. Départ pour l'ALSACE, directement de Paris. Le 14 juillet, Mme Langweil reçoit la rosette de la Légion d'Honneur qui lui est remise par le général Andréa au cours d'une revue des troupes à Colmar.

Au retour, les Noufflard déposent Geneviève à un camp d'éclaireuses en Suisse, et vont voir à CHEXBRES Mme Irène Forbes-Mosse, amie de Miss Paget, écrivain, petite-fille de la Bettina de Gœthe.

20 juillet : FRESNAY. Pour la première fois, Geneviève étant en seconde, on rentrera à Paris dès le mois d'octobre.

22 septembre. André Noufflard est élu conseiller municipal de Biennais-Etaimpuis, la commune de Long-Fresnay.

Henriette commence sa Médecine.

On apprend la mort de l'oncle Henri Langwill, frère de Charles Langwill, fixé en Russie, à Kiev.

A.N.

- **M. Bauer.** Abandon après 5 s. 6-14 février. (609).
- **Paulette,** chez les Parodi. 16-22 février. 6 s. (683).
- **Paulette** au lit. 25 février-2 mars. (684).

- **Loches.** Rue et église. 15 avril. (745).
- **Etude sur la colline.** 19 avril. (478).
- **Dans la vallée de l'Indrois.** 16-24 avril. 5 s. (477).

- **Bords du Loing.** La Gravine. (Coll. part., Paris).
- **Montigny.** 1er-3 juin. 3 s. (386).
- **Episy.** Maison au bord du canal. 8-12 juin. 4 s. (378).
- **La Genevraye.** 9-12 juin. 3 s. (389).
- **La Genevraye,** l'église vue de plus loin. 11-12 juin. 2 s. (400).
- **Vue sur la vallée** de Clères. (145).
- **La maison,** tableau fini le 28 août.
- **Meules.** (Coll. part., Milan).

- **Bosc-le-Hard.** La maison rouge. 8-23 septembre. 3 s.
- **Fontaine-le-Bourg,** grand ciel. (165).
- **Lammerville,** vallée et abside. (180).

- **Olga Loo.** 7 octobre. (652-653). Cf. carnet 13.
- **Léonard Rist,** dessin. 19 octobre. (carnet 13).
- **Béthencourt,** près de Senlis, ciel couvert. 1er novembre.

B.N.

- **Marie-Louise Bréguet.** 4 janvier. (234).
- **Marie-Louise Bréguet,** nouveau portrait. 17 janvier. (235).
- **Catherine Pécaud.** 23 janvier. (Coll. part.).
- **Madame Duclaux,** dessin (carnet 25).

- **Loches au printemps.** donné et dédicacé à André. (393).
- **Tombeau d'Agnès Sorel.** (391).

- **Ariane,** petite-fille de Mme Kuhlmann. 15-20 mai.
- **Pupa Peano.** 21 mai-24 juin. 9 s. (Coll. part., Turin).
- **Mme Edouard Jolly.**
- **Claude Parodi** à La Gravine. 8 juin. (Cf. film 539).

- **Mme E. Noufflard** tricote, croquis. 13 septembre (carnet 25).
- **Miss Price** à Fresnay, croquis. 13 septembre (carnet 25).
- **M. Blanche,** croquis. 16 septembre (carnet 25).

- **Olga Loo.** 7-13 octobre. (262).
- **Léonard et Eva Rist.** (Coll. part., Versailles).
- **Paulette en noir.** (301).

BERTHE NOUFFLARD.
Madame Irène Forbes-Mosse.
1936.

41 × 33

Mais il y a encore d'autres liens italiens, tissés par des convictions communes. Français par son père, André avait, à sa majorité, choisi la nationalité italienne. Quand survint Mussolini, il ne voulut conserver aucune attache avec l'Italie fasciste, et demanda sa réintégration dans la nationalité française. En 1927, ses démarches ayant enfin abouti, il redevint français. Ses convictions l'avaient rapproché des antifascistes italiens exilés. Il se lia avec Gaetano Salvemini, puis surtout avec Carlo Rosselli, homme d'un courage dynamique et généreux, aussi fin pourtant et cultivé qu'il était massif d'aspect : lui et sa femme d'origine anglaise, devinrent de proches amis. Son combat — exprimé par son journal *Giustizia e Libertà* — et sa fin dramatique devaient atteindre profondément toute la famille Noufflard.

Depuis 1935, André Noufflard est conseiller municipal de Biennais-Etaimpuis, la commune à laquelle appartient Long-Fresnay. Il prend son rôle très à cœur et se déplace de Paris pour chaque séance du Conseil. Il refusera toujours pourtant la charge de maire, se jugeant trop souvent éloigné. Quant à Berthe, elle réunit tous les mois les jeunes mères du voisinage pour des pesées de nourrissons — souvent une quinzaine d'enfants — avec un goûter pour les aînés. Aidée et conseillée par Antoinette Hervey, la directrice des Services sociaux sur le plan départemental, qui fut une grande amie, elle obtient à grand-peine la création d'un poste d'infirmières visiteuses à Tôtes. Ces infirmières une fois installées, elle s'en occupe, les soutient, les reçoit régulièrement chez elle.

Il reste que le plus important, dans la vie des Noufflard à Fresnay, ce sont les séances de peinture : les séances d'André sur le motif, où on l'accompagne souvent avec un livre, celles de Berthe dans la maison ou le jardin — portraits de voisins ou de visiteurs, intérieurs ou natures mortes — et les longs échanges entre eux devant leurs toiles respectives après le travail.

▷ *page 159*

155

Fressnay. 21, millet 33

J. E. Blanche

20 × 18

BERTHE NOUFFLARD. **Monsieur Blanche.** *Dessin.* 1933.

46 × 38

BERTHE NOUFFLARD. *Madame E. Noufflard, rue de Varenne.* 1933.

157

27 novembre - 7 décembre. Séjour d'André et Berthe Noufflard à **LONDRES,** pour l'exposition d'art chinois où sont présentés les deux grands paravents de Mme Langweil.

1er décembre. Deuxième séjour de la famille à **GALTÜR,** Tyrol.

A.N.

B.N.

- **Galtür** et la Ballunspitze. 24-30 décembre. 4 s. (502).
- **La maison rose.** 24-27 décembre. 3 s. (Guy-Loé).
- **La vallée** par mauvais temps, pochade de la chambre. 25 décembre. (504).
- **L'église** par très beau temps. 31 décembre. (505).

1936

8-31 janvier. André Noufflard va rejoindre Henri Rivière à **GRASSE** pour peindre avec lui.

- **Châteauneuf.** 10-28 janvier. 6 s. 1/2. (Coll. part., Paris).
- **La vallée du Loup.** Bar au Loup. 11-23 janvier. 6 s. (326).
- **Châteauneuf,** temps gris. 13-25 janvier. 4 s. 1/2.
- **Le Roumégous,** sous Magagnosc. 4 janvier. (327).

- **Paulette Parodi** regardant des gravures. 19 février. (679).
- **Berthe peignant.** (618-619).

Mars. André peint en Ile-de-France avec Heini Waser.

- **Etampes,** avec Heini Waser. 24 mars. (379).
- **Linas.** Mars.

- **Paulette** rue de Varenne. (303). (Cf. croquis, carnet 25).
- **Béatrice Donner.** 18 mars.

4-19 avril. Vacances de Pâques à **SISTERON.**

- **Sisteron.** Derrière le cimetière, le rocher de la Baume. 6-17 avril. 5 s.
- **La Madeleine.** 6 avril. (Coll. part., Strasbourg).
- **Vallée du Buech.** 10 avril. (347).
- **Sisteron avec la Citadelle,** par mistral. 11 avril. (344).
- **Nibles,** paysage très lumineux. 11 avril. (343).

- **La Forteresse.** (369).

27 avril. André et Berthe Noufflard fêtent leurs noces d'argent.

- **Eglise de Fromonville.** 31 mai - 2 juin. 3 s.
- **Episy,** la place. 2-3 juin. 2 s. (377).
- **Nu debout.** (734).

- **Madeleine Durand-Ruel.** 27 mai.

- **Mme Edmond Schlumberger.** 7 juillet.

29 juin - 17 juillet. Séjour en **ALSACE** avec Paulette Parodi, et visite à Mme Forbes-Mosse en **SUISSE.**

- **Petit paysage suisse.** Le lac et la Dent d'Ouche. 18 juillet. (500).
- **Chexbres** par temps gris. 19-20 juillet.

- **Mme Isaac Koechlin.** 18 juillet.
- **Mme Forbes-Mosse.** 19 juillet. (246).
- **Mme Forbes-Mosse,** croquis (carnet 25).

158

ANDRÉ NOUFFLARD.
*l'église de Galtür.
Le peintre
devant le motif.
1936.*

46 × 38

ANDRÉ NOUFFLARD. *Galtür (Tyrol).* 1934.

36 × 55

L'approche de la tourmente

Pourtant on sent approcher l'orage. Dès 1936, l'anxiété a pénétré la vie de chacun. On écoute à la radio les discours de Hitler, tantôt plus menaçants, tantôt moins. Les Noufflard sont alors pacifistes avant tout. En juin, lorsque Léon Blum est appelé à former un ministère, ils sont frappés par les réactions hostiles de leurs amis peintres — Rivière, Blanche, Barbier — Benois beaucoup moins, notent-ils ; eux-mêmes suivent cette expérience avec un intérêt plein d'espoir.

Un nouvel ami anglais, Aubrey Jones, jeune journaliste qui circule d'un point chaud à l'autre, vient souvent rue de Varenne : on écoute avidement ses récits.

La tension internationale monte. On pense sans cesse à la guerre. Un exercice d'alerte, un soir, plonge tout Paris dans les ténèbres. Du toit de la rue de Varenne, l'obscurité est impressionnante. Une seule fenêtre largement éclairée, de l'autre côté de la rue : celle d'André Gide, qui manifeste. On se bat en Espagne. Carlo Rosselli y est blessé.

André Noufflard, révolté par le fascisme et par les récits qui lui parvenaient d'Italie, n'avait jamais voulu, depuis 1925, retourner dans son pays natal, malgré l'éloignement de sa mère, qui bien sûr venait faire quelques séjours en France. Pourtant en novembre 1936, il se décide à retourner avec Berthe, après si longtemps, en Italie. Ils s'y rendent en voiture, et jouissent en voyage de la beauté du paysage. André note : « Après Digne, merveilleuse traversée des montagnes de l'hiver dernier [9]. Encore plus

▷ *page 165*

(9) André Noufflard avait rejoint Henri Rivière pour peindre à Grasse, en janvier 1936.

159

	A.N.	**B.N.**
	• **Le salon avec Berthe.** (22).	
	• **Bosc-le-Hard.** L'envers de la maison rouge. 30 juillet-11 septembre. (110).	• **Henriette.** 31 juillet. (152).
26 août. Berthe conduit Geneviève en Angleterre (Par, Cornwall) chez le Prof. Charles Singer, où André ira la rechercher le 16 septembre.		• **Concert au château.** (Bosmelet). (321).
5 septembre. Carlo Rosselli est blessé en Espagne.	• **Le vestibule.** 10-27 septembre. 4 s. (Coll. part., Turin).	
	• **Fontaine-le-Bourg.** Grand paysage mis ensuite au carreau. Finis le ciel et laisse le reste en esquisse. 12-30 septembre.	
28 octobre - 23 novembre. Après dix-huit ans, (sic) André et Berthe retournent en ITALIE. Ils logent à Florence à la Pensione Piccioli, et reviennent via Faenza, Vérone, Crémone, Milan ; puis ils s'arrêtent à Buis-les-Baronnies pour voir Rivière.	• **Montereggi,** derrière Fiesole. 6-11 novembre. 5 s. (594).	• **Mme Conz,** réplique du portrait. 7 novembre.
	• **Colline San Miniato,** de chez Pavolini. 8 novembre. (585).	• **Colline San Miniato.** 10 novembre. (356).
	De la fenêtre de la chambre de la pension, beau temps. 10-20 novembre.	
	• **San Martino a Bagnoli.** 5-16 novembre. (351).	• **L'Arno et les ponts.** (357).
		• **Même motif.** (362).
	• **Le Cupolone** vu du toit de la pension. 19-20 novembre. 2 s. 1 / 2. (582).	• **Enrichetta et Costanza Acquaviva,** à Faenza. 24 novembre. (Perdu).
		• **Paulette** avec le châle abricot. (304).

1937

	A.N.	**B.N.**
24 janvier. André Noufflard note : « **Discours admirable de Blum. La partie sur la politique étrangère surtout est très importante et très belle, dite avec une grande flamme qui fait disparaître tout à fait ce côté chevrotant de la voix de Blum.** »	• **Galtür. La Vallée.** Cf. photo faite par Fr. Benoist le 2 janvier. (507).	
2-15 mars. Séjour de Berthe Noufflard à LONDRES. Pendant son absence, André tombe malade. Une violente crise de rhumatismes à l'épaule, accompagnée de fièvre, si douloureuse qu'on lui fait de la morphine.		
18 mars - 4 avril. André part pour l'ITALIE, encore souffrant, avec toute la famille. A Florence on retrouve Heini Waser. Les filles vont à Rome avec Jacqueline Parodi et perdent un sac avec tous leurs papiers. Les Noufflard se chargent de messages verbaux pour Rosselli de la part de sa famille.		• **Monique Krebs.** 7 avril. (Coll. part., Paris).
	• **Portrait de Rivière.** Commencé le 26 avril.	
14-21 mai. A l'occasion de la Pentecôte, séjour à FRESNAY. Visite de plusieurs jours de Carlo et Marion Rosselli et de leur fils John, dit Mirtillino.		• **Marion Rosselli** à Fresnay, croquis. 12 mai (carnet 26).

160

BERTHE NOUFFLARD.
Madame Alexandre Parodi.
1949.

33 × 41

54 × 38

BERTHE NOUFFLARD.
Paulette Parodi.
1930.

55 × 46

ANDRÉ NOUFFLARD.
Berthe au travail.
1936.

161

2-30 juin. Les Noufflard vont à LONDRES pour préparer leur exposition. Mme Langweil et Geneviève les y rejoignent. **15-28 juin : Exposition André et Berthe Noufflard** à la galerie Wertheim de Londres. Vente de tableaux d'André, et commandes à Berthe, qui y restera pour peindre deux portraits. Ils y retrouvent Alexandre Benois qui y expose au même moment. **12 juin :** on apprend que Carlo Rosselli a été assassiné à Bagnoles-de-l'Orne avec son frère Nello. Geneviève retourne à Paris rejoindre Henriette qui a pris les trois enfants rue de Varenne.

Cette année, les Noufflard ne vont pas en Alsace. Le temps passé à FRESNAY est réduit à un mois et demi. On est inquiet de la santé d'Elie Halévy.

21 août. Mort d'Elie Halévy. Les Noufflard se rendent à SUCY-EN-BRIE.

4-27 septembre. Cure d'André à AIX-LES-BAINS. Les Noufflard y retrouvent la nièce d'Alexandre Benois, le peintre Zénaïde Serebriakowa et sa fille Catherine. Ils font ensemble des promenades dans les environs.

Anne-Marie Bauer est gravement brûlée par la foudre en montagne.

20 novembre - 7 décembre. Berthe à OXFORD pour peindre le tableau commandé par Herbert Fisher, warden de New College : un groupe de famille.

A Paris, Mme Langweil reçoit sa nièce de Vienne, Lotte Hahn. Geneviève commence à étudier la flûte avec René Le Roy.

A.N.

- **Londres.** Vue de la fenêtre de May Wallas. (Coll. part., Londres).

- **Valmartin.** «Temps exquis, belle lumière, bonheur de travailler.» 18 juillet. (269).
- **Le poêle du salon** avec revues. 1er août. (Coll. part., Paris).
- **Valmartin,** intérieur de l'église, fini le 4 août. 4 s. (266).
- **Valmartin,** la statue de Saint-Georges. Commencé le 9 août. (267).
- **Les Authieux.** L'église et le cimetière. (95).

- **Lésigny.** 13-25 novembre. 3 s. (383).
- **Brouillard,** pochade. 15 novembre.
- **Servon,** l'église. 15-29 novembre. 4 s. (404).
- **Servon,** côté abside. 25-29 novembre. 3 s. (405). Le 28 : «Je peins avec plaisir une lumière ravissante, et sans avoir trop froid.»

B.N.

Commandes à Londres :
- **Sir Edgar et Lady Charlotte Bonham-Carter** dans leur bibliothèque. 22-29 juin. (Coll. part., Londres).
- **Miss Douglas.** 22-26 juin. (Coll. part.).

- **Henriette** dans le salon de Fresnay avec un chat. Juillet. (153).
- **Geneviève** à Fresnay, tricotant. (181). Ce tableau, exposé à New York en 1939, y est resté pendant toute la guerre.

- **Nicola Madan** au piano. 4 novembre. (Coll. part., Angleterre).

- **Portrait de la famille Fisher** à New College à Oxford. (Coll. part., Angleterre).

1938

La tension internationale s'accroît encore, ainsi que les conflits sociaux. On lutte contre les *cagoulards ;* les assassins des Rosselli en étaient.

28 janvier - 10 février. Séjour à la montagne avec Geneviève, à SEDRUN, dans les Grisons.

11 mars. Annexion de l'Autriche par Hitler. *(Anschluss).*

A.N.

- **Sedrun,** au-dessus de l'hôtel. 31 janvier. (521).
- **Le Piz Muraun** vu du balcon. 1er-8 février. (Coll. part.). Perdu pendant la guerre.
- **Dans le village.** 1er février. (523).
- **L'église.** 3 février. (522).

B.N.

- **Paulette Parodi.** «Souvenir d'une robe». 5-17 janvier. (Coll. part., Paris).
- **Sedrun.** Granges sous la neige. (385).
- **Ursulina Decurtins,** l'hôtelière. (326).

- **Laurence Parodi.** Mars. (Coll. part., Paris).

ANDRÉ NOUFFLARD.
Sisteron.
L'abside de la Madeleine.
1936.

33 × 41

ANDRÉ NOUFFLARD.
Montereggi.
1936.

65 × 81

163

1938

9-23 avril. Séjour à SISTERON. Les Noufflard y reçoivent la visite de Florence Halévy, et des Docteurs Jean et Amy Bernard.

Mai. Exposition André Noufflard à la galerie Brame.

Séances de peinture en Ile-de-France avec Alexandre Benois.

10-16 juillet. Séjour bref en ALSACE.

On reste à FRESNAY moins longtemps, à cause du bac. Mais on y reçoit de nombreuses visites; des Anglais, dont les Herbert Fisher et Mary; Aubrey Jones, alors journaliste, qui deviendra M.P. puis ministre. En septembre, l'angoisse monte avec les événements de Tchécoslovaquie. On croit la guerre imminente. Mme Langweil met une partie de ses collections à l'abri à la Banque de France.

30 septembre. Munich. Visite du Professeur et Madame Jacques Haguenau. Leur fille Françoise est en séjour à Fresnay.

4 novembre. Exposition Berthe Noufflard à la galerie Brame.

14 novembre. Parution aux Editions Corrêa des *Etudes et réflexions sur l'art* de Vernon Lee, textes choisis, traduits et présentés par Berthe Noufflard.

André confectionne au tricot une superbe couverture à grecques pour sa belle-mère.

21 novembre - 8 décembre. Il emmène Geneviève en ITALIE : Gênes pour voir Mary Conz, Florence, Assise, Pérouse, Arezzo, Faenza pour voir Jeanne et sa famille, Milan pour les Oxilia.

A.N.

- **Montagne et citadelle** par très beau temps (« je reprends le motif d'il y a deux ans »). 11-14 avril. (Coll. part., Versailles).
- **Autre motif** d'il y a deux ans. 11 avril. (345).
- **La vallée du Buech.** 12-17 avril. 3 s. (348).
- **Nibles;** vallée du Sasse, moins beau temps. 13 avril.
- **Abside de la Madeleine.** 22 avril. 3 s. (346).

- **Ormesson** (avec Alexandre Benois). 7 mai - 22 octobre. (399).
- **Ormesson,** près du vallon. 7 mai. (398).
- **Grosbois,** avec Alexandre Benois. 22 juin - 24 octobre. (381).

- **Valmartin,** intérieur de l'église. 22-29 juillet. 4 s. (266).
- **Valmartin.** L'église et le cimetière. (264).
- **Le palier de la chambre** d'A.N. vu de la chambre d'amis. 14 août - 2 septembre. 5 s 1/2. (17).
- **Le grand sapin.** 18 août-3 septembre. 5 s. (43).
- **Vallée de Clères.** Les trois arbres. 7-23 septembre. 3 s. (141).
- **Colline boisée,** maison et grange. (Coll. part., U.S.A.).
- **Le Tôt,** « en plein Munich ». Fini le 18 septembre. 4 s.
- **Neige d'octobre,** pochade. (48).
- **La Gravine.** Deux arbres dans un champ. Octobre. (390).

B.N.

- **Olivier Parodi.** Mai.
- **Mme Alfred Fuchs.**
- **Doletta Oxilia.** Juin. (285).
- **Mme Brame.** 27 juin. (Coll. part., Paris).

- **John Rosselli** avec un chat. Septembre. (Coll. part., Angleterre).

- **Geneviève.** 26 octobre. (182).

- **Nancy Goldet.** Noël. (Coll. part.).

- **Mme Octave Homberg.** 27 décembre. 4 s. (Coll. part.).

beau, parce que c'est l'automne, et que Berthe est là pour admirer avec moi ! » L'Italie est bien changée depuis dix-huit ans ! Ils assistent à un défilé de «chemises-noires», mais ils revisitent la ville avec délices. Ils peignent tous les deux, ils revoient cousins et vieux amis...

On suit les nouvelles, toujours plus inquiétantes. Sur le plan international, l'année 1937 n'apporte qu'aggravations : la montée du nazisme, l'agressivité de Mussolini, la guerre d'Espagne, les combats en Extrême-Orient. Carlo Rosselli, qui est revenu du front espagnol souffrant d'une phlébite, voit souvent les Noufflard. Il passe quelques jours à Fresnay pour la Pentecôte avec sa femme et son fils aîné. Trois semaines plus tard, il sera assassiné par les agents de Ciano à Bagnoles-de-l'Orne avec son frère Nello, venu secrètement de Florence pour le voir.

Ce même été, la mort d'Elie Halévy vient frapper durement la famille, qui se regroupe à Sucy autour de Florence. Puis c'est, en 1938, l'annexion de l'Autriche par les Nazis, les récits atroces des persécutions antisémites en Allemagne, des suicides en masse... On s'inquiète de la parenté autrichienne de Berthe. Les Noufflard entrent en contact avec un groupe de Quakers qui s'occupent des réfugiés arrivant en France. Madame Langweil va aider Marie Black, petite-nièce de son ex-mari, à émigrer aux Etats-Unis avec sa mère et son frère.

On tremble pour la Tchécoslovaquie. André note : «Les Allemands ont vraiment l'air de **vouloir** la guerre.» Aubrey Jones passe par Fresnay en revenant de Berchtesgaden. Au moment des accords de Munich, Françoise Haguenau, l'amie de Geneviève, est à Fresnay ; ses parents viennent l'y rejoindre. C'est ainsi, dans la communion de pensée de ces jours d'angoisse, qu'est née l'amitié qui liera toujours les Noufflard au Professeur et à Madame Jacques Haguenau. Devant l'abandon de la Tchécoslovaquie, dans le carnet d'André Noufflard :

«Tristesse, nausée, horreur... Notre opposition et celle d'Angleterre éclatent d'indignation. La presse américaine nous crache son mépris au visage... Pologne et Hongrie demandent leur part des dépouilles de la Tchécoslovaquie et Hitler les appuie. On manifeste contre nous dans les rues de Prague. Quelle leçon de choses pour un pacifiste ! Je le suis toujours autant, mais que c'est **laid** !»

Dans l'accalmie qui a suivi, un rayon de soleil : un voyage à deux en Italie, de Geneviève et son père. Florence, Assise, Pérouse, Arezzo... Mais des manifestations anti-françaises, quoique impopulaires, rappellent la réalité. André est heureux, pourtant, de trouver, malgré la propagande fasciste et raciste, sa mère et ses amis en communion d'idées avec lui.

Avec l'été 1939, l'angoisse, toujours sous-jacente, revient à son comble lors de l'invasion de la Pologne par les troupes allemandes au début de septembre, suivie aussitôt par l'entrée en guerre de l'Angleterre et de la France.

Cet automne, les Noufflard ne rentrent pas à Paris. Ils restent à Fresnay pour tout l'hiver avec les grand-mères. On se croit plus à l'abri à la campagne, et l'on craint que Madame Noufflard mère, française par son mariage, ne soit inquiétée si l'Italie fasciste entre en guerre. Les mois passent lentement. La séparation est coupée par de fréquentes allées et venues entre Fresnay et Paris ; Henriette, externe des hôpitaux, et Geneviève, élève au Conservatoire, viennent souvent pour le week-end. On voit, chose fort rare, Fresnay sous un épais manteau de neige qui persiste.

1939

2-11 février. André et Berthe Noufflard passent quelques jours au Tour de MEGÈVE, pour y laisser Geneviève qui a été malade.

Anxiété toujours pour la situation internationale.

13 juin. Mort de Mme Blanche.

4 juillet. FRESNAY.

10 juillet. Les fêtes en ALSACE. Avant de rentrer à Fresnay, les Noufflard passent par GENÈVE pour visiter l'exposition du Prado de Madrid.

1er septembre. Hitler envahit la Pologne.

3 septembre. La guerre. Siège de Varsovie.

27 septembre. Chute de Varsovie.

Les Noufflard s'installent à FRESNAY pour l'hiver avec Mme Langweil et la mère d'André. Henriette et Geneviève rentrent à Paris. Allées et venues fréquentes de part et d'autre.

30 novembre. Attaque de la Finlande par l'U.R.S.S.

A.N.

• Les aiguilles de Warens. (514).
• Rochebrune. (518).

• Le grand hêtre condamné — repris en 1946. (707).
• Fenêtre de ma chambre. (14).

• « Autoritratto, pendant qu'on attendait la guerre. » (608).

• Le jardin plein de fleurs et le bout de la maison. (Coll. part., Angleterre).
• Loeuilly. Automne 1939. (184).
• Le jardin pendant la guerre. Novembre. (44).

B.N.

• Henriette de trois-quarts. 11 janvier.

• Rochebrune. (382).

• Mme John Loudon. Février-mars. 7 s.

• M. Blanche dans sa salle à manger à Offranville. 4 août. Dernier tableau avant la guerre. (Mairie d'Offranville).

1940

L'hiver est particulièrement froid. Fin janvier : pluie et gel exceptionnels. Fresnay est coupé de tout.

9 avril. Le Danemark est envahi. Débarquement en Norvège.

26 avril. Les Noufflard exposent au Salon National Indépendant (Palais de Chaillot).

10 mai. Invasion de la Hollande, de la Belgique et du Luxembourg. La France est bombardée.

21 mai. Les Allemands sont à Amiens. Dès que la radio l'annonce, les Noufflard partent immédiatement, pour rejoindre les grand-mères déjà repliées. A ROCHECORBON, sur la Loire, la famille se regroupe chez les Comte, autour de Florence Halévy et de sa mère. Henriette vient retrouver ses parents et partage les trois jours qu'elle y passe entre Rochecorbon et Nazelles, où Amy Bernard a amené ses enfants. Geneviève arrive à son tour, rappelée par ses parents, alors qu'Henriette repart pour assurer son service à l'hôpital. C'est alors le départ vers le sud-ouest pour récupérer Mme Langweil à Bordeaux, tandis que Florence Halévy et sa mère vont s'installer à Peyrat-le-Château, dans le Limousin, où les appelle l'amitié

• La « cour à Thérèse ». Mai.
• La maison carrée, route de Fresnay, inachevé. 9 mai. (90).

• Geneviève en robe du soir blanche et verte. 18-27 mars. 7 s. (Volé par les Allemands. Perdu aux U.S.A. Cf. 1962).

33 × 41

La « drôle de guerre »

L'hiver est rigoureux, le froid pénible. Les tuyaux gèlent. Tout le monde a la grippe. A la fin de janvier, une pluie lourde gèle à mesure qu'elle tombe : elle se fige en perles sur les branches des arbres. Durant plus d'une semaine, le verglas est tel qu'on est coupé du monde. Impossible de sortir en voiture. On est privé d'électricité, donc de radio et des nouvelles. Les transistors n'ont pas encore été inventés. Le facteur ne passe pas. On entend tomber, sous le poids de la glace qui l'enrobe, grosse branche après grosse branche : on vit dans un fracas continuel. Les dégâts sont considérables. Personne, dit-on, n'a jamais vu cela.

André a installé devant les fenêtres des branches d'arbres d'où pendent des fils avec des cerneaux de noix : « arbres de Noël pour les mésanges »... et spectacle ravissant pour les humains.

Un atelier de tricotage s'est constitué, pour envoyer des lainages aux soldats. 25, 30 personnes se réunissent à la maison, ou à la mairie ; même André, qui a appris à tricoter en 1930, y participe. On suit les événements, les nouvelles souvent contradictoires ; on écoute les radios étrangères, on essaye de capter les informations américaines de Schenectady ; on va donner ses skis à la collecte organisée pour aider les Finlandais à résister aux Russes. Après des succès, ils sont contraints de capituler en mars. La Norvège, attaquée par l'Allemagne, résiste. Mais tout en France est encore paisible, malgré

1940

de M. et Mme Louis Authier. Installation à PESSAC où l'on passe la première quinzaine de juin ; mais la région de Bordeaux étant maintenant interdite aux réfugiés, il faut repartir.

14 juin : HOSSEGOR. 23 juin : DAX.

24 juin - 9 août. La famille se stabilise quelque temps grâce aux Parodi à ALBI (Feuillade) puis va retrouver Mme Noufflard mère et Florence à PEYRAT-LE-CHATEAU. Henriette, malade, a dû quitter Paris et vient d'y arriver aussi. C'est là que les Noufflard passeront tout cet été de la défaite, de la bataille d'Angleterre.

27 septembre. Devant l'angoisse de sa mère, Henriette renonce à rentrer à Paris pour reprendre ses études de médecine. Elle va passer ses examens à Toulouse, et s'inscrit comme stagiaire dans le service du Professeur Riser. Geneviève pourra se rendre dans le Jura, en zone libre, où demeure Marcel Moyse, son professeur du Conservatoire.

Les Noufflard s'installent avec Mme Langweil à TOULOUSE, 11, rue Darquié.

A.N.

- **Feuillade, Albi, paysages :** 11 dessins réunis dans le recueil « Souvenir de notre vie de réfugiés » (recueil 17, nᵒˢ 1 à 10).
- **La Gardie-s/Albi,** dessin. 29 juillet. (294).
- **Albi.** Paysage, dessin. Juillet. (295).
- **Peyrat-le-Château.** 40 dessins (recueil 17, nᵒˢ 11-50).

- **Paysage d'automne,** aquarelle. 11 novembre (recueil 17, nᵒ 51).

B.N.

- **Feuillade.** Fenêtre ouverte et vêtements pendus. dessin. Juillet (carnet 28).
- **Jacqueline Parodi,** dessin. 22 juillet (carnet 28).

- **Wally Karvéno,** dessin. (Coll. part., Paris).
- **Mme Raymond Aron,** dessin. Septembre. (221). Croquis, carnet 28.
- **Suzanne Aron et sa fille Dominique.** (Coll. part., Paris).
- **Henriette** tricotant. Septembre. (155).
- **Geneviève** de profil, dessin. (183).

ANDRÉ NOUFFLARD.
Peyrat-le-Château.
La maison du Marchedieu
(au grand toit). Dessin.
1940.

Le Marchedieu (Peyrat le Château) 13 Août 1940

15 × 25

quelques bombardements. Au printemps, Madame Langweil envoie des fleurs et des fruits de Cannes où elle est allée passer quelques semaines. Berthe Noufflard, pendant les vacances de Pâques, fait poser Geneviève pour un grand portrait en robe du soir. Elle et son mari exposent ce printemps au Salon National Indépendant.

Le 10 mai, l'orage éclate.

La Hollande, la Belgique, le Luxembourg sont envahis. Des terrains d'aviation en France sont bombardés. On a vu des parachutes descendre entre Saint-Victor et Tôtes. André Noufflard, qui a travaillé à la mairie tout au long de l'année, organise un service de guet, et prend ses tours de garde, les nuits claires.

L'Exode

Les réfugiés de Belgique et du Nord commencent à déferler. Le 20 mai, la maison héberge une grande famille belge : 15 personnes de 82 ans à 2 mois. Le lendemain, un discours de Paul Reynaud annonce à la radio la chute d'Amiens : « La Patrie est en danger »... André et Berthe décident immédiatement de partir, craignant de ne plus pouvoir franchir la Seine. En un quart d'heure ils ont pris la route, emportant, comme tout le monde, l'indispensable, préparé depuis quelques jours. Mais le flot de voitures est tel qu'ils mettent quatre heures à franchir les 65 km qui les séparent du Neubourg. Là, arrêtés par une double crevaison, ils sont contraints de passer la nuit sur la place, dans la voiture, au milieu du grand passage des réfugiés et des troupes. Des gens sèment la panique en répandant des bruits encore pires que la réalité : si on leur répond, ils s'éclipsent : « cinquième colonne »...

Une villa à Hossegor, dans les Landes : c'est là que retentit la voix chevrotante du Maréchal Pétain, qui annonce la demande d'armistice. Il parle de « paix dans l'honneur ». La France n'a-t-elle pas encore des forces outre-mer, et en mer ? Tout semble s'écrouler. Puis, très vite, la voix inconnue du Général de Gaulle, les nouvelles de Londres, où des Français se regroupent. L'espoir. Mais on apprend les conditions d'armistice : les Allemands occuperont toute la côte ouest. On reprend donc la route vers l'est. Il faut empêcher que Madame Langweil, patriote alsacienne connue des Allemands, et juive, ne tombe entre leurs mains.

C'est auprès des Parodi, réfugiés eux-mêmes aux environs d'Albi, que la famille va se stabiliser pour une partie de l'été. Feuillade est une belle demeure campagnarde que des amis leur ont prêtée. Là se partageront dans l'amitié les angoisses et les espérances de ces terribles semaines d'été.

Au mois d'août, nouvelle étape : le Limousin. Les Noufflard, avec Madame Langweil et Geneviève, vont rejoindre à Peyrat-le-Château Florence Halévy et sa mère. Toute la famille se trouve réunie. Ils trouvent à louer, dans ce bourg médiéval, une petite maison basse, qui n'est autre qu'un ancien bistrot. Parfois quelqu'un entre, s'installe à table et appelle pour demander un verre.

Dans ce beau pays de châtaigneraies, André et Berthe ne peignent guère, mais ils dessinent.

Ils voisinent avec les Authier, vieux amis de Florence, originaires de là. Le petit

ANDRÉ NOUFFLARD. *Toulouse. La maison de la rue Darquié, avec la silhouette de Madame Langweil. Dessin.* 35 × 25

hôtel local, où logent les deux grand-mères et Florence, abrite d'autres réfugiés. Parmi eux un homme de lettres, Paul de Stoecklin, et une musicienne, Wally Karvéno dont Berthe dessine le portrait. On écoute fébrilement les nouvelles de Londres, si cruellement bombardée. C'est la bataille d'Angleterre.

Un soir d'automne une hirondelle entre par la petite fenêtre de la chambre et ressort. C'est une éclaireuse. Peu après il en vient un groupe, puis d'autres et encore d'autres, qui se posent sur les poutres et toutes les saillies qu'elles peuvent trouver. Bientôt la chambre est remplie d'une masse bruissante, qui s'apaise et s'endort. André et Berthe, comprenant qu'ils sont venus habiter un relais, se couvrent bien, dorment assez mal, voient tout ce petit peuple repartir à l'aurore, et garderont toujours un souvenir attendri de leur nuit avec les hirondelles.

Toulouse.

A l'automne 1940, les Noufflard s'installent à Toulouse, où ils louent un appartement dans un vieux quartier. Ils retrouvent tout un groupe d'amis, autour de la famille Haguenau : le Professeur et Madame Jacques Haguenau, Françoise et Pierre, les Schwartz, Olivier Debré et sa grand-mère Madame Debré avec laquelle se liera Berthe. Il y a aussi à Toulouse Mme Raymond Aron, attendant de rejoindre son mari à Londres, et des amis médicaux d'Henriette : Elie Wollman, Colette Brisac, Pierre et Jacqueline Fortin. On fait la connaissance d'Annette Czesnowicka, une normande dont le mari polonais est officier à Londres (ce qui va permettre un contact providentiel avec Lily Langweil qui habite Londres) ; de Miss Morrow aussi, une Australienne qui écrit une thèse sur *le roman irréaliste*.

Henriette poursuit sa médecine. Le Professeur Riser l'a accueillie dans son laboratoire de médecine expérimentale aussi bien qu'à sa consultation et l'a chargée de quelques responsabilités. En lui, elle a trouvé un maître à qui elle devra beaucoup et qu'elle considérera toujours comme un des plus grands [10]. L'amitié dont il l'honorera durera jusqu'à sa mort et s'étendra à André et surtout à Berthe : le portrait peint par elle de sa fille Suzanne lui fera un immense plaisir. Geneviève, elle, continuera l'étude de la flûte, et fera de multiples séjours à Saint-Amour, dans le Jura, auprès de son maître, le grand Marcel Moyse.

Au long de cet hiver 40-41 où l'on vit fiévreusement les événements extérieurs et où circulent les nouvelles de Paris occupé et de la Résistance commençante, chacun cherche à s'occuper du mieux qu'il peut. Les Noufflard peignent tous deux les monuments roses et la belle lumière de Toulouse. Ils s'inscrivent à l'Académie Tolosa et passent la matinée des dimanches à l'atelier pour y faire des études de modèles nus. Parmi les jeunes qui y peignent aussi, Olivier Debré. Guidés par lui, on suit des cours, parmi les plus intéressants de l'Université, comme le cours d'assyriologie de M. Nougayrol. On va au cinéma, on assiste aux concerts, on organise des séances de musique de chambre, et surtout on partage ses craintes, ses souffrances et sa foi avec ses amis les plus proches.

(10) Neurologue de renommée internationale, véritable héros de la guerre de 14-18, il est un exemple quotidien de courage plysique et moral, en même temps qu'une source d'amusement perpétuel par le pittoresque de sa haute silhouette, par sa fantaisie et la verdeur du langage qu'il a rapporté du *Bat d'Af.* D'une extrême exigence envers lui-même et ses collaborateurs, il est adoré des malades.

1941

A Toulouse, un groupe d'amis se reforme. Les Noufflard fréquentent l'Académie Tolosa. Ils font des visites à Peyrat-le-Château où sont restées Mme Noufflard et Florence Halévy.

9 avril. Les Noufflard et Mme Langweil achètent une propriété en Dordogne, non loin de Bergerac : « le Cireygeol ».

Mai. Henriette regagne Paris.

5 juin. Les Noufflard et Mme Langweil s'installent au CIREYGEOL, dont les Jacquin assurent l'exploitation.

19-25 juin. Berthe Noufflard se rend à Evian auprès des Parodi, après la mort de Laurence.

En juillet, André va voir sa mère et sa sœur à Peyrat-le-Château.

L'été, la famille est à nouveau réunie au Cireygeol.

A l'automne, Geneviève regagne Paris à son tour pour reprendre ses études au Conservatoire.

A.N.

- **Toulouse et la Garonne.** (349).
- **La Grave dans la brume.** (350).
- **La Daurade et le Pont-Neuf.** (351).
- **Le barrage du Bazacle.** (352).
- **Toulouse** avec la coupole de la Grave, aquarelle. (353).
- **La Grave,** la Garonne, dessin. (354).
- **L'hôpital de la Grave.** (355).
- **Le pont,** dessin. (356).
- **Le Pont-Neuf et les arbres.** (357).
- **Dans le port de la Daurade.** (358).
- **Toits et cheminées,** dessin. (359).
- **Toulouse,** 9 dessins (recueil 17, nos 52 et 54-61).
- **Intérieur,** aquarelle. 12 février (recueil 17, no 53).
- **Sur la Garonne,** Sépia. 9 mars (recueil 17, no 63).

- **Lanquais,** l'église. (439).
- **Eglise** à clocher-pignon. (443).
- **L'arrivée au Cireygeol.** (416).
- **Le Cireygeol** vu de l'autre côté du vallon. (418).
- **La Gabarie,** dessin (recueil 17, no 64).

B.N.

- **Académie Tolosa,** aquarelle (carnet 26).
- **Académie Tolosa,** dessins de nus. Janvier à mars. (272. 274-279) (et carnet 26).
- **A l'atelier.** (222).
- **La Daurade.** 19-22 mars. (376). (Cf. croquis carnet 26).
- **Les quais roses** et la Garonne. 25 mars. (377).
- **Au bord de la Garonne** avec Françoise et Pierre Haguenau, Olivier Debré et Geneviève. Esquisse. (322). (Cf. carnet 24, 28 juin).
- **Bords de la Garonne,** id. Toile inachevée. (323).

- **Jean-Pierre Jacquin** sur un poney. (252).
- **Mme Martinet.** 4 septembre. 4 s. (270).
- **Geneviève** jouant de la flûte (tricot rose). 12 septembre. 3 s. (185).
- **Nature morte** à la tasse de lait. (403).

- **Noëlle Jacquin.** 5-7 novembre. 3 s. (Coll. part.).
- **Soirée-spectacle des Indochinois.** 29 novembre, croquis (carnet 29).

Ces mots d'Alexandre Parodi résument l'état d'esprit ambiant : « nous sommes tous, n'est-ce pas, au même point : à vivre d'attente, relevée d'un grand espoir et d'une immense indignation » [11].

Nous y ajouterons ces extraits des carnets de Berthe qui évoquent bien l'attitude des Noufflard à cette époque.

Toulouse. 11, rue Darquié. 27 novembre 1940.

Il est étrange d'avoir vécu ces deux guerres. A l'autre, des gens comme nous, libéraux, modérés, humains, pensaient : « La guerre est une chose atroce, un crime. Nous sommes obligés de la faire pour ne pas tomber sous le joug allemand. » Les soldats, sans haine, mais dans un malheur sans nom, sous une fatalité inéluctable, se battaient bien, disant qu'il le fallait — ne pouvant supporter les phrases héroïques des dames bien-pensantes. Plus d'une s'est fait « ramasser » par eux. Et **nous** trouvions qu'ils avaient raison. Les phrases patriotiques nous dégoûtaient. Nous n'oublions pas ce qu'était la guerre.

Aujourd'hui, c'est de notre côté qu'on les fait, les phrases patriotiques. Et c'est parce que nous ne voulons toujours pas subir le joug allemand — moins que jamais — et que le côté qui faisait les phrases flamberge au vent de l'autre guerre a lâché pied, abandonné toute résistance, s'est — nous a livrés à l'ennemi — est devenu « pacifiste », croyant que Hitler, c'était la protection contre la révolution, le bolchevisme... — une des causes de notre effondrement — tout de suite après l'incapacité des chefs militaires, cause amplement exploitée et développée par l'ennemi. Les chefs militaires eux-mêmes très entamés par la propagande allemande, contre la république, contre le gouvernement français, contre nos alliés — hélas contre tout ce qui pouvait faire notre force.

Folie.

Va-t-on se réveiller ? Comprendre ?

★

Je pense à de la musique, à de belles choses — et — des sous-marins sont coulés avec leurs équipages de jeunes hommes — et l'on bombarde — et tout le reste — les gens chassés de chez eux, en troupeaux, dépouillés de tout — Et la guerre insidieuse d'oppression s'étend — s'étend chez nous...

Dans cette lutte, tout mon cœur est d'un côté — mais que je voudrais pouvoir préserver la chère jeunesse, la garder — pour après... lui garder aussi tout ce qui fait la vie bonne et belle. — —

Et pourtant — il faut d'abord vaincre.

Chère, chère Tante Louise, vous sentiez juste comme moi — je me rappelle que vous disiez : « Je voudrais la victoire ; mais je voudrais les mettre tous à l'abri... »

— Et **tout** va se jouer bientôt — par cette lutte — cette sorte d'étrange jugement de Dieu...

1er février 1941, Toulouse [12].

▷ *page 177*

---

(11) Lettre à André Noufflard.

(12) Berthe Noufflard tenait à ce texte, qu'elle a recopié ailleurs, précédé de ces mots :
« Paris, 12 avril 1951.
Voici ce que j'écrivais à Toulouse, le 1er février 1941, et qui s'efface. »

37 × 32

BERTHE NOUFFLARD. *Madame Raymond Aron. Dessin.* 1940.

BERTHE NOUFFLARD.
Toulouse. La Daurade.
1941.

24 × 33

ANDRÉ NOUFFLARD.
Toulouse. Les canaux.
1941.

33 × 41

175

1942

Tout l'hiver au **CIREYGEOL,** où les filles viennent de Paris, au moment des vacances, en «passant la ligne en fraude».

18 avril. On apprend la mort de René Parodi, tué par les Allemands à Fresnes. Berthe part aussitôt pour Evian auprès de Mme Parodi. Elle y reste plus de quinze jours.

26 mai. Mme Noufflard mère rentre à Florence, accompagnée jusqu'à Monaco par André et sa sœur Florence.

30 septembre. Mort de Monsieur Blanche.

15-22 octobre. Visite de Berthe Noufflard à Henri Rivière, à Buis-les-Baronnies.

8 novembre. Les Américains ont débarqué en Afrique du Nord.

11 novembre. Les Allemands entrent dans la «zone non occupée».

14-28 novembre. André Noufflard va voir ses filles à Paris.

27 novembre. La flotte s'est sabordée à Toulon.

19 décembre. André retourne à Paris pour la période des fêtes.

A.N.

- **Mouleydier,** dans le bourg, dessin. 23 juin (recueil 17, n⁰ 65).
- **Mouleydier.** Juin. (445).
- **Mouleydier.** Le meunier devant son moulin. (446).
- **Mouleydier.** Sous le pont. (447).
- **La Gabarie** et les bois. (424).
- **La Gabarie** et la vallée. (425).

- **Bouquet d'arbres** à l'automne. (422).
- **« La valletta amena ».** (434).

B.N.

1er janvier. «Je peins le ciel étoilé, clair, légère brume sur la terre. »
- **Portrait de Nien.** 8 janvier. (251).
- **Florence Halévy.** 14-28 janvier. 5 s. (217).
- **Florence de profil.** 29 janvier - 25 février. 5 s. (218).
- **Mme Collot d'Escury** à Cussac, dessin. Février.
- **Florence.** 16-26 mars. 7 s.
- **Henriette.** 4 avril. (156).

- **Florence.** 10 mai. 3 s. (219).
- **Mme Langweil tricotant.** (204).
- **Geneviève.** 10-24 mai. 6 s. (184).
Esquisse d'une affiche pour l'école. 20 mai. (Cf. carnet 29).
- **Mme Collot d'Escury et son fils Helenus** à Cussac. Juin-septembre. 10 s. (Coll. part.). Cf. carnet 26.

- **Paulette Parodi,** croquis. 14 septembre (carnet 26).

- **André,** dessin. 5 novembre. 3 s 1/2.

- **Mme Collot d'Escury,** dessin rehaussé de sanguine. 10 novembre (carnet 26).

- **François Jacquin,** dessin. 18 décembre (carnet 30).

- **Armelle Jacquin,** dessin rehaussé de sanguine. 30 décembre - 2 janvier 1943 (carnet 30).

Le Cireygeol.

L'année suivante, les Noufflard décident de partir pour la campagne, et trouvent une propriété en Dordogne, le Cireygeol, près de Bergerac. Ils vont l'acquérir et s'y installer, la partageant avec les Paul Jacquin, cousins des Parodi, qui se chargeront de mettre les terres en valeur. Ce sera leur demeure jusqu'à la fin de 1943.

Le Cireygeol est une sorte de havre où règne une atmosphère étrange. L'aspect un peu solennel de la façade, sur sa colline, dominant la vaste campagne, la gaîté de la ferme, des enfants Jacquin, les poneys qui paissent sur le grand pré — font contraste avec la tension qu'on lit sur les visages. La propriété est peuplée d'Indochinois, dont on entend la voix chantante et les soques de bois martelant les chemins. Ce sont des réfugiés d'un camp voisin dont une équipe est employée dans l'exploitation. Beaucoup d'amis viennent au Cireygeol — certains en voisins, comme Michel Bauer qui travaille à Bergerac ; d'autres viennent y demander asile en des moments difficiles. Paulette Parodi y séjourne avec son neveu Claude ; les amis de Toulouse, la mère et la sœur d'André, plus tard le pianiste Lazare-Lévy et sa femme.

Non loin, sur une autre colline, la propriété de Cussac est habitée par une famille hollandaise, les Collot d'Escury. Ce sera un voisinage agréable, et l'occasion d'un portrait de Mme Collot d'Escury avec son plus jeune fils, Hélénus.

▷ *page 181*

BERTHE NOUFFLARD.
Armelle Jacquin.
Dessin rehaussé de sanguine.
1943.

22 × 17

177

Nel Collot d'Escury

19 Janvier 1943.

Cussac

BERTHE NOUFFLARD. *Madame Collot d'Escury*. Dessin. 1943.

22 × 17

178

33 × 46

ANDRÉ NOUFFLARD.
Le Cireygeol.
1941.

ANDRÉ NOUFFLARD.
Le Cireygeol. La Gabarie, métairie.
1943.

33 × 41

179

BERTHE NOUFFLARD.
Florence Halévy au Cireygeol.
1942.

55 × 38

Dès l'été 1941, Henriette rentre à Paris pour préparer l'internat. Geneviève l'y rejoint et retrouve sa classe au Conservatoire. Elles habitent rue de Varenne avec une aide, Simone Ponge, belle fille méridionale, pittoresque et enjouée, qui veille tant bien que mal au ravitaillement difficile. On communique par « cartes interzones », imprimées d'avance, et l'on s'ingénie à trouver des astuces pour dire ce qu'on a à dire « entre les lignes ». Lorsque Henriette ou Geneviève pourront aller passer des vacances au Cireygeol, ce sera souvent au prix de voyages mouvementés — il leur faudra passer la ligne de démarcation en fraude, entre les patrouilles allemandes —. On n'a pas de voitures mais on a des bicyclettes. La gare est loin, et il arrive que Geneviève aille prendre son train sur le porte-bagages de son père. Pour les hôtes, on attelle parfois un des poneys des Jacquin à une petite voiture.

Le Cireygeol est un havre. On y lit, on y peint beaucoup. La vie à la campagne facilite bien des problèmes matériels. Les Noufflard cherchent à en faire profiter leurs connaissances, et envoient régulièrement des colis alimentaires non seulement à leurs filles, mais à un grand nombre d'amis moins favorisés. Mme Noufflard donne des leçons de dessin aux jeunes Jacquin et à quelques enfants du pays. Elle fait travailler l'anglais aux fils Collot d'Escury. Elle et André ont fait amitié avec le maire du pays et sa femme, cultivateurs ouverts et sympathiques, M. et Mme Martinet, et avec l'instituteur M. Guérin. Un soir de pleine lune, André ouvre la porte à M. Martinet, accompagné d'autres hommes du pays. Ils viennent discrètement le chercher pour aider à la réception d'un parachutage : émotion de l'attente dans un champ silencieux, puis le bruit des moteurs, l'opération réussie. Ensuite il faut replier et faire disparaître les parachutes (le beau tissu qu'on aimerait tant conserver !), cacher les containers... En prime, de précieuses cigarettes anglaises, dont le parfum vient d'un autre monde...

Un jour, les Noufflard voient arriver au Cireygeol Anne-Marie Bauer. Ils n'ignorent pas qu'elle travaille dans la Résistance. Ils lui ont offert leur aide au cas où elle aurait quelqu'un à cacher. Elle leur rappelle leur promesse, et, l'accord confirmé, elle lance un signal qui fait émerger des buissons deux garçons épuisés. L'un d'eux, d'une pâleur impressionnante, était un agent de la France Libre, l'autre était son geôlier. Parachuté sur la France, « Gérard » avait été arrêté par la Gestapo et remis aux autorités de Vichy qui l'avaient emprisonné à Castres. Après l'occupation par les Allemands de la France entière, son réseau, craignant qu'il ne soit découvert et fusillé, avait chargé Anne-Marie Bauer de tenter de le faire évader. C'est elle qui avait assumé tout le travail de préparation, avec l'aide de son gardien, un jeune lorrain, qui avait de la sympathie pour la Résistance et qu'Anne-Marie avait persuadé de s'évader lui aussi. Après avoir ouvert la porte de la cellule, il l'avait rejointe au dehors ; un groupe de jeunes éclaireurs avaient effectué un lancer de corde pour permettre à « Gérard » d'escalader un grand mur — en aurait-il la force, ce prisonnier mal nourri, si affaibli ? — Le geôlier, grimpé sur le mur à son tour, avait dû le hisser — pour redescendre sur ce terrain enclos, dont il avait fallu encore sauter le mur... Anne-Marie commandait les opérations. Elle réussit à éviter les patrouilles allemandes, en emmenant les deux hommes, pendant la ronde, dans un petit bistrot juste en face. De là, ils avaient entendu l'alerte dans la prison, les recherches, mais personne n'avait pensé à les chercher si près !

Anne-Marie, ayant mis ses deux évadés à l'abri au Cireygeol, épuisée par l'effort, aurait dû prendre quelque repos. Mais ses chefs, encouragés par ce succès, lui refusèrent ces vacances pour la charger d'organiser l'évasion de Jean Moulin : c'est alors qu'elle se fit

45 × 38

BERTHE NOUFFLARD. *Laurence Parodi.* 1938.

182

prendre, emprisonner, puis déporter en Allemagne. Par prudence, c'est une de ses amies, Marguerite Lozier, qui vint rechercher au Cireygeol les deux hommes une fois reposés et restaurés. Ils avaient encore à affronter bien des risques avant de gagner l'Angleterre. Chaque soir, en écoutant la B.B.C. les Noufflard attendaient le message convenu qui ne venait pas. Enfin un soir : « le propriétaire et le locataire de la petite maison sont bien arrivés » — ouf ! on respire... mais on n'ose se regarder car toute la maisonnée est réunie autour de la radio — ... et encore : « ... et remercient tous ceux qui les ont aidés. » Quelle joie éclate lorsque les Noufflard se retrouvent entre eux ! Et Henriette est là pour la partager !

✶

Cependant des notes brèves dans l'agenda de Berthe montrent à quel point, pour elle, la nature reste présente avec sa beauté, sa poésie.

Le brouillard se dissipe... Dans le vallon des Gravelettes avec André, soleil voilé, givre : féerie. Tout est transformé : douceur, blancheur, immobilité. Or mat des chênes, fuseaux blancs des peupliers. Feuilles, brins d'herbe ourlés de givre. Toiles d'araignées : girandoles. Cela ne dure pas. (Janvier 42.)

Un autre jour :

Temps clair, limpide, osiers dorés, eau **blanche** gelée partout. Un petit oiseau vert marche sur une mare.

✶

C'est une période bien douloureuse.

Les Parodi perdent leur petite Laurence, enfant exceptionnelle, délicieuse, tant aimée de tous. Quelques mois après, en avril 1942, survient la mort tragique à Fresnes de son oncle René Parodi, magistrat, grand résistant. Sur fond d'angoisse, les deuils se succèdent. Par une visite de Doletta et Manfredi Oxilia venus tout exprès d'Italie — la poste ne marche pas — on apprend la mort de Madame Noufflard mère — Nonna — à Florence [13]. Souffrant de se sentir si longtemps éloignée de son pays natal, elle y était retournée en novembre 1941, et on ne devait pas la revoir. Quelques semaines après, Mme Rivière meurt à Buis-les-Baronnies. André part aussitôt, et ramène Rivière au Cireygeol où il passe tout l'été 1943 près de ses amis de toujours.

✶

Un matin, Berthe note un rêve :

J'ai rêvé cette nuit que je regardais d'un peu haut une chose vraie mais qui était comme un dessin, faite de traits purs d'un gris exquis sur du blanc : un enfant aux joues rondes, aux yeux clairs, l'air grave et enfantin, dans un vêtement à grands plis, sous un grand chapeau à plumes, assis dans l'herbe sous un arbre, un paon à ses pieds. Je disais : C'est Pisanello. Et j'étais ravie ! Cela ne bougeait pas, mais aurait pu bouger... !

✶

(13) Mars 1943.

1943

4 janvier. Retour d'André Noufflard au Cireygeol. Visite des Lazare-Lévy.

1er mars. Suppression de la ligne de démarcation.

12 mars. Mort de Mme Georges Noufflard, la mère d'André, à Florence.

Avril. Nouvelle visite des Lazare-Lévy.

24 mai. Mort de Mme Rivière à Buis-les-Baronnies. André va chercher Rivière, qui passe l'été au Cireygeol (fin mai - 22 septembre).

10 juillet. Invasion de la Sicile par les forces alliées. 26 juillet. Mussolini démissionne.

8 septembre. L'Italie se rend.

Contrôles et mesures antisémites à Bergerac.

Vers le **20 décembre**, Geneviève va au Cireygeol avec Etienne Bauer pour persuader ses parents de quitter la région avec Mme Langweil. Voyage de nuit vers **PARIS**. On se retrouve chez Mme Benoist et sa fille, dont l'hospitalité chaleureuse et discrète permet aux Noufflard de passer Noël en famille, avec Mme Langweil, qui a maintenant une fausse carte d'identité au nom de Mme Langlois.

28 décembre. On se rend à **SAINT-MAURICE-LES-CHARENCEY** (Orne), où les Aubert ont mis leur maison à la disposition des Noufflard et de « Mme Langlois ».

A.N.

• **Le Cireygeol** vu du Terme Blanc de Cussac. (417).

• **La Gabarie** au printemps, pochade. (429).

• **La Gabarie** vue d'en dessous. Juin. (426).

• **Les Justices.** Juin. (430).

• **« Le coutillou à Mémé ».** Les Justices, intérieur. (431).

• **Les trois arbres** et les bois. Juillet. (433).

• **Cour de la Gabarie.** Juillet. (428).

• **Vallon et bois** à contrejour. Septembre. (436).

B.N.

• **Mme Collot d'Escury**, dessin. 19 janvier (carnet 30).

• **Claude Parodi.** 26-30 janvier. (Coll. part. Paris).

• **Henriette.** 1er-11 mars. 9 s. (158).

• **Lazare-Lévy.** 14-15 avril. 2 s.

• **Bernadette Jacquin** de profil. 17-21 avril. 4 s. courtes. (Coll. part. Paris).

• **André** devant le meuble de laque. 20 avril - 13 mai. 10 s. (128).

• **Sylvie Bordes** (aux Justices). 17-19 mai. 3 s.

• **Yvette Bordes**, avec un pot de fleurs. 24 mai.

• **Mme Langweil** à 82 ans. 14 juin - 19 juillet. 11 s. (205).

• **Mme Langweil** lisant, dessin. 22 juin (carnet 29).

• **Henriette** à la résille. 21 juillet - 6 août. 10 s. (157).

• **Rivière**, croquis. 17 août (carnet 29).

• **Pochade du ciel** le matin. 24 août. (389).

• **Geneviève** jouant de la flûte. 28 août. (186).

• **Geneviève** copiant de la musique. 2 septembre. (187).

• **Claire Morissen.** 14 octobre. 6 s. (Coll. part.).

• **Annie Morissen**, en une séance. 4 novembre. (Coll. part.).

• **Bernadette Jacquin**, dessin. 6 décembre.

• **André et Geneviève.** Deux séances d'une heure : inachevé. 16-17 décembre. (129).

Madame E. Noufflard.

Repli.

    Les Allemands sont partout. Désormais la retraite n'est plus sûre, surtout pour la patriote alsacienne, qui se disait volontiers «sur la liste noire». Des mesures antisémites amènent des contrôles d'identité des personnes juives à Bergerac.

    Il faut emmener Mme Langweil ailleurs, avec de faux papiers d'identité. Le départ se décide rapidement, et l'on opte pour Paris, la grande ville facilitant l'incognito, en attendant de trouver un refuge plus stable.

    Toute la nuit, dans le train, «Mme Langlois», les mâchoires serrées, se tient assise, toute droite, appuyée sur sa canne...

    Le refuge, c'est à May Aubert qu'on le devra. Ancien professeur de Geneviève au collège Sévigné, elle est devenue la grande amie de la famille qu'elle restera toujours. Elle et sa mère mettent généreusement à la disposition des Noufflard leur maison de famille à Saint-Maurice-lès-Charencey, près de Verneuil-sur-Avre. C'est là, au bord de la grande route qui mène de Caen à Paris, qu'ils vivront ces derniers mois d'occupation, qu'ils verront finalement fuir les troupes allemandes, et arriver les alliés libérateurs.

    Ils s'installent donc peu après Noël à Saint-Maurice avec «Mme Langlois» et la fidèle Simonne Ponge. Ils apprennent à connaître les gens du bourg, notamment leur voisine, la vieille et pittoresque Mme Meunier, dans sa jolie petite maison bien tenue; le garagiste Pirou chez qui on ira régulièrement écouter la radio anglaise, Rémy, le petit infirme allongé à qui Berthe ira chaque jour donner des leçons : histoire, géographie, calcul, dessin... Il y a aussi les châtelains, et l'on sympathise avec Mme de Bergevin et Mme Merleau-Ponty. Les amis Haguenau ne sont pas loin : on se voit souvent. Parfois Henriette ou Geneviève peuvent venir, faisant une partie du voyage à bicyclette. Très vite, Berthe profite de la proximité pour retourner à Paris et revoir ses amis : les Alexandre Parodi, Léonard Rist, et aussi Mgr Chevrot. Un soir Geneviève l'amène à une petite réunion musicale chez Jacques Monod (qui est alors son «patron» dans la Résistance, mais Berthe l'ignore encore), avec sa cousine Suzanne Robineau; flûte, violoncelle, piano : Berthe a noté dans son carnet chacune des œuvres qu'on lui avait jouées, tant le souvenir de la musique lui semblait éclairer ces jours sombres.

    La vie est sévère à Saint-Maurice et il n'y a guère de place pour la peinture. Parfois Madame Langweil a des crises de désespoir : «Je ne veux pas mourir ici!» — Pourtant les événements décisifs approchent : beaucoup de passages d'avions, de bombardements

février 1944

Rémi Dufour — St-Maurice-lès-Charencey

22 × 17

BERTHE NOUFFLARD. *Saint-Maurice-lès-Charencey : Rémi Dufour.* 1944.

au loin. En avril des soldats allemands viennent chercher des logements. Ils ont exigé que les Noufflard leur abandonnent leur chambre, et il faut cohabiter avec eux dans la petite maison.

Berthe, prise entre l'angoisse et les tâches matérielles, note pourtant un jour :

> Mme H. (la boulangère) a une charmante figure, avec de la beauté. Hier matin, quand elle est arrivée, avec un petit fichu brun sur la tête, noué sous le menton, ses yeux si clairs, son grand cou, enveloppée dans un gros châle épais à beaux plis, d'un beau gris, elle m'a frappée, et m'a fait penser brusquement qu'on peut peindre...

La fin du cauchemar.

Le 6 juin enfin éclate la nouvelle du débarquement — si attendu, si peu éloigné ! A Saint-Maurice même, des convois sont mitraillés sur la route. Des Allemands blessés et deux morts sont évacués, mais... on a oublié un pied. Personne ne voulant s'en charger, c'est Simonne qui ira l'enterrer. Les Noufflard nourrissent et hébergent des réfugiés qui passent. Les Allemands fuient, arrêtent les gens, prennent leurs valises et leurs bicyclettes.

> Hier matin une jeune femme poussait une voiture d'enfants sur la chaussée devant notre porte. Deux bébés, deux à trois ans. Une très vieille femme l'accompagnait. Je m'approche... et rencontre un gentil visage, un regard qui me retient. Je n'ose pas beaucoup généralement poser de questions à ces malheureux réfugiés qui ont l'air si triste — mais là, c'est venu tout seul — et elle a raconté. Sortie d'une horreur indicible, d'une terreur sans nom — ne sachant pas comment elle en est sortie, ni comment elle a pu voir des choses pareilles... Dans un fracas épouvantable, les avions qui couvraient tout, les bombes qui tombaient, les maisons qui s'écroulaient, des têtes de femmes, des bras — arrachés — dans les arbres... « Nous serrions chacun un petit contre nous dans nos bras... Ils avaient dit la veille : Quittez Caen car nous allons pulvériser la ville, mais nous ne l'avons pas su. L'école X est écroulée, les sœurs Y, si dévouées, écrasées. Il ne faut pas rester dans les maisons, voyez-vous, quand ils viendront ici... Et, dit la jeune femme, il faut ça, il faut que ça finisse ! » (5 juillet).

Les Allemands refluent vers l'Est. On voit des choses lamentables. Le bonheur de les voir partir est tempéré par la pitié pour ces hommes harrassés, pitoyables, arrachés souvent de leur pays lointain — des Baltes, des hommes au type russe — épaves dépaysées. Ils évitent la route : « Avions méchants »...

> On sent une vraie détresse devant ce petit raccourci de tant, tant de malheurs, d'horreurs et d'iniquités...

Dans ce noir, une lumière : la libération de Florence ! Il passe des tanks et des ambulances vers l'Ouest — puis vers l'Est.

> Je repense à ta lettre, ma petite Henriette chérie, les « extrêmes » qui vous sortent du routinier, du quotidien ! Hélas, hélas... moi, aujourd'hui, ce qui m'a semblé d'une poésie raffraîchissante, et qui m'a — un tout petit peu — sortie de l'horreur, ça a été de faire des confitures de cerises, de cassis, de groseilles... !

> J'ai vu passer cinq camions de soldats prisonniers — des Algériens ou des Marocains, beaucoup avec des chéchias rouges — serrés sur des camions ouverts, l'air gelé, enveloppés dans des couvertures, gardés par deux soldats allemands sur chaque voiture, et dont certains avaient la baïonnette découverte — l'éclair de ces baïonnettes dressées — les visages

1944

Installés à **SAINT-MAURICE**, avec Simonne Ponge qui les aide, les Noufflard font quelques voyages à Paris.

22 février - 4 mars. André Noufflard et Henriette, au prix d'un voyage difficile, passent quelques jours dans la maison de Fresnay occupée par les Allemands.

En avril, les S.S. réquisitionnent des chambres et viennent loger dans la maison. Après quelques semaines difficiles, Mme Langweil se décide à aller s'installer dans la ville voisine de Verneuil, où elle a pu trouver un logement.

6 juin. Débarquement allié en Normandie. Avance des Alliés, combats, bombardements parfois tout proches. Les Noufflard habitent tout au bord de la route qui mène de Caen à Paris.

11 août. On dit que les Américains sont à Chartres.

15 août. Saint-Maurice est libéré par des Américains qui arrivent sur les talons des Allemands. Liesse. On essaie de les aider.

30 août. Le contact avec les filles est rétabli.

1er-2 septembre. Arrivée de Geneviève, puis d'Henriette. Le 4 septembre, Berthe Noufflard les raccompagne à Paris, à bord d'un camion militaire américain.

26 septembre. Les Noufflard et Mme Langweil se réinstallent à **PARIS**.

5 octobre. Départ de Geneviève sur le front de Lorraine et d'Alsace.

11 novembre. On va voir De Gaulle et Churchill passer les troupes en revue sur les Champs-Elysées !

26 novembre. André et Berthe Noufflard se rendent dans le Midi pour voir Rivière à **BUIS-LES-BARONNIES**.

A.N.

B.N.

- **Rémi Dufour,** le jeune infirme que Berthe fait travailler, dessin. 8 janvier (carnet 30).

- **Rémi Dufour,** portrait. 2 mars.

- **Simonne Ponge,** dessin. 15-16 juin (carnet 30).

- **Mme Meunier,** la vieille voisine, dessin. 14 septembre (carnet 30).

22 novembre. « Je vernis mon vieux Fragonard. » (Copie de 1906 : 75) ; « Je repeins le portrait d'Henriette à 18 ans. » (150).

- **Jacqueline Parodi.** Portrait commencé le 6 décembre, fini le 17 janvier 1945. 10 s. (309).

atrocement tristes de ces malheureux. Oui des malheureux. Les plus malheureux de tous... Ils venaient de Nancy. On les menait à Caen (sans doute pour des tâches très exposées). Je revois constamment ces pauvres visages, leur pâleur, leurs yeux tristes, leur air abattu. Si on avait pu seulement leur chauffer un peu de lait !... Rien pour eux. On pense à leur bel Orient, où les leurs et eux-mêmes ont vécu dans leurs lainages blancs — avec un air noble, nonchalant — Quel résultat atroce de... notre civilisation. Horreur. Misère. Pire, pire que tout. Quel malheur sans fond.

3 août. Mme X. en larmes. Un Allemand ivre a tué cette nuit d'un coup de fusil son petit neveu — dix ans — et blessé sa sœur à la poitrine. Les Allemands l'ont emportée à l'hôpital...

14 août. Tourouvre, le bourg voisin, est en flammes. Un char américain est arrivé en reconnaissance. Tous les habitants ont couru sur la place pour l'accueillir, quand arrivent un side-car et un autocar allemands, puis, les Américains repartis, des renforts allemands. Les représailles ont été terribles : gens fusillés, otages emmenés dans les bois (même des enfants), et le village incendié.

C'est le lendemain que Saint-Maurice connaît sa libération — mais sans incident.

Le 15 août à dix heures du matin les Américains sont entrés à Saint-Maurice — sur les talons d'une troupe d'Allemands qui nous avaient fait peur — traînant la jambe, l'air éreinté, mais armés jusqu'aux dents de grenades et de mitraillettes, longues bandes de cartouches autour du cou. Presque en même temps, quelqu'un crie : « Les Américains ! »

Berthe écrit à ses filles :

Après une journée d'une joie et d'un intérêt extraordinaires... On n'en revient pas... ! Ça y est. Nous sommes du bon côté du front ! Libres. Libres !

... On a oublié toute la peur du matin. On serre les mains. On les embrasse. On est fou de joie. Et puis quels engins ! Quelles voitures ! Un gamin crie : « C'est pas ceux-là qui auront besoin de nous voler nos bicyclettes ! »

André décrit les premiers Américains qu'il voit, encore en pleine action :

Pas un sourire. Une figure grave, brune, un air **massif** qu'ils me semblent avoir tous, bien plus que les Allemands. Massifs, immobiles, des yeux pensifs, un air résolu, et d'une gravité qui donne le frisson. Ils ont l'air d'être *in the making* de choses terribles et très, très difficiles et qu'ils veulent faire. Un air de **conscience** de tout cela — extraordinaire. Les Allemands que j'ai vus me semblent légers à côté de ces hommes-là.

Ils demandent des renseignements. On les aide à se repérer. On traduit. On leur donne toutes les indications qu'on peut. André est emmené sur un tank pour les aider.

Berthe recoud la rosette au revers de sa mère...

La vieille Mme Meunier dit : « On a le cœur aussi enchanté qu'on l'avait ennuyé quand on avait les boches. »

Le 17 août, Berthe commence à rédiger un communiqué quotidien d'après les émissions de la BBC. Jusqu'au rétablissement des informations normales, on l'affiche près de l'église, sur la plaque allemande *Nach Mortagne*, qu'on a enlevée de la sortie du village et clouée là, la tête en bas...

Symbole de la liberté retrouvée.

46 × 38

BERTHE NOUFFLARD. *Le retour à Paris. André dans le salon.* 1945.

La Paix revenue

Après la guerre, la vie a repris son cours. La joie de se retrouver chez soi s'est exprimée dans les peintures des lieux familiers. Mais, en même temps, on découvrait l'incroyable étendue et l'horreur de tout ce qui s'était passé. Il y eut la libération des camps, l'attente des déportés. Anne-Marie Bauer revint. Son frère Michel ne revint pas. Lazare-Lévy disait : «Je n'en peux plus... Je passe mon temps à fuir. Je crains tout, même d'espérer.» Son fils ne revint pas.

On vit dans un monde encore bien étrange — où l'on découvre tant de plaies, tant de douleurs, tant de ruines. Et quand — quand — pourra-t-on reconstruire, non seulement les maisons, mais la vie possible pour les gens — et pour les peuples, leurs rapports entre eux...? (B.N., 9 juin 1945)

BERTHE NOUFFLARD.
Madame Langweil.
1945.

61 × 50

191

1945

Alexandre Parodi est ministre du Travail. Berthe aide à l'installation et à la décoration du ministère.

Geneviève revient du front; pendant plusieurs mois, elle suit à Paris une préparation intensive au ministère de l'Information, en vue d'une tournée aux Etats-Unis de conférences sur la Résistance.

Février-mars. En camion, **premier retour à FRESNAY**, occupé cette fois par les Américains. Projets de remise en état.

20 mars. Mort en Italie de Jeanne Acquaviva, sœur d'André.

20 avril - 2 mai. A FRESNAY pour les élections municipales. Commencement des triages et des récupérations de meubles sauvés par les voisins.

8 mai. V.E. day.

12-17 mai. Séjour à FRESNAY.

18-27 mai. Mission médicale d'Henriette dans les camps d'Allemagne et d'Autriche.

24 mai. Retour de déportation d'Anne-Marie Bauer. Elle téléphone aux Noufflard le soir-même.

28-31 mai. André se rend avec Berthe au CIREYGEOL pour y rechercher ce qu'il y avait caché.

On apprend la mort de Michel Bauer, mort comme tant d'autres déportés du camp de Neuengamme.

15 juin. Berthe et André Noufflard exposent au Salon National Indépendant (Palais de Tokyo).

8-30 juillet. Séjour en ALSACE libérée. Premières distributions du Prix de Français.

6 août. Hiroshima : Explosion de la première bombe atomique.

7 août. A PARIS. Visite rue de Villejust (rue Paul-Valéry) à Mme Ernest Rouart (Julie Manet), Mme Paul Valéry et sa sœur Mlle Gobillard.

10 août. La guerre est finie. Le Japon s'est rendu.

15 août - 13 octobre. Deux mois au CIREYGEOL avec Mme Langweil. Visite de Mimi Benoist. Expédition des meubles pour Fresnay. Geneviève, dont on attendait le retour d'Amérique, est en sanatorium dans l'Etat de New-York. Son retour sera retardé de six mois.

19-24 octobre. FRESNAY. Travaux de réfection.

A.N.

- **Villiers-le-Bacle.** Ferme. Avril. (410-411).

- **Nature morte.** Livres et pinceaux. (539).

- **Le Cireygeol.** Bois à contre-jour (« Pont Romeu »). (421).
- **Le Cireygeol.** Coteaux et champs. (423).
- **La Gabarie** au coucher du soleil. (427).
- **Le Cireygeol.** Le pommier. (432).
- **Le Cireygeol.** Vallée au bord des bois de pins. (435).
- **Etienne Bauer.** 4 novembre. (610).

B.N.

- **Christiane Fauche,** 2 ans et demi, petite-fille de Mme Cruse. 16-19 janvier. 3 s. (Coll. part., Paris).
- **Jacqueline Parodi.** Portrait fini le 17 janvier, repris le 25 février. (309).
- **Paulette Parodi.** 7-10 février. 5 s.
- **Jeanine Marais,** croquis. 2 mars. (265).

- **André Noufflard** lit au salon, rue de Varenne, fenêtre ouverte sur le marronnier en fleurs. Souvenir du retour de guerre. Avril. Donné et dédicacé à Geneviève le jour des noces d'or, 27 avril 1961. (130).

- **Anne-Marie Bauer.** 5-22 juin. 5 s. (Coll. part., Paris).
- **Jeanne Soulas.** 12-24 juin. 5 s.

- **Claude Felsenstein,** dessin. 25-26 juillet (carnet 33).
- **Ginette Felsenstein,** deux croquis. 27-28 juillet (carnets 26 et 33).

- **Mme Langweil** au Cireygeol. 24-30 août. 5 s. (206).
- **Bouquet de cosmos.** 12-13 septembre. 2 s. (395).
- **Fruits.** 13-14 septembre. 2 s. (399).

Le retour à Fresnay est un bonheur longtemps inespéré, mais douloureux. La vieille maison, occupée d'abord par des *requis* français, a été pillée, vidée par les Allemands. Elle est maintenant remplie de militaires américains. Les Allemands avaient arraché les papiers de tenture, éventré les parquets, coupé les fils électriques au ras des murs, utilisé les rideaux, bande après bande, pour nettoyer leurs armes ; emporté jusqu'aux livres de la bibliothèque, dans des caisses faites avec le bois des vieux rayonnages ; les nombreux poêles posés partout avaient carbonisé les murs autour des tuyaux qui les traversaient... Il faut obtenir maintenant que ce qu'il en reste ne brûle pas. Les Noufflard, qui logent à la ferme, prennent contact — chez eux — avec le Major Mc Cullough ; il promet de faire l'impossible pour sauver la vieille demeure, et commence par interdire à ses hommes de fumer à l'intérieur. André est découragé devant son Fresnay dévasté. Mais Berthe fait déjà des projets pour le réaménager.

Dès que possible, au printemps, ils entreprennent les triages dans la maison libérée, où ils voient revenir des objets aimés, des livres, des meubles, mis à l'abri par des voisins. La vieille tête de bois sculpté [14] « Gogo » est retrouvé, mais pas son joli bonnet ancien...

Entre-temps, un voyage au Cireygeol a donné aux Noufflard l'occasion de revoir leurs amis périgourdins. Par les Martinet, ils apprennent l'ampleur de l'action de la Résistance locale, les combats de la Libération, le drame de Mouleydier, incendié par les Allemands en représailles [15]. André récupère intacts les papiers qu'il avait enterrés dans les bois avant de partir. Berthe range...

> Je me suis dépêchée, écrit-elle, de débarrasser notre chambre. (Nous étions partis si vite [16] — en laissant bien des choses précieuses en vrac, papiers, livres, peintures...) — pour pouvoir y recevoir peut-être quelques déportés. Henriette m'avait demandé de voir au Cireygeol si ce serait possible. Maguette Jacquin y pensait déjà. Les Barse sont tout prêts à aider au ravitaillement. Et quand j'ai revu ces chambres claires avec cette grande vue paisible, j'ai eu grande envie qu'elles puissent aider quelques-uns de ces sortis de l'enfer à se remettre — à revenir à la vie. (3 juin 1945)

ANDRÉ NOUFFLARD.
Mouleydier.
1942.

33 × 46

(14) Cf. page 20.

(15) Un livre retrace l'histoire de la Résistance en Dordogne Sud : *Messages personnels,* par Bergeret et H. Grégoire. Ed. Bière, Bordeaux, 1945.

(16) Fin décembre 1943.

45 × 37

BERTHE NOUFFLARD. *Anne-Marie Bauer à son retour de déportation.* 1945.

194

Plus tard, c'est le déménagement du Cireygeol qui permettra de remeubler Fresnay tant bien que mal. Les travaux indispensables y sont entrepris. L'été suivant, les Noufflard pourront enfin réintégrer leur maison qui commence à reprendre vie, grâce au courage de Berthe. A peine installés chez eux — le salon n'est pas encore rouvert, il ne le sera que deux ans plus tard — les Noufflard y accueillent Rivière, et Berthe ne va pas tarder à lui demander de poser pour elle.

André Barbier lui écrira, après la mort de leur ami :

> Combien votre portrait de Rivière est émouvant — d'une couleur vraie — et exquise ! C'est un bouquet. Une harmonie rose et verte. Et quelle ressemblance ! Vous y avez — vous qu'il aimait comme un frère — mis tout votre cœur de femme [17].

Elle a mis tout son cœur aussi dans le portrait d'Anne-Marie Bauer : son père a demandé à Berthe de le peindre dès son retour de déportation.

> Je vais le faire avec beaucoup d'intérêt. Elle a quelque chose de si beau en ce moment, de si clair, fin et grave.

André a repris ses pinceaux, lui aussi. Barbier ajoutera :

> Les paysages d'André m'ont absolument *épaté* — excusez le mot — mais il y a là une délicatesse de vision — une subtilité — une réalité poétique qui m'ont ravi.

Fresnay reçoit à nouveau la visite de ses vieux habitués — d'amis plus récents aussi. Les Noufflard n'ont toujours pas de voiture. Ce n'est qu'en 1948, trois ans après le retour, qu'ils acquerront une petite 4 CV Renault, et recommenceront à faire de belles promenades comme par le passé. Les pesées de bébés ont repris chaque mois. André travaille à ses « cahiers », choix de textes tirés des archives du Long-Fresnay, qu'il transcrit et assemble, pour évoquer la vie de ses ancêtres. Par la suite, il se lancera dans l'étude d'ouvrages florentins de la Renaissance. Il traduit la *Vie de Michel-Ange racontée par son élève et son ami, Ascanio Condivi, en 1553*, qui paraît en 1949 (Floury, Paris) avec une préface et des notes du traducteur. Cet ouvrage sera couronné par l'Académie des Beaux-Arts. Puis il se passionne pour l'étonnant récit attribué à Manetti, qu'il traduit sous le titre de *Conte du Gros, ébéniste* [18]. Il s'agit d'une farce, « ingénieuse et féroce », dont fut victime réellement un célèbre artisan florentin, et dont les auteurs n'étaient autres que Brunelleschi, Donatello et quelques-uns de leurs amis, dessinés ici d'un trait vif et savoureux. Il s'attaquera enfin à la *Vie de Brunelleschi* par le même Manetti, mais n'en achèvera pas la traduction.

1948 lui réserve une grande surprise. L'un des trésors d'André, qui avait perdu son père si jeune, était la correspondance suivie de celui-ci avec le critique danois Georg Brandes dont il possédait les lettres ; comme leur amitié, elle avait duré toute la vie, car ils s'étaient connus très jeunes [19]. Par ses réponses, il devinait beaucoup de la pensée de son père. Or voici une visite inattendue : Paul Krüger, professeur à l'Université d'Aarhus et spécialiste de Georg Brandes, prépare une édition critique de son œuvre et recherche ses correspondants. Il apporte à André le complément : toutes les lettres de son père lui-même à Brandes. Un trésor encore plus précieux !

(17) Cf. page 128 et page 235.
(18) *Il Grasso legnaiuolo.*
(19) Cf. pages 36-37.

1946

André lit la *Vie de Michel-Ange* de Condivi, dont il va entreprendre la traduction.

Berthe s'occupe des œuvres du *Sauvetage de l'Enfance* et de *La Tutélaire*.

17-23 janvier. A FRESNAY pour le conseil municipal ; rangements, travaux...

16-24 mars. Séjour à ROME à l'Ambassade de France chez Alexandre Parodi, puis à FLORENCE (24 mars - 8 avril), via Assise, Pérouse, Arezzo.

24 avril. André et Berthe vont chercher au Havre Geneviève qui débarque des Etats-Unis.

3-7 mai. FRESNAY. « Nous couchons dans nos lits. » Référendum sur la Constitution.

19 juin. Installation à FRESNAY, où les Noufflard resteront cinq mois, mis à part les quinze jours qu'ils passeront en Alsace. Le salon n'est pas refait : on se tient dans la salle à manger. Geneviève amène Rivière le 1er juillet, puis Henriette vient avec Elie Wollman.

11-26 juillet. ALSACE : Colmar, Guebwiller, Ribeauvillé. On retrouve à Strasbourg Jacqueline Paira-Vermeil, préfète. Le 14 juillet, grandes fêtes à Strasbourg en l'honneur du général de Lattre de Tassigny. Geneviève emmène ses parents à Habsheim voir la forêt de la Harth et la ligne du front. Henriette rapporte de Wintzenheim une ravissante petite chatte gris chinchilla, qui s'appellera Pinouche et tiendra une grande place dans la famille.

27 juillet. FRESNAY. Tous les carreaux sont remis. « Tout est fermé pour la première fois. » Fresnay reçoit ses amis : Rivière, les Benoist, Doletta. Molly Porter revient. André va avec elle à Peyrat-le-Château (15-18 août) et en ramène la voiture d'Henriette. Ce mois d'août, premier séjour de Geneviève à Vallorcine avec Françoise Haguenau.

André travaille à sa traduction de Condivi. Berthe copie. Elle donne des leçons d'anglais à Daniel Dürr, fils de l'instituteur. On refait la bibliothèque. Nouveau séjour de Rivière.

A.N.

- **Rome.** La vue du Palais Farnèse. (Coll. part., Paris).
- **Casignano.** A l'orée du bois. (563).

- **« Retour à Fresnay ».** (« Off limits » sur la porte de la cuisine). Juin. (19).

- **Plaine dans la brume** vers Saint-Victor. (76).
- **Meule** à la Pointe des Arbres. Septembre-octobre. (68).
- **Le grand hêtre condamné** (commencé en 1939). (707).

B.N.

- **Jacqueline Parodi,** tête de face. 3-8 janvier. 2 s. (310).
- **Rivière,** dessin. 11 février.
- **Jonathan Griffin.** 19-25 février. 3 s. (248).

- **Rome.** De la fenêtre. 21-22 mars. 2 s. (363).
- **Casignano.** Dans le jardin. 29 mars. (359).
- **Florence.** San Miniato au couchant, de chez Pavolini. (356).

- **Jeannine Marais.** 27 juin - 5 juillet. 4 s. (Coll. part.).
- **Geneviève,** rage de dents, pochade. A appartenu à Rivière. (188).
- **Geneviève** fait de la frivolité. (189).
- **Intérieur,** dans ma chambre. 1er août. (Coll. part., Paris).
- **Doletta Oxilia.** 9-15 août. 6 s. (Coll. part., Milan). (Cf. carnet 30).
- **Mimi Benoist** en bleu avec un petit chat gris. 12-22 août. 8 s. (Coll. part., Paris).
- **Nicole,** petite tête, dans ma chambre. 18-20 août. 3 s.
- **André peignant** dans les champs, pendant la jaunisse d'Henriette. 30 septembre. (Guy-Loé).
- **Henriette,** pochade. 7-8 octobre. 2 s. (154).
- **Pinouche,** croquis. 17 octobre (carnet 30).
- **André** sur le canapé, croquis. Octobre (carnet 30).
- **Catherine Mendelssohn,** dessin. 30 octobre (carnet 30).

André et les petits chats.

BERTHE NOUFFLARD.
La petite chatte Pinouche.
Dessin.
1953.

32 × 25

Les Noufflard se rendent souvent en Angleterre, presque chaque année jusqu'au retour de Lily à Paris vers 1950. Mais leur premier voyage hors de France sera pour l'Italie, en 1946. Alexandre Parodi est alors ambassadeur à Rome, et ils séjournent au Palais Farnèse. Ils revoient cousins, neveux et amis ; mais Jeanne, la sœur d'André, est morte il y a un an. Laissons la parole à Berthe :

Rome. Nos amis dans le beau Palais Farnèse. La ville pleine de lumière, les beaux jardins, les beaux palais. On comprend Charles VIII et Louis XII !... Foules aimables et qui flânent et bavardent. Montagnes d'oranges, de gâteaux ! Tout très cher — mais on achète — on mange des oranges dans la rue. Chez nous, depuis combien de temps n'en a-t-on pas vu ?

197

65 × 54

BERTHE NOUFFLARD. *Alexandre Parodi.* 1961.

198

Les vieux amis d'André :

Carlino Scialoja. Retrouvé après vingt-huit ans de silence complet puisque jamais il n'écrit. L'air d'un monsieur important, un peu gros, une barbe grise. Distingué, agréable — toujours ses bons yeux clairs et son gentil sourire. Il a été ministre sous Bonomi, il est sérieux, libéral, raisonnable, on s'entend très bien avec lui. Pessimiste pour l'Italie. Je crois qu'il n'a jamais été fasciste. (Nous apprenons ensuite qu'il est conseiller du prince Umberto.)

Collodi, vieilli. Il a des cheveux blancs. Toujours le même homme simple et bon, dont la simplicité me plaisait tant autrefois au milieu de l'éloquence italienne. En causant avec lui, on s'aperçoit qu'il a aidé, caché des gens. Il n'en fait pas étalage comme P. Il raconte avec beaucoup d'émotion, en rougissant, l'enlèvement des vieux parents d'un professeur juif, son voisin, caché chez lui avec sa femme, tous deux sauvés ainsi, tandis que ses vieux parents n'ont pas eu le temps. « *Il povero vecchio malato vomitava. Sono stati buttati sul camion come sacchi.* » Cher Collodi, chez lui, on sent que ses convictions politiques viennent de sentiments très simplement humains. Je le sens fraternel.

Comme aussi Pavolini, hier, l'esprit, je crois, tourné de la même façon. Est-ce parce que l'un et l'autre sont des scientifiques ? Et Emily a aussi un état d'esprit ouvert aux choses plus générales que la bourgeoisie d'ici. C'est étonnant. Voilà C. qui s'est battu contre les Allemands avec son fils aîné. Cependant, en 42 il s'était inscrit au parti fasciste. Et hier, il nous fait rencontrer des fascistes chez lui ! Les femmes semblent comprendre très peu. Elles s'occupent de « bonnes œuvres », parlent de cas malheureux, ne semblent pas rattacher cela à ce qui s'est passé ailleurs, dans le monde entier.

Personne ne semble penser à ce que nous pouvons penser des Italiens après leur attitude de 40. Seule la charmante petite Donatella m'a dit : « *Come avete dovuto pensare male di noi* », très tristement. — « Oui, ai-je répondu, mais j'ai toujours pensé à ceux qui étaient pour nous et qui ont dû tant souffrir. Maintenant il faut nous donner la main, par dessus les frontières et malgré tout. »

M., à qui je parlais de mes craintes pour Maman, de ma peur affreuse de la voir tomber aux mains des Allemands : « *Forse con una signora non avrebbero... ;* » Et elle soupire qu'elle voudrait répandre l'amour dans le monde. Ce n'est pas l'amour qu'on a semé... J'ai envie d'ajouter : quand on était fasciste... Elle m'a prise à part et m'a demandé : « Dis-moi, Berthe, est-ce que les... persécutions, cela t'a été très pénible ? — Comment l'entends-tu ? J'aime mieux être avec les persécutés qu'avec les persécuteurs... »

Florence. Hier à la fin de la journée, chez les Pavolini, vue adorable sur San Miniato. La précieuse, fine petite façade dans la lumière, sur la colline, les cyprès, le ciel, et, devant, la grande pente dans l'ombre qui descend jusqu'à nous avec les oliviers et les poiriers en fleurs, dans l'ombre. A nos pieds le jeune blé déjà haut. A gauche, les vieux murs de la ville, une tour crénelée dans une lumière d'or. Un des endroits que je préfère ici, surtout à cette heure-là.

Santa Maria Novella. **Masaccio.** Beauté extraordinaire. Grandeur tragique : le Christ en croix, sur le fond du grand Dieu sombre qui s'élève dans la voûte. Et quelle couleur, et quelle peinture ! Le rose de saint Jean, ses manches noires. La tête de saint Jean, celle de la Vierge. Une chose terrible.

Et les deux sots donateurs, si près, si loin de cela — trop humains. Ils sont de plain pied avec la chose, séparés seulement par une petite bande de marbre, plus petits cependant, au pied des deux colonnes — si belles ! Ils sont tellement dans la vie banale, de plain pied aussi avec nous... La femme sourit niaisement, l'homme, satisfait, devant cette chose terrible acceptée comme une chose de la vie de tous les jours.

▷ *page 211*

	A.N.	**B.N.**
		• **Anne-Marie Marais,** tête. 5-9 novembre. 2 s. (269). • **A l'entrée,** esquisse. 6 novembre.
19 novembre. Retour à **PARIS.** Les Noufflard ont fait la connaissance du professeur Cortesao, délégué portugais à l'UNESCO. Ils voient les Loo — M. Loo, importateur d'art chinois, vieil ami de Mme Langweil — dont la fille Janine s'installera rue de Varenne au premier étage.		• **Betsy Jolas.** Portrait commencé le 2 décembre. (Cf. 1947). • **Mme Cortesao.** 8-12 décembre. 4 s. (Coll. part., Portugal).

1947

	A.N.	**B.N.**
3 janvier. Mariage de Jacqueline Parodi et Pierre Chatenet.		• **Paulette Parodi.** 15-29 janvier. 6 s. (305).
Rivière, malade, vient s'installer chez les Noufflard. Il y restera jusqu'à fin mars.	• **Sucy-en-Brie.** Dans les champs vers Ormesson (Guy-Loé).	• **Françoise Haguenau.** 7 mars (4ᵉ s. le 27). (Coll. part., Paris).
24 avril. Berthe déménage son atelier : l'ancienne salle à manger est exposée au nord, et plus spacieuse.	• **Sucy-en-Brie.** Le vieux pigeonnier (408).	
6 juin. Vernissage du Salon National Indépendant.		• **Betsy Jolas,** commencé en 1946. « Je reprends en changeant pose, costume et fond. » 2-3 mai. (253).
13 juin. Le séjour à **FRESNAY,** coupé par quelques voyages, s'étend sur presque six mois. Rivière y passera de longues semaines. On y verra aussi Françoise Haguenau, les Benoist, et des amis d'Angleterre (les Farrand — Dorothy Gilbert — Mary Fisher et sa mère) ou d'Amérique (Dorothea Kelley et son petit Jakey).	• **L'arbre penché.** (50). • **Saint-Victor.** L'église et le presbytère vus de la mairie. (247). • **Loeuilly.** La mare à Maitre Barrabé. (185).	• **Rivière.** 15-28 juin. 8 s. (317).
8-19 juillet. Distributions de Prix en **ALSACE** (Siegolsheim, Neuf-Brisach, Marckolsheim, Rhinau). C'est à Rhinau qu'a été prise la photographie de Mme Langweil regardant de l'autre côté du Rhin.		• **Francine Paira,** tête. 10-15 juillet. 5 s. (Coll. part., Paris).
20 juillet - 18 août. FRESNAY.	• **L'arbre à la Vierge** et le champ de blé mûr. (Coll. part., Angleterre). • **La Valouine.** (275).	• **Betsy Jolas** 27-29 juillet. 3 s. (Coll. part., Paris). • **« Distribution de Prix »** (offert à la mairie de Wintzenheim). 22 juillet (cf. carnet 30). • **Geneviève à la flûte.** 7-8 août.
18-24 août. Le Cireygeol.		
28 août. Berthe reprend ses pesées de nourrissons, avec l'assistante sociale Mlle Tinel.		• **Henriette.** 18-21 septembre. 3 s. (160).
1ᵉʳ octobre - 6 novembre. Séjour de Berthe en **ANGLETERRE.** Elle loge chez Miss Sands, Chelsea Square, et s'occupe de sa sœur Lily qui est restée fixée à Londres. Elle va ensuite travailler à Walwick Hall (Northumberland) chez Sir Humphrey Noble, puis retourne à Fresnay.	• **Le verger,** début d'automne. (56). • **Le verger,** plein automne. (57).	• **Ethel Sands** à la lampe. 6 octobre. (Coll. part., Angleterre). (Cf. croquis, carnet 30). • **Sir Humphrey Noble** au clavicorde. Lady Noble brode. 11-23 octobre. (8 s. repris le 2 novembre). (Coll. part., Angleterre).

BERTHE NOUFFLARD.
Jacqueline Chatenet.
1958.

41 × 33

33 × 46

ANDRÉ NOUFFLARD.
Die.
1948.

201

Les Chemins de Fer étant en grève, les voyages à Paris sont impossibles pour les Noufflard qui n'ont pas de voiture, alors qu'Henriette est hospitalisée à la suite d'un grave accident au bras.

11 décembre. Retour à PARIS.

A.N.

- **Neige dans la cour**, à Fresnay. (Guy-Loé).

B.N.

- **Celia Noble.** 14-16 octobre. 2 s. (282).
- **Le salon.** 17-31 octobre. 11 s. (Coll. part., Angleterre).
- **Portrait de Celia.** 25 octobre - 5 novembre. (Coll. part.. Angleterre).
- **Anne-Marie Marais.** 24-27 novembre. 3 s. (268). Au moment de l'accident d'Henriette.
- **Claude Joxe.** Portrait commencé le 18 décembre (4 s. le 29). Cf. 1948.

Dessins, vu du Trio. 26 décembre. (Cf. 1948), (carnet 30).

1948

14-17 janvier. Séjour à FRESNAY. Pesée - arbre de Noël.

20 mars - 6 avril. Pâques à FRESNAY, avec Françoise Haguenau et Jacqueline Marty. Mme Langweil passe un mois en Alsace.

10 avril. M. Krüger, professeur danois de l'Université d'Aarhus, apporte à André les lettres de son père à Georg Brandès ; il semble déjà, par cette correspondance, connaître toute la famille.

14 avril - 18 mai. André va peindre à FORCALQUIER, puis, rejoint par Henriette, à DIE.

- **La maison à contre-jour** à travers les arbres. (4).
- **Le puits et la laiterie** au printemps. (39).

- **Forcalquier.** Arbres et vigne. (461).
- **Forcalquier.** La fenêtre de ma chambre. « Pluie ». (320).
- **Oliviers sous la pluie.** (321).
- **Forcalquier.** (Coll. part., Paris).
- **Die.** (315).
- **Paysage** des environs de Die (Coll. part., Paris).
- **Die.** Montagne (inachevé). (718).
- **Die.** Pente d'argile érodée. (316).
- **La vallée derrière Die.** (317).

- **« Le Trio »** : Geneviève, Sylvette Walch, piano ; Lise Bœswillwald, violon, commencé en 1947, fini le 26 janvier. 6 s. au moins. (190).
- **Claude Joxe.** Commencé en 1947, fini le 28 janvier. 9 s. (Coll. part., Paris).
- **Paulette Parodi,** fond or foncé et rose. 5-25 février. 5 s. (306).
- **Mlle Foinet.** 21 février - 6 mars. 4 s. (Coll. part., Paris).

- **« La diligente »,** Jacqueline Marty à Fresnay. 30 mars - 3 avril. (271).
- **Françoise Haguenau** en robe verte. 16 mars - 11 juin. 10 s. (Coll. part., Paris).

33 × 46

ANDRÉ NOUFFLARD. *Bacqueville, la place.* (Coll. Alexandre Benois). 1929.

46 × 33

ANDRÉ NOUFFLARD. *Valmartin. Intérieur de l'église.* 1938.

46 × 38

ANDRÉ NOUFFLARD. *Valmartin. L'église.* 1931.

BERTHE NOUFFLARD.
*Madame Gustave Marais
et ses filles à la ferme.*
1948.

46 × 61

ANDRÉ NOUFFLARD.
Fresnay. Le vestibule.
1958.

54 × 65

206

33 × 45

ANDRÉ NOUFFLARD.
Vallée de Clères. 1952.

ANDRÉ NOUFFLARD.
Une meule à l'automne.
1946.

46 × 55

ANDRÉ NOUFFLARD.
Chaumière à Etaimpuis.

27 × 46

207

2 mai. Les Waldenström à Paris. Le 6 mai, dîner d'hématologistes : les Noufflard réunissent les docteurs Jan Waldenström, Jean Bernard et Jacques Mallarmé.

25 juin. Henriette, docteur en Médecine.

29 juin. Les Noufflard se rendent à **FRESNAY**, pour cinq mois, toujours par le train. Mais ils acquièrent le 9 juillet une 4 CV Renault, avec laquelle ils iront en **ALSACE**. (Les Humphrey Noble assistent aux fêtes : Ammerschwihr, Boofzheim).

On repeint Fresnay, on arrange le salon. Geneviève est en Scandinavie d'où elle rapportera les textes de G. Brandès concernant son grand-père.

26 juillet. Grâce à la 4 CV, promenade dans les environs : « la première depuis la guerre » : Mesnières, la Valouine, Muchedent, Offranville.

Henriette va passer onze mois aux Etats-Unis, pour travailler au Babies' Hospital avec le Docteur Mc Intosh, puis au Rockefeller Institute, dans le laboratoire du Professeur René Dubos, avec qui elle restera très liée.

Les Noufflard vont en voiture à Bergerac et au Cireygeol, pour la vente de la propriété.

29 septembre. On fête le soixantième anniversaire de l'arrivée de la famille Marais à la ferme. On se tient à nouveau au salon, on rallume le grand poêle alsacien.

5-11 novembre. Nouveau voyage à Bergerac, pour rangements et déménagement.

24 novembre. Retour à **PARIS**.

1949

Rivière passe à nouveau l'hiver rue de Varenne. On y verra beaucoup aussi Erland Waldenström, venu perfectionner son français à Paris, avant de prendre la succession de son père comme directeur de la Compagnie des mines de fer (Grängesbergs Bolaget).

A.N.

● **Bosc-le-Hard.** La maison rouge, de chez la pâtissière. (112).

● **Trois meules** à la Pointe des arbres. (69).

● **Meule et arbres rouges.** (189).

● **Vallée de Clères** : bouquet d'arbres. 10 octobre. (148).

● **Soleil d'automne.** Arbre à la Vierge, peupliers. (74).

● **Sous les marronniers**, fin d'automne. (35).

B.N.

● **Salon de Fresnay.** Canapé blanc, bouquet de roses, verdure ensoleillée dehors. (Coll. part., Stockholm).

● **Nicole Bellet.** 12 août.

● **André dans le salon.** 25 septembre - 6 octobre. (Guy-Loé).

● **Yvonne et ses filles** à la ferme. 11 octobre - 20 novembre. 11 s. (264).

● **Geneviève à la guitare,** pochade. 1er novembre. (191).

● **Jacques Parodi.** 12-29 novembre. 4 s. (Coll. part., Paris).

● **Jean-Luc Parodi.** 4 décembre. (Coll. part., Paris).

● **Jacques** de profil. 6-27 décembre. 3 s. (Coll. part., Paris).

● **Paulette Parodi,** le café. 5 janvier-23 mai. Interrompue par maladie. 2e s. le 28 janvier. 7 s. (307).

● **Mme Normand.** 31 janvier-22 février. Commande livrée le 27 février. Repris les 28-29 mars 1950. 7 s. (Coll. part., Paris).

● **Niquette,** blouse bleu. 2 février-30 mars. (10 mars. « Je repeins la grande tête de Niquette ».)

46 × 37

46 × 37

41 × 33

209

1949

10-19 février. Se rendant en **ANGLETERRE**, les Noufflard prennent l'avion pour la première fois. Berthe, émerveillée de la beauté des nuages, parle de ciel à la Tiepolo. Ils vont voir Lily, Miss Sands, les Rosselli, les Rawson, et, à Bath, la Dowager Lady Noble dans sa merveilleuse maison toute en hauteur du Royal Crescent. Au retour : « **Mer ardoise — pervenche. Dieppe. Nuages. Au-dessus des nuages. Paysage fantastique : fleuve d'enfer. Ciel de paradis.** »

19 mars. Vernissage du Salon National Indépendant.

1er avril. Berthe accompagne sa mère à **CANNES**. Elles y revoient leur cousine Lucie, qui a perdu son mari (Raymond Dumoulin), et les Loudon.

8 avril. André arrive à Cannes à bord de la 4 CV avec Geneviève et Françoise Haguenau, et on continue à quatre vers l'**ITALIE**. Gênes, Lucques, Pise. A **FLORENCE** (Pensione Rigatti), Erland rejoint le groupe. Geneviève rencontre pour la première fois les Fossi, amis de sa cousine Donatella. 19 avril, Sienne ; visite à Donna Isabella Chigi, dans sa propriété de Vicobello. 25 avril : Villa I Tatti ; visite à Berenson et Nicky Mariano. Le 28 : Arezzo, Borgo San Sepolcro, Monterchi, sous le signe de Piero della Francesca. Retour via Faenza, pour voir Stefano Acquaviva à l'Isola, et Cannes. Berthe y restera du 3 au 7 mai, et en ramènera Madame Langweil.

10 mai. Première visite de Maria Fossi rue de Varenne. Elle étudie les Pisanello du Louvre.

29 juin. FRESNAY, avec Rivière. Mme Langweil est à Dieppe.

5-8 juillet. André retourne au Cireygeol.

4-12 août. Les Noufflard vont en **ANGLETERRE** au devant d'Henriette qui arrive des Etats-Unis. Séjour à Londres et à Oxford. Visite à Marion Rosselli, veuve de Carlo, qui devait mourir deux mois plus tard. Ils voient aussi Honor Smith, médecin d'Oxford, avec qui Henriette s'est liée en Amérique.

Octobre. Berthe pose pour Geneviève à Fresnay.

2 décembre. Retour à **PARIS**. Donatella Roselli, cousine florentine, séjourne rue de Varenne.

A.N.

• **Florence.** Le Ponte Vecchio (Guy-Loé).

• **Vue de Florence.** (Collection Fits Lugt).

• **Saint-Maclou.** L'église et les moyettes. (243).

• **L'arrivée à Saint-Victor.** (244).

• **Fenêtre du salon** à l'automne, côté cour. (23).

• **Fenêtre du salon** à l'automne, côté jardin. (24).

B.N.

26 février. Je travaille au fond de Maman avec son chapeau (août 1945). (206).

• **Isabelle Dubosc** enfant, pochade. 24-26 mars. 2 s. (Coll. part., Paris).

• **Etude par temps gris.** 13 avril.

• **San Miniato**, étude par beau temps, de l'hôtel. 14 avril. 2 s. (Coll. part., Paris).

• **Par la fenêtre**, le matin. 16-24 avril. 6 s. (358).

• **Micha** au pantalon rouge, pochade. 12 mai. (Coll. part., Paris).

• **Annie Parodi.** 11-28 juin. 4 s. (Coll. part., Paris).

(26 juillet. Je modèle la petite statue pour le jardin.)

• **Doletta en sari.** 10 septembre - 3 octobre. 10 s. (286).

• **Catiou Bauer.** 13 décembre. 4o s. le 20, fini en 1950.

• **Donatella,** cf. 1950. Portrait commencé le 26 décembre.

210

BERTHE NOUFFLARD.
Claude Joxe.
1948.

81 × 65

Les amis

Les Noufflard ont retrouvé leur entourage. Florence Halévy d'abord, bien sûr, et ses proches : Françoise et Louis Joxe, la «rue Cassini» (ses cousins Comte et Langlois-Berthelot) ; tous les amis de toujours, au premier rang desquels les familles Parodi, Benoist, Bauer ; plus éloignés dans l'espace, les Waldenström, les Oxilia, les Bennett, pour ne citer que ceux-là.

▷ *page 215*

1950

Henriette s'est installée à Sucy-en-Brie, comme consultant de pédiatrie, partageant la maison de sa tante, Florence Halévy.

Donatella habite chez les Noufflard jusqu'au 1er mars. Rivière aussi. Il reçoit souvent la visite de Mme Schmieder, avec qui il s'est lié à Buis-les-Baronnies. Sur l'agenda de Berthe, au **5 février** : «Avec Rivière au Louvre : **le portrait de Degas vieux.**» 16 février : «au Jeu de Paume : trois Corot, Manet, Degas, Fantin-Latour, Toulouse-Lautrec, Boudin, Sisley.»

26 février. Henriette chef de laboratoire à Brévannes.

2-25 avril. André va peindre à AUBENAS avec Henriette.

20 avril. Salon National Indépendant.

31 mai. Départ de Geneviève pour les Etats-Unis, où elle restera jusqu'en novembre.

7-12 juin. Les Noufflard vont à LONDRES pour voir Lily et leurs amis anglais, et de là à CAMBRIDGE (May Wallas et John Rosselli).

Juin. Exposition André et Berthe Noufflard à la galerie Durand-Ruel.

19 juin : FRESNAY. Mme Langweil y séjourne du 20 juin au 20 novembre, et Rivière du 8 juillet au 27 octobre. On lit Saint-Simon. Berthe organise toujours une pesée de bébés chaque mois. Henriette travaille à la traduction du *Pasteur* de René Dubos.

25-29 août. Visite des Libertini. Helléniste et archéologue de renom, l'ancien condisciple d'André est maintenant le recteur de l'Université de Catane en Sicile.

Miss Sands partage son château d'Auppegard avec le peintre Louis Le Breton et sa mère.

On reconstruit la Maison de la Pesée, qui a brûlé.

20 octobre. Berthe termine le dessus de buffet au point de Venise auquel elle travaille depuis plus d'un an. Elle y brode la date : 1950, célébrant le deux-centième anniversaire du Long-Fresnay.

A.N.

• **La Chapelle-sous-Aubenas** avec collines et arbres en fleurs. (Guy-Loé).

• **Temps menaçant dans les Cévennes.** (299).

• **Sur la route de Saint-Julien-de-Serre,** mauvais temps. (300).

• **Aubenas.** Près de Saint-Julien-de-Serre. (301).

[André travaille aux Authieux].

• **Berthe écrivant** dans son lit. 7 juillet. (Guy-Loé).

• **Nature morte.** Gogo et mon arrière-grand-mère. 5 août. (537).

• **Meule** à la Pointe des arbres. (Guy-Loé).

• **Meules et peupliers** vers l'Arbre à la Vierge. (71).

• **Sur le fossé,** beau temps. 6 octobre. (Coll. part.).

• **La mare de M. Avenel.** 13 octobre. (85).

• **Sur la route de Fresnay.** 14 novembre. (77).

B.N.

• **Dominique Lazare-Lévy.** 12 janvier - 9 février. 3 s.

• **Catiou Bauer** (cf. 1949). Fini le 23 janvier. 7 s. (Coll. part., Paris).

• **Donatella** en bleu. 31 janvier. 6 s. (Coll. part., Rome).

• **Alexandre Benois et sa femme.** 11-30 mars. 5 s. puis repris, après maladie, le 24 mars 1953 («Je peins un peu : l'œil de Benois») puis à nouveau en juillet et octobre 1960 après la mort de Benois. (Coll. part., Paris).

• **Perle-Odette Blamont.** 21-31 mars. 6 s. Repris les 7 avril et 8 mai suivants «pour la faire sourire». (Coll. part.).

• **Micha Bauer.** 22-29 avril. 2 s.

• **Suzanne Riser.** 24 avril-22 mai. 6 s. (Coll. part.).

• **Mme Langweil et le paravent d'or.** 8 mai. (207).

• **Dans ma chambre.** 10 juillet. 2 s. (344).

• **Henriette** au salon. 20-26 septembre. (6 petites s.) (Coll. part.).

41 × 33

BERTHE NOUFFLARD. *Henri Rivière.*

213

26 novembre. Retour à PARIS.

1ᵉʳ décembre. Première visite du Professeur René Dubos et de sa femme Jean, qui reviennent le 15 avec Edouard Brissaud. Visite du Professeur Chen, de Berkeley, ami de Leonardo Olschki, qui leur joue de la flûte chinoise.

Le caractère de Mme Langweil, maintenant très âgée (89 ans) devient de plus en plus difficile, ce qui pèse sur la vie quotidienne de Berthe. Elle dépensera beaucoup de ses forces à régler des conflits domestiques et à faire régner une atmosphère paisible.

- **Phoebe Hudson.** 5-27 décembre. 8 s. (Musée de Cincinnati).

1951

Geneviève amène rue de Varenne deux jeunes chinoises rencontrées à la Grande Chaumière, Margaret Liu et sa sœur Tse-Ming qui est peintre.

Etienne et Micha Bauer continuent à venir le dimanche au petit-déjeuner.

27 janvier. Mort de Balbina Braïnina à New York.

Mars. Rivière, qui a 87 ans, tombe malade ; il est soigné d'abord dans une clinique, puis rue de Varenne. En juin son état s'aggrave. Il entre à la clinique des frères Saint-Jean-de-Dieu.

10 juin. Mort de Hansi à Colmar.

15 juin. Les Noufflard s'installent à FRESNAY. Mme Langweil, accompagnée de Mlle Matter, venue de Colmar, est à Dieppe.

2 août. Henriette prend Rivière chez elle à Sucy. Le 20 août il est très mal. André et Berthe se rendent à Sucy. Il meurt le 24. Selon sa volonté on l'enterre à Fresnay (27 août).

10 septembre. On fête à Fresnay les 90 ans de Mme Langweil. Sir Humphrey Noble, sa femme et sa fille Lilias sont là. Jules-Albert Jaeger, président de l'Alliance française, vient tout exprès de Strasbourg avec Hans Haug, conservateur du Musée. Ils apportent des témoignages de toute l'Alsace, réunis dans une belle reliure de maroquin rouge.

A.N.
- **Florence.** Le duomo et les créneaux. Réplique nᵒ 582 de 1936. (Coll. part., U.S.A.).
- **Saint-Victor,** la maison blanche. 30 juin. (249).
- **Route de Bosc-le-Hard.** (114).
- **Briqueterie** et meule, vers Frichemesnil. (173).
- **Route de Saint-Victor à Tôtes.** (254).
- **Le Tôt.** La maison de M. Nourichard, minotier. (Coll. part.).

B.N.
- **Mme Deutschmann,** mère de Mme Adrien Tixier. 20 février - 1ᵉʳ mars. 6 s. (Coll. part., Paris).
- **Mme Jolly.** 8 mars - 10 avril. 8 s. Repris le 13 février 1958. (Coll. part., Paris).
- **Jeanne Trémolières,** cinq ans. 9-16 avril. 4 s. (Coll. part., Paris).
- **François Blamont.** 7-24 mai. 5 s. (Coll. part., Paris).
- **Annie Parodi.** 17 mai-4 juin. 6 s. (311).
- **Clères.** Petite pochade. 20 juin.

[2 juillet. J'essaye de peindre la petite statue d'Auppegard].
- **Geneviève.** 23-27 juillet. 5 s. Repris les 14 et 15 septembre. (193).
- **Le salon** (interrompu par la mort de Rivière). 2-15 août. (343).

214

Parmi leurs grands amis peintres — M. Blanche est mort en 1942 — c'est Henri Rivière qui tient la plus grande place dans la vie des Noufflard jusqu'à sa mort en 1951. Depuis la disparition de sa femme pendant la guerre, il est devenu lui-même presque aveugle ; âgé et maintenant souvent malade, resté pourtant si jeune de cœur et d'esprit, il ne peut guère travailler et se réfugie souvent chez les Noufflard qu'il considère un peu comme sa famille. Il passe de longues semaines à Fresnay, se promenant dans les champs, toujours avec un petit carnet de croquis où il tente encore de noter quelque paysage. On lit à haute voix, on regarde des reproductions, on écoute beaucoup de musique. A Paris, il reprend sa vie solitaire boulevard de Clichy, parmi tous les trésors amassés dans son modeste appartement, mais, presque chaque hiver, une grippe ou une bronchite le ramène rue de Varenne jusqu'au retour des beaux jours.

En 1951, tombé sérieusement malade, il est d'abord soigné dans une clinique. L'été, Henriette l'emmène à Sucy, où elle le soignera elle-même jusqu'à sa mort. Il avait demandé à être enterré dans le petit cimetière de Fresnay-le-Long. On y a ramené les cendres de Mme Rivière, on y a planté les iris qu'il aimait, et aujourd'hui il y repose entouré de ses vieux amis.

A l'occasion de la mort d'Henri Rivière, Alexandre Benois, le peintre des Ballets Russes, l'ancien conservateur du musée de l'Ermitage à Saint-Pétersbourg, écrivit à André et Berthe Noufflard :

J'avais pour lui une très grande admiration depuis toujours, ou plus exactement depuis les années 1890 lorsque parurent les premières épreuves de ses délicieuses gravures en couleurs (Diaghileff en avait apporté plusieurs à Saint-Pétersbourg). Tout notre groupe (qui devint plus tard la rédaction de la revue *Le Monde Artiste*) en était enthousiaste, mais ce fut moi et mon proche ami Somof qui en avons subi une influence directe que je ne peux qualifier que de bienfaisante. L'art de Rivière nous a appris à voir la nature plus «simplement» et à nous servir de procédés plus «sincères», en nous libérant d'un certain maniérisme très en vogue à l'époque de la formation de nos talents. Quelle joie cela a été pour moi de faire, **grâce à vous**, sa connaissance personnelle, et maintenant il me peine énormément de savoir que je ne verrai plus jamais son bon visage au sourire tellement intelligent, aux yeux à demi-aveugles et pourtant si **avides**, si pleins de vie, à la barbe quelque peu inculte qui lui donnait sur le tard je ne sais quel air d'un sylvain débonnaire... (5 octobre 1951).

ANDRÉ NOUFFLARD.
La tombe sous le pommier.
1952.

62 × 46

215

27-29 octobre. Visite de M. Jacques Crépet, spécialiste de Baudelaire, avec qui André Noufflard s'est découvert des ancêtres communs.

27 novembre. Retour à PARIS.

Lily Langweil est installée avenue de Breteuil à N.-D. du Cénacle.

1952

Le **19 février**, visite à P.-L. Moreau, «qui nous donne son joli dessin : rue de la Montagne Sainte-Geneviève, place de l'Ecole Polytechnique. »

5 mars. Arrivée des objets et du contenu de l'atelier, légués par Rivière.

11 mars. On apprend la mort du «cousin» Jacques Crépet.

Très nombreuses visites aux Alexandre Benois.

31 mars. Mort de Mme Alexandre Benois.

Mariage de Janine Loo avec le poète Pierre Emmanuel qui devient le voisin des Noufflard.

Ils voient souvent les Gladwyn Jebb à l'ambassade de Grande-Bretagne ; le musicien suisse-américain Paul Boepple également, installé à Paris pour une année sabbatique.

24 juin. FRESNAY.

3-8 juillet. Visite d'Alexandre Benois et de sa fille Hélène Clément.

André travaille à la traduction en français du conte de la Renaissance italienne *Il Grasso legnajuolo.*

A.N.

● **Fresnay.** La cour à l'automne. (Guy-Loé).

● **Pommiers** à la ferme des Prés. (116).

● **Fontaine-le-Bourg.** Arbres, vallée à contre-jour. (164).

● **La charreterie** et les sapins. (29).

● **La cour-à-Pioche,** la maison et les grands arbres. (31).

● **La vieille grange** au toit refait. (277).

● **Sous les marronniers** derrière l'étable. (34).

● **Dernières moyettes** dans notre plaine. (75).

● **Vallée de la Clère** à contre-jour. (143).

● **Vallon de Clères.** (147).

● **L'église de Fresnay** entourée d'arbres, des gens sur la route. 12 octobre.

● **Moyettes et pommiers.** Ciel pur. (218).

B.N.

● **Les Authieux,** pochade. 9 octobre.

● **Michel Charuel,** bébé. 12 décembre - 3 janvier 1952. 4 s. (Coll. part.).

● **Stella Jebb.** 25 janvier-2 février. 5 s. (Coll. part., Londres).

● **Pauline et John Pappenheimer.** 10-17 mars. 5 s. (Coll. part., U.S.A.).

● **Muriel et Danny Boepple.** 24 mars. (Coll. part., U.S.A.).

● **Pauline Pappenheimer.** 31 mars. (295).

● **Billy Boepple.** 3-5 avril. 3 s. (Coll. part., U.S.A.).

● **Christian Chatenet et Jacqueline.** 17 avril - 14 mai. 5 s. (Coll. part., Paris).

● **Elise Marjolin.** 8-15 mai. 3 s. Retouche le 5 juin. (Coll. part., Paris).

● **Micha en maharaja.** 10-31 mai. 4 s. (Coll. part., Paris).

● **Christian Chatenet.** 19-26 mai. 4 s. (Coll. part., Paris).

● **Bernard Garzoli.** 29 mai-19 juin. 3 s. (Coll. part.).

● **Mme Zadgoun.** 31 mai-18 juin. 7 s.

● **Michel Cruse.** 6-16 juin. 4 s. (Coll. part., Paris).

● **La partie de besigue** (André et sa belle-mère à Fresnay). 20-31 juillet. 6 s. (208).

● **Paul Boepple.** 2-9 août. 7 s. (Coll. part., U.S.A.).

● **Porte du salon** sur le jardin, très beau temps, le soir. 24 août. 4° s. le 10 septembre.

● **Anne-Marie Marais.** 13-27 septembre. 7 s. (Coll. part., Rouen).

● **Anne-Marie** dans la grande chambre. 15-22 octobre. 5 s. (Coll. part.).

M. et Mme Benois formaient un couple exceptionnel, unis qu'ils étaient depuis leur enfance. Mme Benois mourut en 1952. Les Noufflard alors cherchèrent à entourer leur vieil ami, et l'amitié désormais alla s'approfondissant d'année en année, dans l'admiration partagée des belles choses regardées ensemble, dans les longues conversations à bâtons rompus sur l'art et les sujets les plus variés.

Benois nous a montré un carton — dessins et aquarelles — de famille — de son père, son frère — ses premiers dessins — souvenirs d'endroits, de chères figures. Il arrive là, dans une belle tradition de beaux dessins — paysages, beaux dessins d'architecte — et il y met quelque chose d'autre, de plus : une vie, une sensibilité et cette grandeur poétique du décor : son goût. Et là, dans la belle lumière des endroits différents, les intérieurs — charmants —, les paysages divers, ces visages aimés — si bien aimés. On est fier — et encore plus — touché — heureux de regarder avec lui ces chères choses : beaucoup **plus que des choses.** Reconnaissants aussi — de son amitié.

38 × 46   BERTHE NOUFFLARD. *Alexandre Benois et sa fille Anne Tcherkessoff.* 1953.

26 novembre 1953

BN

27 × 21

BERTHE NOUFFLARD. *Alexandre Benois dessinant.* Croquis. 1953.

62 × 50

Chaque été désormais, Alexandre Benois se rend à Fresnay et y fait un, ou deux séjours prolongés, accompagné de l'une de ses filles, Anne Tcherkessoff ou Hélène Clément. L'une et l'autre partagent les mêmes intérêts. Ce seront des moments très heureux. A Paris, les visites de part et d'autre se feront de plus en plus fréquentes, jusqu'à la mort de Benois, en 1960, quelques semaines avant d'avoir atteint ses 90 ans.

19 novembre. PARIS.

Les Noufflard vont presque chaque jour voir Alexandre Benois, qui est malade. Le 3 décembre, il leur donne «un beau petit croquis : Gisèle».

23 décembre. Après avoir commencé un portrait de M. Loo chez lui, devant un paravent de Coromandel, Berthe est prise de vertiges violents qui l'arrêteront plusieurs mois.

- **Etaimpuis,** les champs. Pochade. (154).
- **Le pommier,** la croix de Rivière. 25 octobre. (79).
- **Les Authieux,** intérieur d'église.
- **Braquetuit,** fin d'automne. (119).

- **Jeannine Marais,** grande tête. 28 octobre - 8 novembre. 6 s. (266).
- **Jean Marais.** 10-15 novembre. 5 s. (Coll. part.).
- **Réfection d'un toit de chaume,** pochade. 27 novembre. Cf. carnet 32. (346).

- **Mr. C.T. Loo.** Portrait commencé le 13 décembre. Interrompu par maladie.

1953

Berthe est malade (vertiges de Ménière) et vouée à l'immobilité complète pendant sept semaines. Sa première sortie, le 27 février, sera pour aller voir sa sœur.

Alexandre Benois est toujours malade. Berthe retourne le voir le 4 mars.

22 mars. Une photographe, Mme Brossin de Méré, fait un reportage sur les salons de Mme Langweil.

12-27 avril. Elisabet Waldenström vient passer une quinzaine rue de Varenne. Berthe reprend ses pinceaux.

André se rend plusieurs fois à Fresnay. (Conseil municipal, etc.).

16 mai. Les Noufflard achètent à Catherine Serebriakova, nièce d'Alexandre Benois, une de ses miniatures en relief sous verre, qui leur restera toujours très chère : c'est une scène sur la Néva à Saint-Petersbourg, avec un traîneau et des petits personnages habillés de tissus.

24 juin. FRESNAY. Mme Langweil est à Dieppe, Lily à Lyons-la-forêt.

2-18 juillet. Séjour d'Alexandre Benois avec sa fille Anne Tcherkessoff. Le 3, il dessine sa petite chambre avec la coiffeuse rouge. Il donne l'aquarelle à Berthe pour son anniversaire. Le 5, il dessine Berthe devant le grand sapin.

23 juillet. Visite des Dubos, amenés par Henriette, puis de Maurice Guy-Loé. D'autres amis viendront d'Amérique : Phoebe Hudson, médecin amie d'Henriette, Ellie Seagraves, la petite-fille du Président Roosevelt, et sa famille.

[24 mars. Reprise de l'œil de Benois. Cf. mars 1950].
- **Elisabet.** 14-23 avril. (Coll. part., Stockholm).

- **C.T. Loo.** Reprise du travail interrompu, à l'aide d'une photographie. 22 mai-7° s. le 2 juin. (261).

[6 juillet. Dans la cour].
- **Rosay.** Vue du verger derrière l'église. (238).
- **Rosay.** Petit chemin. (239).
- **Le carrefour dans le vallon.** (Brame).
- **Saint-Mards.** 20 juillet. (152).
- **Champ en Normandie.** (Coll. part., Paris).

- **Alexandre Benois et Anne.** 10-17 juillet. 7 s. (224).

Les Noufflard sont profondément touchés. Mais Berthe se reprend aussitôt et se remet à peindre. Elle entreprend un portrait de Sylvette Walch, amie de Geneviève, proche d'elle par son goût, tant pour la peinture que pour la musique. Berthe va écouter des concerts, elle traduit de l'anglais des articles sur Alexandre Benois, parmi lesquels celui de Karsavina. Hélène Clément lui écrit :

> Aucune indifférence chez mon si âgé et si jeune Papa ! Tout l'émouvait, et la vie, devant ses yeux émerveillés, était si pleine de beautés ! Papa découvrait dans les choses les plus simples, les plus modestes, la beauté qu'il était seul à voir, et que, grâce à son interprétation, il faisait voir aux autres ! ... Dans son délire il parlait à vous, à André, ses chers amis, qui avaient été la joie, la consolation de ses dernières années. Car Papa sentait que, malgré la différence d'âge, vous étiez les plus proches, aussi sincères, aussi dévoués à l'Art, aussi incapables de compromis, comme lui. Et ces charmantes dernières vacances que vous lui avez offertes ! Vous m'écriviez, chère Berthe, que Papa trottait à travers champs, il se sentait revivre. Quelles jolies études il a faites à Fresnay ! Quelle joie cela a été pour lui ! Chers, chers amis, jamais je ne vous dirai assez combien je vous suis reconnaissante, et combien je remercie la Providence, de cette belle amitié qu'elle a donnée à Papa. (16 mars 1960).

ANDRÉ NOUFFLARD.
Aubenas. Temps menaçant dans les Cévennes.
1950.

24 juillet. On apprend la mort du cousin Gaston Ebstein à Belfort. André et Henriette s'y rendent pour l'enterrement.

Les Noufflard ont fait la connaissance du Comte et de la Comtesse de Toulouse-Lautrec, qui habitent le château de Grigneuseville, près de Bosc-le-Hard. Désormais cette amitié ne fera que se resserrer.

4 août. « Beau temps. 5 heures du matin : Petit croissant de lune — brillant — haut dans le ciel : rose thé. Vols de chauves-souris. »

8 août. Mariage de Françoise Garzoli et Jean Potier, qui, après les parents Garzoli, deviendront les gardiens du 61, rue de Varenne.

9 septembre. A Florence, mariage de Donatella Roselli et Guido Carandini.

4-27 septembre. Nouveau séjour de Benois avec Anne, remplacée ensuite par sa sœur Hélène. Rémy Clément vient les rechercher.

2 octobre. Réaction dramatique de Mme Langweil apprenant que Geneviève va donner des concerts en Allemagne.

23 octobre. André tombe malade. **13 novembre.** Retour à PARIS. André passe une semaine à la clinique Hartmann.

Le **22 décembre**, Lily est opérée d'un œil (exophtalmie).

Les Noufflard vont voir Alexandre Benois, ou le reçoivent, plusieurs fois par semaine. Pour Noël, son cadeau : une aquarelle de Fresnay, avec le grand poêle alsacien.

1954

(Berthe a noté en tête de son carnet : « **août : arrivée de notre Jean** ».)

Hiver difficile.
5 janvier. Lily est opérée du second œil.

André subit toujours des examens médicaux. Sa vue le gêne (diplopie).

26 février. Lily, opérée de la thyroïde, est très agitée (persécution). Elle se réinstalle le 10 mars avenue de Breteuil. Berthe est aidée par le Docteur Borel, et par la Mère Truchon, une religieuse remarquable du Cénacle.

A.N.

- **Biville** et les moyettes. Août. (107).
- **Chapelle de Bretteville**, se démolissant. (122). Cf. nº 121 de 1925.
- **Veillottes** devant la Pointe des arbres. 14-16 août.
- **La ferme du Fort** et les meules. (167).
- **Carrefour du Fort.** (Coll. part.).
- **Meule** à la fin du beau temps. (199).
- **Meules de foin, meules de blé** et grand ciel pur. (200).
- **Les Authieux**, paysage. 14 septembre.
- **Le château de Grigneuseville.** (Coll. part.).

B.N.

- **La cheminée du salon** avec un bouquet. 26 juillet - 9 août. 4 s. (Coll. A. Benois, Paris).
- **Roses** dans un vase blanc. 28 juillet - 3 août. 6 s.

- **Ellie Seagraves**, petite étude. 22-23 août. 2 s. Repris le fond le 5 septembre. (Coll. part., U.S.A.).

- **A. Benois**, croquis. 13 septembre.
- **Paysage dans la cour**; le soir, peignant à côté de Benois. 14 septembre.
- **Nicole.** 21 septembre - 3 octobre. 6 s.
- **Benois**, dessin. « en écoutant la cantate de Bach ». 3 octobre. (422).

BERTHE NOUFFLARD.
Mère Truchon, religieuse du Cénacle.
1954.

35 × 27

- **Annie Parodi.** 12 janvier - 19 février. 14 s. (Coll. part., Paris).
- **Mère Truchon**, N.-D. du Cénacle. (Cf. croquis, carnet 31). (314).

Nogent-sur-Marne.
La Maison nationale des Artistes.

Parmi les amis peintres que les Noufflard voient souvent pendant cette période d'après-guerre, il y a le grand graveur Pierre-Louis Moreau, un peu misanthrope et ami très fidèle. Veuf maintenant, il vit ses dernières années à Nogent-sur-Marne, dans la Maison Nationale des Artistes Peintres, Graveurs et Sculpteurs. Le peintre Guy-Loé, qui a rendu de si grands services pendant la guerre par l'*Entraide des Artistes,* a fondé et dirige cette maison où tant d'artistes pourront connaître une vieillesse féconde et heureuse. Il deviendra un jour le gendre des Noufflard. Il y a aussi André Barbier, célibataire plein de fantaisie, astronome possédant un téléscope monté sur équatorial et polissant lui-même ses miroirs, collectionneur non seulement d'objets d'art, mais de choses aussi variées qu'objectifs photographiques et parfums... Il y a Jacques Brissaud, il y a Félicien Cacan et sa fille Adeline qui deviendra Conservateur du Petit-Palais ; il y a Louis Le Breton, qui partagera le château des «dames d'Auppegard», et qui dès lors se liera davantage avec ses voisins de Fresnay, jusqu'à sa mort prématurée.

Non pas peintre mais marchand de tableaux, Paul Brame s'est toujours intéressé à leur peinture, et ils aiment lui montrer leur travail. Ils exposent souvent dans la galerie Hector Brame, fondée par son père qui fut un ami de Mme Langweil. Régulièrement, il vient visiter leurs ateliers, accompagné souvent de son fils Philippe, qui deviendra son associé, puis lui succèdera.

Le grand collectionneur hollandais Frits Lugt, fondateur avec sa femme de l'Institut Néerlandais, à Paris, s'intéresse, lui aussi, à la peinture des Noufflard et en acquiert. Il les reçoit souvent, et leur ouvre la splendeur de ses pleins cartons de dessins de Rembrandt...

Il y a enfin la merveilleuse maison de la rue de Villejust — plus tard rue Paul-Valéry — où les Noufflard vont voir Mme Ernest Rouart — Julie Manet, fille de Berthe Morisot — et sa cousine Mme Paul Valéry, au milieu des trésors qui les entourent : leurs portraits et souvenirs de famille...

	A.N.	B.N.

24 mars. Téléphone de Roger Caillois : *Il Grasso* va paraître chez Gallimard... Ce qui ne se réalisera pas.

21 avril - 4 mai. FRESNAY, avec Françoise Haguenau, Annette Czesnovicka et sa fille.

10 juin. Mort de Miss Mabel Robinson.

Le 6 juillet, on s'installe à FRESNAY avec Mme Langweil.

21 juillet - 9 août. Séjour d'Alexandre Benois et Hélène Clément.

9 août. Arrivée chez Henriette de son premier petit garçon : Jean-Gérard (Jean). **11 août.** Jean-Gérard à Fresnay.

24 septembre - 25 octobre. Nouveau séjour d'Alexandre Benois et d'Hélène. Belles promenades : Rouen, Pont-de-l'Arche, vieilles églises, la Valouine, Mesnières, etc. Le 21 octobre, « concert », à Grigneuseville, par *Le Rondeau*, le nouvel ensemble de Geneviève.

Projet d'une petite maison dans le verger, pour que Gustave et Yvonne Marais s'y retirent un jour.

13 novembre. PARIS.
Les Noufflard rencontrent chez Benois son neveu Peter Ustinov qui les fait beaucoup rire par ses imitations.

A.N.

- **Grigneuseville.** Le cerisier en fleurs. (Brame).
- **La grange à avoine** dans les arbres au printemps. (52).
- **La grange à avoine** au soleil du printemps. (53).
- **La basse-cour et le pressoir.** (60).
- **La chapelle d'Etaimpuis.** (Coll. part.).
- **Cailly.** L'abside. (126).
- **Grigneuseville** à travers les tilleuls. (176).

- **Moyettes et grand ciel**, près de Fontaine-le-Bourg. 16 août. (163).
- **Meules** vers la briqueterie. (193).
- **Les Authieux**, l'abside. 3-22 septembre. (97).
- **Grigneuseville.** L'allée du château. (177).
- **Près de Fontaine-le-Bourg** (Coll. part.).
- **Vallée de la Clère.** 18 octobre. (Nous dessinons tous les trois, André, Berthe et Benois.)
- **Le Tôt.** Les peupliers. (258).

B.N.

- **Alexandre Benois**, croquis. 10 avril (carnet 31).
- **Marie-Noëlle**, croquis. 24 avril (carnet 31).
- **Françoise Haguenau**, croquis. 24 avril (carnet 31).
- **Mme de Toulouse-Lautrec** au canapé rouge. 28 avril - 3 mai. 6 s., et repris le 5 mai à Paris (324).
- **Dottie Marjolin.** 20 mai - 26 juin. 8 s. (Coll. part., U.S.A.).
- **Irène Lugt-Parein et son fils Marc.** 4-11 juin. 5 s. (Coll. part., Paris).
- **Peter Harari**, enfant. 18-25 juin. 3 s. (Coll. part.).

- **Hélène Clément.** 25 juillet - 1er août. (Coll. part., Paris).

- **Henriette et Jean-Gérard.** 19-29 août. 6 s., repris le 30 septembre. (Guy-Loé).
- **Jean**, croquis (carnet 31).

- **A. Benois, sa fille Hélène et André** sous la lampe, dessin. 8 octobre. (423 et carnet 31).
- **Hélène Clément** au fichu rouge. 11-17 octobre. 4 s. (239).
- **Vallée de la Clère**, dessin. 18 octobre (carnet 31).

- **Bona Oxilia.** 25 novembre - 19 décembre. 7 s. (Coll. part., Milan).
- **Bona Oxilia**, dessin. 14 décembre. (287).

1955

(En tête du carnet : « **Le 8 octobre, Henriette nous amène notre petit François.** »)

Hiver très sombre. Vent, neige, pluie : les fleuves montent, débordent.

Berthe Noufflard a laissé le récit de deux de ces visites.

Avant-hier, visite rue de Villejust. Mme Rouart m'avait donné rendez-vous à 4 heures moins le quart. La concierge me dit qu'elle est couchée avec une grosse crise de foie, que « Mademoiselle Hortense » est sortie et que, si je sonne, je la ferai sortir de son lit. Elle m'envoie à l'étage au-dessous, chez Mlle Gobillard, chez les Valéry... Intérieur tout à fait du même genre que celui d'au-dessus : vieux jeu, de bon goût avec de belles choses au mur. Très bien reçue. Mlle Gobillard semble contente de causer avec moi, elle me fait même une petite déclaration : sympathie, tout de suite. Elle aime mon petit livre sur Corot [21] qui l'a aidée à passer ces terribles journées où elle était malade, où Valéry, son beau-frère, mourait.

Madame Valéry entre, mince, l'air jeune, les traits dessinés de sa mère et de sa tante. Je lui dis que tout le monde, ces temps-ci, et moi aussi, avons beaucoup pensé à elle. Elle garde ma main dans la sienne. Ces deux sœurs me sont quelque chose. La femme de Valéry et cette famille de mes chers vieux Messieurs Rouart, les chers vieux amis près de qui j'ai grandi.

Mademoiselle Hortense, la vieille cuisinière à cheveux blancs, revient et je monte. Je trouve Julie Rouart dans son lit, sous les Corot et les belles études de sa mère qui couvrent les murs de sa chambre. Elle me reçoit aussi très affectueusement, sans sa réserve habituelle, me remercie si gentiment de mes lettres, «de si jolies lettres!» dit-elle. Et elle me raconte beaucoup de choses, à bâtons rompus.

Savez-vous comment ma mère a commencé à dessiner ? Mon grand-père s'intéressait à l'art, mais je crois qu'il n'y entendait rien. Enfin, ma grand-mère a voulu un jour que ses trois filles apprennent à dessiner pour lui faire un dessin pour sa fête. Elle a trouvé un professeur, un Monsieur Oudinot qui avait toutes sortes de recettes : on fait des hachures pour les ombres, etc. L'aînée, (devenue plus tard Mme Gobillard, mère de Mme Valéry) — elle avait peut-être alors 16 ou 17 ans — a déclaré que si c'était ça le dessin, elle aimait mieux faire de la couture. Les deux autres ont dit qu'elles voulaient bien dessiner mais pas comme ça. On a cherché un autre professeur et trouvé le peintre Guichard qui était très bien. Il habitait Passy. Elles ont fait de grands progrès, et un jour Guichard a dit qu'elles devraient travailler avec Corot. C'est ainsi que Berthe Morisot devint élève de Corot.

Sa sœur Edma était très douée aussi et, un jour, Corot fut si content d'une de ses études qu'il l'échangea contre une des siennes. Et ce paysage d'Edma Morisot fut vendu avec l'atelier de Corot. Mais elle s'est mariée (Mme Pontillon) et a cessé de peindre. Corot leur prêtait de ses paysages qu'elles copiaient. Ainsi la jolie copie de Tivoli qui était là sous nos yeux.

Madame Rouart n'aime pas le portrait de sa mère avec elle-même par Renoir qu'on vient d'exposer chez Charpentier. Pas ressemblant, sauf les cheveux — légers comme elle les avait. « Il l'a fait très vite. Je me rappelle un jour où nous sommes allées déjeuner chez lui et puis poser. Mme Renoir était très grosse. Nous n'avons pas remarqué... qu'elle attendait un bébé... Si grosse d'habitude que cela ne se voyait pas. Et quelques semaines après — nous étions en Bretagne — nous avons été bien étonnées en recevant une lettre de Renoir qui disait : «J'ai à vous apprendre une nouvelle assez ridicule. Nous avons un bébé. » — C'était Pierre ! né dix ans après son frère aîné. Ma mère a répondu : «C'est très bien. Réfléchissez encore dix ans et puis vous aurez une fille. »

Madame Rouart et ses cousines Gobillard sont restées orphelines très jeunes et ont alors vécu ensemble toutes les trois dans cette maison, 40, rue de Villejust, au milieu de ces meubles et de ces objets que l'on voit sur les tableaux de Berthe Morisot. Le joli guéridon Empire à

(21) Il s'agit d'un petit ouvrage sur Corot, cher à Berthe, par Paul Cornu. (Ed. Louis-Michaud, Paris, 1889).

1955

Lily, toujours à la clinique, ne pèse que 36 kilos.

Visites toujours nombreuses à Alexandre Benois.

2 février. Jean a quatre ans. — André, soixante-dix. Paulette Roger s'occupe de Jean.

8-25 mars. Séjour à **BORMES-LES-MIMOSAS**. Voyage via Auxerre, le Morvan, Mâcon, Orange, Avignon. **« Belle lumière. Joie de retrouver Avignon après vingt-neuf ans. »**

Henriette va rejoindre ses parents avec Jean.

Retour par Aix, qu'on revisite. A Bagnols-sur-Cèze, le musée, dont Albert André est conservateur : « exquis Vuillard, exquis Manet, délicieuses roses de Renoir, jolies fleurs de Blanche, Barbier... » Aubenas, Tournus, Couches, Autun.

6-8 avril. Fresnay, pour décider l'emplacement de la petite maison.

Consultation du Docteur Morax : la vue de Mme Langweil n'a pas changé depuis 1949. Or elle a quatre-vingt-quatorze ans. Le 4 juin, arrivée auprès d'elle de sa cousine Blanche Ebstein-Picard. Puis séjour à Dieppe avec Mlle Matter.

22 juin. FRESNAY. La petite maison se construit. Le 5 juillet : **« Jolie fin de journée. Blés, or vert. Bords des chemins poudrés d'or et marguerites. »**

9-21 juillet. Séjour d'Alexandre Benois et Anne.

17 septembre. Mariage, à Londres, de Mary Fisher et John Bennett.

Henriette à la recherche d'un petit frère pour Jean. **8 octobre.** Arrivée de François.

28 octobre. PARIS.

Elisabet Waldenström a pris un appartement à Paris pour y passer l'année avec ses deux plus jeunes enfants, Anders et Fanny.

12 novembre. Le même jour (qui est aussi celui de la mort de Mme René Coty), les Noufflard perdent deux amis proches, M. Dominique Parodi, et l'Ambassadeur John Loudon.

A.N.

- **Bormes.** Les îles d'Hyères à travers les oliviers. (460).
- **Les îles d'Hyères** vues de Bormes. (306).
- **Bormes.** Le vieux château. (307).
- **Bormes.** La chapelle de Saint-François de Paule. (Brame).

- **Bacqueville.** La place. (Guy-Loé).
- **Bosmelet.** Le château. (Coll. part.).
- **Lammerville.** Vallée et abside. 13 juillet. (181).
- **La cour à Pioche.** (32).
- **Sous les marronniers**, derrière la laiterie. (36).

B.N.

- **Vanessa Jebb.** 2 février - 4 mars. 7 s. (Coll. part., Londres).
- **Petit Jean à la mer**, croquis (carnet 31).
- **Bormes.** Par très beau temps ; maisons en cascade. 6 s. (Coll. part., Paris).
- **L'église et la mer.** 22 mars.

- **Miss Christine Morrow.** 14-29 avril. 5 s., repris le 21 mai. (Coll. part., Australie).

- **Le Rondeau au Fossé**, concert à Forges-les-Eaux du 25 juin, peint de mémoire le 29 juin. (195).
- **Agnès Waldenström.** 26-27 juillet. 2 s. (332-333).
- **Paulette Roger**, dessin. 14-16 août. 3 s. (419).
- **Lammerville**, très beau temps. Tableau commencé en juillet, fini le 23 août. 3 s.

- **Jeannine** dans ma chambre. 27 septembre - 18 octobre. 10 s. (Marais).

- **Mlle Svenson.** 10-25 novembre. 5 s.
- **Fanny**, inachevé. 11 novembre. (Coll. part. Stockholm).

- **« Benois dessine** dans le salon, rue de Varenne, et moi aussi. » Dessin. 26 novembre - 3 décembre. (425).
- **Jean.** 28 novembre - 19 décembre. 4 s. (161).

trois pieds, la grande vasque chinoise bleue et blanche (que l'on vient de casser, hélas !) dans laquelle Berthe Morisot a donné à Julie, ou fait donner, son premier bain.

J'ai eu un bon petit thé près du lit, avec la jolie lettre de Corot à lire — qui m'attendait : une vraie lettre de Corot !

Quand je suis partie, Mlle Hortense m'a crié du haut de l'escalier : « Et merci pour la bonne visite ! ».

7 août 1945.

★

Ce qu'on apprend de l'attitude de Valéry — appréciant Pétain « qui s'est sacrifié pour l'**union** des Français » est bien déroutant. Un si grand esprit. Nous trompons-nous en jugeant la conduite de Pétain ? Il nous semble que, par son équivoque, elle a surtout **divisé** les Français. Et qu'il se soit trouvé un Maréchal de France pour livrer à Hitler, à Franco, des proscrits politiques réfugiés chez nous, ayant combattu avec nous, j'en sens — j'en ai senti tout de suite — la honte, en même temps que celle d'abandonner nos alliés. Double jeu, plaident-ils. Joué plutôt « la carte allemande » quand ils pensaient que l'Angleterre « ne tiendrait pas quinze jours » après notre débâcle — ainsi qu'Alexandre nous l'a dit en arrivant à Feuillade, en juillet 40, donnant « l'opinion des militaires ».

Horrible procès, sans rien de la hauteur, de l'honnêteté que devrait avoir une Cour de Justice.

Cependant nous avions des comptes à demander à ce sinistre vieillard.

★

Avant-hier, j'ai mené Pauline Simon-La Jarrige et son mari chez Madame Rouart. Leur joie émue, leur surprise dans cette maison, devant ces tableaux — de famille, quelle famille ! — m'a rendue heureuse.

Madame Rouart était contente aussi. Tout de suite en confiance avec Pauline, si directe et délicatement sympathique.

- « Oui, ma mère est morte quand j'avais seize ans et mon père avant, quand j'en avais treize... » Et à moi, en souriant : « J'ai eu beaucoup de chance de me trouver dans la famille Rouart... Oui,... et je dois beaucoup à Degas — oui, c'est lui qui m'y a fait entrer... »

Je me rappelle la petite histoire racontée par Barbier : à un des dîners chez M. Henri Rouart, avec Degas, Valéry, les jeunes Rouart, la jeune Julie — les jeunes gens timides, silencieux. Degas, qui avait compris à quel point timides, a dit brusquement, interpellant la jeune fille stupéfaite : « Julie Manet, voulez-vous prendre pour époux Ernest Rouart ici présent ? »

On imagine le silence, le trouble... Les deux jeunes gens sont sortis ensemble, et, disait Degas à Valéry je crois, « ils se sont fiancés dans la rue ! »

... A la fin de notre visite, nous étions dans l'atelier du rez-de-chaussée où l'exposition de Mme Rouart était encore accrochée, une étrange petite fille entra — dix ans peut-être, fine, pâlote avec un air grave, une drôle de robe au corsage serré, jupe longue presque jusqu'aux chevilles, — sans dire un mot, elle a donné la main, puis s'est mise à faire — je crois que cela s'appelle la roue — sur les mains, jambes par-dessus tête, encore et encore tout autour de la pièce, rapidement — vraie acrobate — et puis, la tête en bas, dressée sur les mains, les jambes repliées comme la petite Salomé dansant sur le portail de Rouen...

Inattendu — et joli ! après les peintures, les récits, dans cette maison — Manet, Berthe Morisot, Degas, Mallarmé (qui fut tuteur de Julie, nous a-t-elle dit), les Rouart... cette petite bonne femme, petite-fille de Madame Rouart, arrière-petite-fille de Berthe Morisot, arrière-arrière-petite-fille de Manet...

9 juin 1955.

1956

1er-3 janvier. Voyage à Fresnay pour les élections, et pour surveiller le chantier de la petite maison.

14 janvier. Concert chez les Noufflard : présentation de « Christophe », le clavecin du *Rondeau*. Vingt-cinq personnes, dont Philippe Monod, le Professeur Oberling, la cantatrice Eugenia Zareska.

13 janvier - 18 février. Maria Fossi, en séjour à Paris pour préparer sa thèse sur Pisanello, habite rue de Varenne.

15 février. Chez Frits Lugt, Berthe s'intéresse à Sofonisba Anguisciola, femme peintre : son portrait, jeune, par elle-même ; un croquis d'après elle, vieille, par Van Dyck *.

30 mars - 2 avril. Voyage avec Henriette et les enfants pour voir Mme Amédée, « l'autre maman là-bas » de Jean, près de Château-Chinon.

22 avril. André va à Fresnay pour la bénédiction de l'église de Biennais reconstruite.

Gretel Schneider vient s'occuper des enfants d'Henriette.

Etienne Bauer et Micha prennent leur petit-déjeuner du dimanche chez les Noufflard, comme en 50-54.

Début juin. Mme Langweil s'installe à Varengeville avec sa dame de compagnie.

15 juin. FRESNAY. On voisine de plus en plus avec les Toulouse-Lautrec.

5-22 juillet. Visite d'Alexandre Benois, avec Anne d'abord, puis Hélène.

Berthe a soixante-dix ans. Cette année-là, elle commence à avoir des malaises d'origine cardiaque.

24 août. Journée à Paris pour voir Lily, malade, et Alexandre Benois.

21 septembre. « Un savant a dit l'autre jour : Il faut tant de circonstances réunies pour permettre LA VIE, qu'il y a peu de chances pour qu'elle existe sur une planète proche de nous... Nouveau — surprenant — ce vide — et cette vie précieuse. Cela serre le cœur — suffoque presque. »

---

* Sofonisba Anguisciola, née à Crémone en 1527, morte après 1625, portraitiste de la Cour de Philippe II.

A.N.

• **Fresquiennes** (continué avec Alexandre Benois). 22 juin. (170).

• **Monville.** Château, vallée. (214). (dessin 280).

• **Saint-Victor** vu de la route de Tôtes. (255).

B.N.

• **La jeune Chinoise** Margaret Liu. Travaillent également sa sœur peintre Liu-Tse-Ming, et Elisabet. 6 février - 3 mars. 8 s. (260).

• **Le Rondeau.** (G. Noufflard, flûte ; S. Spycket, clavecin ; M.-A. Mocquot, viole de gambe). 6 février - 10 avril. 8 s. (196).

• **Françoise Potier et sa fille Catherine.** 10 mars - 13 mai. 9 s. (Coll. part., Paris).

• **François,** croquis. 21 avril (carnet 32).

• **Elisabet Waldenström.** 7 mai - 7 juin. 6 s. (331).

• **Bouquet de seringat** dans le vase blanc. 26 juin - 12 juillet. 7 s. (404).

• **Jean et François,** croquis. 27 juillet (carnet 33).

• **Geneviève.** 31 juillet - 15 août. 9 s. (194).

• **Béatrix de Toulouse-Lautrec,** dessin. 10 août (carnet 33).

• **François.** 22-29 août. 4 s. (Guy-Loé).

• **Anne-Louise de Toulouse-Lautrec.** 18 septembre - 6 octobre. 4 s. (Coll. part.).

BERTHE NOUFFLARD.
Margaret Liu.
1955.

55 × 46

En ce temps-là, des amitiés anciennes sont renouées. Perle-Odette Cohen, qui avait tenu le rôle de Sylvia dans *Le Jeu de l'amour et du hasard*, est devenue Mme Emile Blamont, et son mari est le Secrétaire de l'Assemblée Nationale ; les Raymond Aron, qu'on retrouve après les années sombres. De nouveaux amis aussi, connus pendant la guerre : Annette Czesnowicka (son mari polonais, officier à Londres, a été tué) ; le philosophe allemand Eric Weil, sa femme Anne et sa belle-sœur Catherine Mendelssohn ; les Collot d'Escury, voisins du Cireygeol ; le colonel Jean-Brice de Bary, que Geneviève a connu au Cabinet du Général de Lattre : les Noufflard éprouveront une vraie amitié pour lui, sa femme, et ceux de ses enfants qu'il connaîtront ; Philippe Monod, connu par la Résistance, et naturellement tout le groupe, si proche à Toulouse, des Haguenau, Debré, Schwartz. Françoise Haguenau a suivi les traces de son père en faisant sa médecine, mais se spécialise maintenant dans la recherche sur le cancer.

André et Berthe doivent à Henriette des amitiés médicales et scientifiques : Jacques Mallarmé vient en voisin et quelquefois en médecin ; tout jeune, il avait été souvent l'hôte de Mme Langweil avec son père, alsacien d'origine et sénateur d'Alger. Les Noufflard avaient

29 septembre. « André me tape mon essai » (sur la peinture, pour Elisabet).

2-5 octobre. Visite de Benois et d'Hélène.

16-20 octobre. Voyage d'André et Berthe en HOLLANDE : La Haye, Amsterdam, Rotterdam.

30 octobre. « Israël ! »

1er novembre. Mort de Maria Roselli à Florence.

4 novembre. La Hongrie. Tanks russes. Appels...
— La Hongrie s'est tue.

10 novembre. Retour à PARIS.

Noël. Elisabet téléphone de Stockholm, ce qui deviendra une tradition chère au cœur de Berthe.

• **Fresnay vu du fossé.** 10 octobre. (6).

• **Dans le train** entre La Haye et Rotterdam, croquis. 19 octobre (carnet 33).

22 octobre - 1er novembre. J'essaye de peindre un souvenir de voyage. 3 s.

• **Le Père Cyprien,** croquis. 14 novembre (carnet 31).

1957

Geneviève est souvent absente, en tournées de concerts. Elle s'occupe aussi du lancement des *Heures Musicales de Saint-Séverin.*

Mort de Louis Le Breton, de Jean Texcier, frère de Mme Benoist ; de l'amie de toujours, lointaine mais si proche, Donna Isa Chigi.

13-16 mai. Fresnay. Aménagement de la petite maison. Grigneuseville.

5 juillet. FRESNAY. Mariage d'Anne-Marie Marais et Daniel Dürr.

Les enfants sont à Fresnay avec Gretel.

30 juillet - 11 août. Séjour d'Alexandre Benois, seul cette fois, qui sera ramené à Paris, malade, par Henriette.

Henriette et les enfants passent le mois de septembre à Guétary.

10 septembre. Quatre-vingt-seizième anniversaire de Mme Langweil. Surprise à Fresnay : M. Schreiber, avec trois *Petits Chanteurs de Thann* en costume.

Les Noufflard rencontrent souvent chez Alexandre Benois le Père Cyprien, Archimandrite, qui les frappe beaucoup.

12 novembre. Miss Hudson est morte.

14 novembre. Retour à PARIS.

• **Fossé et meule** vers Saint-Victor. (253).
[9 août. Avec Alexandre Benois aux Authieux.]
• **Fresquiennes** et sa mare. 30 août. (171).
• **Eglise de Fresnay,** intérieur. Sainte-Anne et le confessionnal. (83).
• **Place du village** (Brame).
• **Eglise de Manhéouville.**

• **Corinne Walch.** 23 janvier - 7 février. 4 s. Repris le 24 février 1958. (Coll. part., Paris).
• **Mme Paul Brame.** 6-22 mars. 6 s. (Coll. part., Paris).
• **Tulipes blanches.** 19-30 avril. 6 s. (Coll. part.).
• **Sylvie Brame.** 22 mai - 1er juin. 4 s. (Coll. part., Paris).
• **Nicole Gengoux.** 23 mai - 20 juin. 5 s. (Coll. part.).

• **Jeannine Marais.** 23 juillet-21 août. 15 s. dont 2 sans elle. Repris le 13 septembre, le 17 (fond), les 19 et 21 octobre (raisin, mains). (267).

• **Jean** (à qui Henriette lit *Bonne-Biche et Beau-Minon*). 23-24 août. 2 s. (Guy-Loé).

• **Bouquet** dans le salon. 22-23 septembre. 2 s. (397).
• **Mano de Bary,** 11 ans. 28 septembre - 8 octobre. 7 s. (Coll. part.).
• **Dans le salon.** 30 octobre - 12 novembre. 4 s. (342).

également connu Pol Le Cœur adolescent par les amis Parodi. Chirurgien orthopédiste, ses intérêts étaient variés, et souvent partagés par les Noufflard ; il n'est pas étonnant qu'il soit devenu professeur d'anatomie à l'École des Beaux-Arts. Mme Langweil lui dût, nous l'avons vu, de pouvoir refaire une distribution du Prix de Français aussitôt après la libération de l'Alsace. Elie Wollman, camarade de médecine d'Henriette, était lui aussi devenu un ami. A la suite de son père disparu dans les camps, il travaillait à l'Institut Pasteur dont il devait un jour devenir sous-directeur.

Le Professeur Jean Trémolières, très connu du grand public autant qu'estimé de ses collègues nutritionnistes, habitait, tout près de la rue de Varenne, l'appartement même de la rue Las Cases qui avait été celui d'André et Berthe jeune ménage. Il avait épousé Claire Boutet de Monvel, une très vieille amie d'Henriette, qui eut la joie de les retrouver dans les années 50. Depuis, l'amitié avec tous les Noufflard ne fit que grandir, et Berthe peignit de leur fille Jeanne, toute petite, puis jeune fille, deux portraits particulièrement attachants. Jean, pour sa part, avec sa chaude simplicité, son élévation morale et son savoir, allait être un soutien quasi-quotidien pendant la dernière maladie de Berthe.

Ils rencontraient de loin en loin le Professeur Henri-Edouard Brissaud, avec qui Henriette avait travaillé depuis 1948 alors qu'elle était interne du Professeur Robert Debré et qu'il mettait au point le traitement de la méningite tuberculeuse. Bien que très absorbé par son service de pédiâtrie, ses intérêts restaient multiples, et il n'oubliait pas qu'il comptait dans sa famille proche des peintres tels que Jacques et Pierre Brissaud et l'illustrateur Maurice Boutet de Monvel ; il sut apprécier les portraits de Berthe déjà âgée et malade, et le lui dire, avec un goût et une compréhension qui la touchèrent fort.

D'autres amis, anglais et américains, furent des visiteurs plus ou moins habituels, parmi lesquels Phoebe Hudson, qui était venue travailler un an dans le service du Professeur Debré. Elle a maintenant légué au musée de Cincinnati le portrait que Berthe avait fait d'elle toute jeune fille. Honor Smith, qu'Henriette avait connue par ses travaux mémorables sur le traitement des méningites, affronta plus d'une fois les tempêtes de la Manche au mois de novembre : elle venait d'Oxford pour fêter avec Henriette leur anniversaire à Fresnay, égayant chacun de son rire si communicatif, et de son goût — plein d'humour — pour la vie.

De tous les amis intéressants qu'Henriette avait connus aux Etats-Unis, les plus remarquables sans doute, et les plus proches d'André et de Berthe, furent les René Dubos. René Dubos analyse plus loin ce que fut cette amitié [22]. Il n'est pas besoin de dire ici quel très grand savant est René Dubos, l'un des principaux inventeurs des antibiotiques, et le précurseur de l'« écologie ». Sa philosophie de l'existence, l'étendue de ses intérêts et de sa culture, le charme de sa conversation qu'illuminent toujours des intuitions inattendues, devaient tout naturellement enchanter André et Berthe, de même que, à ses côtés, la présence chaleureuse et intelligente autant que discrète de sa femme Jean. Par les récits et les échanges d'idées, par l'amitié réciproque, ils apportèrent des moments clairs et riches dans la vie des Noufflard, des échappées, tout au long de leurs dernières années, à mesure que la fatigue ou la maladie les tenait plus à l'écart.

Par les Dubos, les Noufflard connurent Alvin Pappenheimer, un grand savant de Harvard venu passer à Paris une année sabbatique. Berthe fit le portrait de sa femme et de leur fils.

▷ *page 241*

(22) Le Professeur René Dubos s'est éteint à New York le 20 février 1982.

55 × 46

BERTHE NOUFFLARD. *Le jardin en fin de journée.*

232

61 × 46

BERTHE NOUFFLARD. *Madame Langweil devant son "paravent d'or"*. 1950.

ANDRÉ NOUFFLARD. *Fresnay. Sous les marronniers.* 1948.

33 × 46

BERTHE NOUFFLARD. *André peignant dans les champs.* 1946.

19 × 24

234

38 × 46

BERTHE NOUFFLARD. *Portrait de Henri Rivière.* 1947.

46 × 55

BERTHE NOUFFLARD. *"Le Rondeau".* 1956.
(Geneviève Noufflard, flûte ; Sylvie Spycket, clavecin ; Marie-Anne Mocquot, viole de gambe).

38 × 46

ANDRÉ NOUFFLARD. *Fresnay. La grange à avoine.* 1954.

237

BERTHE NOUFFLARD. *Elise Marjolin.* 1952.

31 × 40

BERTHE NOUFFLARD. *Jeanne Trémolières.* 1967.

46 × 38

238

33 × 41

ANDRÉ NOUFFLARD. *Fresnay.* 1948.

38 × 46

BERTHE NOUFFLARD.
Nature morte à la tasse de lait.
1941.

BERTHE NOUFFLARD.
Pierre Billard.
1970.

41 × 33

Fresnay. 27 sept. 1960

Françoise Haguenau

17 × 21

Les Noufflard goûtaient la musique depuis toujours. Toujours ils eurent des amis musiciens.

Leur amitié avec le grand pianiste que fut Lazare-Lévy dura aussi longtemps qu'il vécut. On a vu la place que tint Balbina Braïnina, pianiste russe, dans la famille. Etablie aux Etats-Unis, elle allait voir ses vieux amis chaque fois qu'elle revenait en Europe, jusqu'à sa mort soudaine en 1951. Par elle, ils avaient la joie de connaître depuis longtemps l'organiste André Marchal. Par Mme Homberg et sa *Société d'Etudes Mozartiennes*, ils avaient rencontré et accueilli Reine Gianoli dont ils appréciaient le jeu. Les activités de Geneviève leur firent connaître par la suite d'autres musiciens : tout d'abord ses maîtres, René Le Roy et Marcel Moyse, ainsi que Norbert Dufourcq. Ensuite Elisabeth Brasseur, chef de chœur mémorable, dont Rivière, comme eux, aimait la verve et la forte personnalité ; Edwin Fischer, auquel ils devaient de si beaux souvenirs ; ils reçurent des musiciens étrangers, comme le chef d'orchestre Karl Münchinger, le maître de chœur Heinz Mende ; d'Amérique vinrent Dorothea Kelley, altiste, qui se lia d'amitié avec toute la famille, de même que Betsy Jolas, jeune compositeur, et Paul Boepple, son premier maître aux Etats-Unis ; et, parmi les camarades proches de Geneviève, toujours accueillies avec joie, Marie-Anne Mocquot dont

241

41 × 33

BERTHE NOUFFLARD. *Betsy Jolas, compositeur.* 1947.

242

l'admirable viole de gambe séduisait l'œil et l'oreille de Berthe, Laurence Boulay, la musicologue pour qui le Conservatoire devait créer une nouvelle classe de réalisation au clavecin...

BERTHE NOUFFLARD.
Laurence Boulay,
claveciniste. 1960.

64 × 55

Berthe eut plusieurs fois l'occasion d'écouter Nadia Boulanger, et subit la fascination du grand maître qu'elle fut. Après avoir assisté à un cours sur Debussy, elle écrivit ces lignes :

Quelle personne étonnante ! avec cette intelligence, cette passion, cette beauté — et cette extraordinaire sensibilité, qui s'expriment si naturellement par tout ce qu'elle dit — par les gestes de ses belles mains — son très beau visage, noble et sensible. Elle est merveilleuse. Quel portrait de l'esprit, du goût, de la couleur — presque de la saveur de Debussy en tant que musicien, qu'expression musicale.

243

46 × 38

BERTHE NOUFFLARD.
Jonathan Griffin.
1946.

BERTHE NOUFFLARD.
Vanessa Jebb,
la fille de l'ambassadeur.
1955.

ANDRÉ NOUFFLARD.
Le château de Grigneuseville.
1953.

Moi aussi, j'ai vu une fois Debussy et je comprends ce qu'elle dit de ses yeux. Mais j'ai vu sa figure grave devenir amusée quand Rivière est allé lui parler. Il était très pâle — **blanc** (ce que Blanche n'a pas rendu du tout dans son portrait) — avec des yeux sombres.

L'intelligence, non pas simplement, froidement, du métier, mais de la création de l'auteur — que quelques êtres très artistes et très instruits peuvent nous aider à approcher (comme a été Rivière pour moi en peinture) — cette intelligence ne fait qu'augmenter l'impression profonde et lucide que doit nous donner une belle œuvre d'art... Nadia Boulanger en désigne la beauté, la rend évidente plus encore qu'elle ne l'explique. (25 novembre 1958).

Berthe n'avait jamais étudié sérieusement la musique. Pourtant sa perception de l'esprit d'une œuvre, son jugement sur une interprétation étaient d'une sûreté remarquable. Pour sa fille musicienne — qui se permet ici une remarque personnelle — telle critique, tel conseil encore présents à son esprit ont été aussi éclairants sans doute que maints enseignements de spécialistes.

★

Après la mort de ses parents, John Rosselli, fixé en Angleterre, devenu chroniqueur historique du *Manchester Guardian*, puis professeur d'histoire à l'Université de Brighton, demeura, avec sa propre famille, un ami des plus fidèles. A Paris comme en Normandie, les Noufflard recevaient souvent des Anglais : outre les amis de toujours, ils fréquentèrent l'ambassade d'Angleterre quand Sir Glawyn Jebb était ambassadeur à Paris. Berthe avait connu toute jeune Lady Jebb, née Cynthia Noble [23] ; elle fit le portrait de ses deux filles. Ils recevaient aussi Jonathan Griffin, qui travaillait à Paris pour la BBC, et dont Berthe fixa la silhouette bien britannique.

Du côté de la famille d'André, ils revoyaient toujours avec joie leur cousine Annie Noufflard, fondatrice jadis avec Mme Getting du Service Social à l'hôpital, et son frère Charles Noufflard, ancien gouverneur du Dahomey, ainsi que les cousins d'Italie qui parfois venaient à Paris. André correspondait régulièrement avec ses neveux, Stefano Acquaviva et Titina Cogolli. Du côté de Berthe, proches étaient ses cousins Ebstein, fixés au Territoire de Belfort, et Marie et Ernest Goldman, établis aux Etats-Unis.

★

En 1953, un jour qu'André peignait dehors non loin de Fresnay, un inconnu vint observer silencieusement son travail. Selon son habitude en pareil cas, il y prêta peu d'attention. Il resta tout aussi absorbé lorsque l'inconnu manifesta son intérêt, se disant propriétaire de la ferme, sujet du tableau. Mais quand il entendit : « Je me présente. Comte de Toulouse-Lautrec », de surprise, il tourna la tête... Ils ne se revirent que l'année suivante, devant un autre motif, à l'entrée du château de Braquetuit. Le Comte de Toulouse s'étant présenté de la même manière, comme propriétaire de ce château, André Noufflard lui demanda, avec humour mais quelque insolence : « Vous vous appelez Comte de Toulouse-Lautrec ou Marquis de Carabas ? » Enchanté, le Comte l'emmena chez lui. Et c'est ainsi que les Noufflard firent la connaissance du Colonel et de Béatrix de Toulouse-Lautrec, leurs voisins. L'admirable petit château rose qu'ils habitent à Grigneuseville n'est qu'à six

(23) Aujourd'hui Lord et Lady Gladwyn.

18 novembre. Florence Halévy a eu une crise cardiaque dans la nuit. Elle meurt l'après-midi, tandis que son frère est auprès d'elle. Les enfants passent quelques jours rue de Varenne avec Gretel.

13 décembre. Béatrix de Toulouse-Lautrec obtient le Prix Vérité pour ses souvenirs de déportation : *La Victoire en pleurant.*

A.N.

B.N.

1958

(Année de l'arrivée de Sylvie.)

En ce début d'année, deuils successifs. Beaucoup de vieux amis disparaissent : Louis Blaringhem, Camille Schlumberger, Mgr Chevrot, Mme Loudon, et — le 22 février — Mme Parodi.

10 mai. Exposition Berthe Noufflard à la galerie Brame.

13 mai. Troubles à Alger. Etat d'urgence. Retour au pouvoir du Général de Gaulle.

16 juin. Retour à FRESNAY, qui a changé d'aspect : le haut sapin, planté près de la maison par Georges Noufflard enfant, a été abattu cet hiver par une tempête, ainsi que nombre de hêtres.

20 juin. A Paris : il y a des tableaux à finir. Visites à Benois qui a été malade.

2 juillet. Les Noufflard vont dire au revoir à Benois, bien fatigué. « Il nous donne son **charmant** sous-bois du Parc de Fontainebleau, que j'aime. » Le lendemain, départ pour Fresnay, en repassant par chez Benois : « Je lui porte mon tableau de fleurs qu'il a désiré. »

Eté difficile. Périodes calmes alternant avec orages. Mme Langweil se promène encore souvent dans le jardin, ou dans la cour, où elle aime donner à manger aux poules.

André et Berthe la ramènent à Paris (18-21 septembre). Ils y voient Benois, les Bauer, et reçoivent les Dubos avec Jean Trémolières et son fils François.

Malade, Mme Langweil est soignée par des infirmières danoises, parmi lesquelles Liselotte Ravn, qui deviendra une amie de la famille.

Les Noufflard feront encore deux brefs séjours à Paris en octobre.

Le **31 octobre**, arrivée chez Henriette de Sylvie. Elle l'amène à Fresnay le 8 novembre.

- **Vallon** entre Frichemesnil et Clères. (174).
- **Le grand hêtre** de Fontaine-le-Bourg. (166).
- **Le vestibule.** (26).
- **Derrière Frichemesnil,** brume. (175).

- **Emmanuèle Wollman.** 19 janvier - 5 avril. 4 s. très espacées : la 2e le 23 mars. (Coll. part., Paris).
- **Jeanne de Bary.** 20 février - 16 mars. 7 s. Repris le 29 mai. (Cf. carnet 32). (Coll. part.). [24 février. Reprise du portrait de Corinne Walch (1957)].
- **Marie-Clotilde Legrand,** 5 ans. 27 mai - 11 juin. 5 s. (Coll. part.).
- **Jacqueline Chatenet.** 19-27 juin. 4 s. (Coll. part., Paris).
- **André dans le salon.** 23 juillet - 10 août. 10 s. Porte la mention : « Peint pour Geneviève ». (131).
- **Jean au tricot rouge.** 23-28 août. 5 s. Repris le 1er septembre. (Coll. part.).

Grand-père.

kilomètres de Fresnay. Le voisinage devint précieux. L'amitié, née spontanément, s'épanouit au point que, plus tard, les Noufflard devinrent «Oncle André et Tante Berthe». Dès l'abord, la sympathie avait été immédiate.

> Hier soir, nous lisons le récit de l'arrestation et de la captivité de la jeune femme, qu'elle nous a confié. Poignant — touchant et d'une simplicité parfaite [24].
>
> Nos voisins nous inspirent grand intérêt — sympathie — admiration. Et si simples et charmants, dans leur petit château de contes de fées — unis, aimants, avec leur gentille petite Anne-Louise — leurs beaux châteaux, partout en France — leur vieille noblesse qui remonte si loin — soixante générations de comtes de Toulouse.
>
> Et les Albigeois...
> **Et** Toulouse-Lautrec !
>
> (17 octobre 1953).

Plus tard, un jour, comme elle le dira, de «*sfogo*» [25], Berthe note :

> M. de Toulouse m'apporte les **jolies** aquarelles de sa femme.
>
> Charmante personne — avec sa **vraie** sensibilité et tous ses jolis dons d'expression. Surprise et vrai grand plaisir.
>
> Vieille, maintenant, je ne veux plus dans ma vie que ce qui est vrai — authentique. Que ce qui est fait «pour avoir l'air» aille se faire fiche.
>
> Il y a des gens si menteurs, dit Saint-Simon, que, quand ils demandent à boire, on se demande s'ils ont vraiment soif. Eh bien, je connais cela très exactement : «Qu'est-ce qui *fait* le mieux ? Avoir soif ? Ou pas ?»
>
> Pleurer — exprès.
> Rire — exprès.
> *Faire* l'étonnée. *Faire* la bête...
> Insupportable...
>
> (25 février 1955).

Famille

C'est cette même année 1953 que la santé d'André commence à donner de sérieux soucis. Elle va empirer gravement en 1960. Berthe, pour sa part, doit rester plusieurs mois de la même année au lit, immobilisée par des vertiges.

Malgré ces soucis, André et Berthe connaissent ces années-là un grand bonheur : celui de devenir grands-parents, grâce à Henriette qui adopte successivement trois enfants.

Jean arrive en été 1954. Il a trois ans et demi, un joli visage sous des boucles blondes, et conquiert aussitôt le cœur de toute la famille. Son grand-père le surnomme (avec l'accent toscan aspirant les «c») : *Ruba-cuori* (Dérobe-les-cœurs).

Un an plus tard, Berthe écrit :

> Petit Jean à Fresnay. Hier soir, nous montons lui dire bonsoir dans son lit. Il m'embrasse. Puis il met ses bras autour du cou d'André : «Z'aime **beau**coup mon grand'papa», qui répond : «J'aime **beau**coup mon petit fils.» Il revient à moi, me rembrasse et me demande : «Dis aussi comme Grand'Papa.» On se rembrasse : «J'aime **beau**coup mon petit-fils.» Cher petit garçon.

---

(24) Béatrix de Toulouse-Lautrec. *La victoire en pleurant*. Editions France-Empire, Paris, paru en 1981.
(25) *sfogo* signifie explosion en italien.

Le **18 novembre,** Berthe note : «**Jivago. Pasternak. Le tourment pour les douleurs de ceux qu'on aime.**»

19 novembre. L'administrateur de Fresnay, M. Guernier, qui est pilote, emmène André et Berthe, l'un après l'autre, survoler Fresnay en *piper-cub*.

24 novembre. Retour à **PARIS**.

Le 14 décembre, Mme Langweil, toujours malade, agitée, donne des inquiétudes. Le 16, elle refuse de s'alimenter.

15 décembre. Lily se casse le col du fémur et doit être plâtrée.

19 décembre. André subit une intervention chirurgicale. Mme Langweil est dans le coma.

22 décembre. Mort de Mme Langweil, rue de Varenne.

A.N.

● **La Pierre,** près du château, à l'automne. (233).

● **Lumière d'automne.** (Coll. part.).

● **La cour en automne,** le soir. (Coll. part., Stockholm).

B.N.

● **Fenêtre de la salle à manger,** pochade. 28 octobre. (347).

1959

1ᵉʳ janvier. «**Il faut BIEN aimer ceux que nous aimons : la vie passe si vite. On peut pourtant bien la remplir.**»

3 janvier. Fusée russe vers la lune.

8 janvier. Lily, opérée, est ramenée à l'hôtel Alcyon de Breteuil où elle réside.

27-29 janvier. Deux jours à Dieppe (Hôtel Aguado) et à Fresnay pour arbres à abattre.

7-10 mars. Dieppe, Fresnay. Elections municipales. André est réélu.

Mort du Général de Bary en Amérique.

15 mars - 6 mai. Elisabet Waldenström en séjour rue de Varenne.

On prépare la vente des collections de Mme Langweil, selon sa volonté, avec M. André Portier, expert, et Mᵉ Etienne Ader.

Fréquents voyages à Fresnay (8 février, 14-16 mars, 20 mars).

On repeint l'appartement : salon gris plus soutenu ; le couloir, à motifs jaunes, devient «galerie de dessins».

Rangements et triages dans les salons de Mme Langweil. On s'est aperçu de fissures menaçantes dues aux percées faites inconsidérément lors de l'installation du *calorifère*, puis du chauffage

[10 janvier. Reprise : Benois et sa femme (1950).]

● **Mme Alain Savary.** 12 mars. 2 s. (Coll. part., Paris).

BERTHE NOUFFLARD.
Henriette.
1947.

55 × 46

Puis, l'automne suivant :

Henriette nous a amené à Fresnay le charmant petit **François**, (quinze mois). Il a l'air aussi bon que gentil et éveillé.

Les deux frères deviendront inséparables. Jean dira : « Dis, Maman, on l'a bien choisi, **notre** petit frère ! »

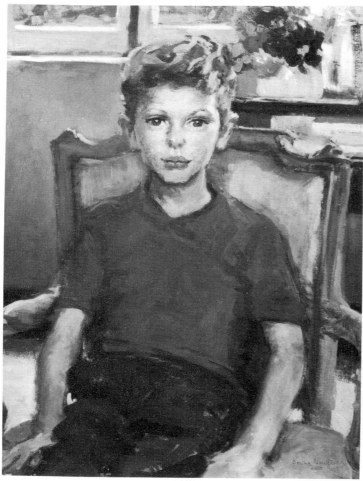

BERTHE NOUFFLARD.   50 × 38
Jean.
1958.

BERTHE NOUFFLARD.
François.
1956.

24 × 19

lement férocement antifascistes, mais les discussions pouvaient porter aussi sur des problèmes de philosophie ou de critique, qui produisaient des éclats de tonnerre et des éclairs très animés.

André, quoique italien par sa mère, était foncièrement normand. A Fresnay étaient ses racines et son cœur. Le charme du paysage et de la maison familiale, qu'il aimait profondément et qu'il a si bien interprété dans ses peintures, reste vivant. Elles reflètent son âme de poète, qui puisait son inspiration à ces vastes horizons, à ces grands ciels, qui portent un message encore plus vaste par les nuages de l'Atlantique.

La chère Berthe, avec son inépuisable chaleur, sa douceur et son humour, pleine de culture et d'intérêts dans les champs les plus vastes et inattendus, avait le don de savoir communiquer toute son humanité par mille récits et allusions à un passé plein d'expériences de vie, sur lesquelles elle portait un jugement précis et calme. Cette précision et une grande sensibilité psychologique, on les retrouve dans ses peintures, surtout dans les portraits. Tout ce qu'elle savait avait été assimilé par son intelligence et faisait un avec sa personnalité pleine de compréhension charitable.

★

Après la mort de Mme Langweil, on s'aperçut que les désordres constatés par l'architecte dans sa maison de la rue de Varenne étaient plus graves qu'on ne l'avait supposé. La propriétaire, presque centenaire, répugnait aux réparations et à la présence d'ouvriers : depuis des années, on ne parait qu'au plus pressé. Des fissures et des déplacements s'étaient produits. La construction même était menacée. Il fallut étayer la façade sur le jardin. On hésita devant l'ampleur des travaux indispensables, et devant les conseils « raisonnables » d'abattre la vieille demeure pour construire un immeuble qui rapporterait. La famille décida, pour faire face, de vendre la partie la plus remarquable de l'hôtel, celle qui avait abrité les collections de Mme Langweil, et dont les boiseries sont inscrites à l'Inventaire des Monuments Historiques. C'est ainsi que Johnny de Beistegui devint le voisin des Noufflard, avec sa jeune femme née Annick de Rohan, qui fut, elle aussi, le modèle de Berthe.

L'architecte qui présida à ces travaux, qui aida à ces décisions, fut Michel Mare. Il demeura, pour cette maison qu'il avait contribué à sauver, et dont il réalisa avec goût tous les aménagements qui suivirent, ainsi que pour la famille qui l'habitait, l'ami et le conseiller le plus sûr.

★ ★
★

29 mars. On doit étayer la façade de la maison sur le jardin. On décide la vente du rez-de-chaussée.

8 mai - 8 juin. Voyage en Italie. Les Noufflard passent un mois à **ASOLO** avec leur employée Madeleine Kieffer. Geneviève les y rejoint pour trois jours. Visite des lieux où André était au front ; séjour à **VENISE**, avant de rentrer via Mantoue, Piacenza, Milan.

Le **13 juin**, le rez-de-chaussée de la maison est vendu à Johnnie et Annick de Beistegui, sauf la petite enclave à l'extrémité, où Geneviève garde son studio, ce qui assure aux Noufflard une ouverture sur le jardin.

27 juin. FRESNAY.

Cet été, André souffre de forts saignements de nez. Berthe commence à avoir des crises pénibles de tachycardie paroxystique, qui désormais empoisonneront sa vie.

Fresnay reçoit toujours leurs amis.

Berthe organise son « petit jardin dallé de fines herbes ».

29 octobre - 1er novembre. Henriette vient à Fresnay avec les enfants et Guy-Loé.

2 décembre. Retour à **PARIS**. « **Lumière très belle : tout est beau, mêmes les fumées, les cheminées d'usines !** »

« **Réconfort : tout est mis en ordre... Jolis bouquets partout !** »

Mais André n'est pas bien, et devra passer à nouveau quelques jours à la clinique Hartmann (12-15 décembre).

Néanmoins Berthe a repris ses pinceaux dès son retour, et entrepris un nouveau portrait.

1961

Désormais le studio de Geneviève au rez-de-chaussée comporte deux pièces superposées et une petite cuisine. Parfois André et Berthe y viennent dîner, notamment le dimanche soir ; ou encore ils y reçoivent Mme Benoist, qui ne peut plus monter les étages.

Les docteurs Jacquot et Acar veillent sur leur santé qui laisse à désirer.

Ils voient toujours leurs amis, ils entourent Anne Tcherkessoff, qui leur avait fait de beaux cadeaux

A.N.

- **Asolo.** L'église et le palazzo del Preposto. (551).
- **Asolo.** Palais de Caterina Cornaro. (552).
- **Asolo.** Dans la véranda de la Mura. (553).
- **Asolo.** Vue de la Mura. (554).

- **Le Tôt.** L'église et le cimetière. (257).
- **Braquetuit.** Fonts baptismaux. (120).
- **Fenêtre de ma chambre.** 13 juillet. (15).
- **Le chemin des Fées,** ciel nuageux. (156).
- **La grange à blé** et l'entrée de la ferme. (Coll. part., Rouen).

B.N.

- **Le dos d'André dessinant.** (132).
- **Asolo.** 12-28 mai.
- **Vue de la ville,** pochade. 23-29 mai. 3 s. (355).

[3 juillet. Repeint la tête de Benois dans le tableau de 1950 avec sa femme. Repris encore les 20 et 29 juin].
- **Geneviève joue de la flûte** (robe rose). 25-30 août. 5 s. Repris les 14 et 19 septembre. (Coll. part.).
- **Françoise Haguenau.** 27-30 septembre. 3 s. (Croquis carnet 33).

[10, 19 octobre. Reprend encore la tête de Benois].

- **Laurence Boulay.** 5-31 décembre. 9 s. (Coll. part., Paris).

Note de Berthe Noufflard :
Portrait de Maman par André : **mai 32.** Elle avait 71 ans.
Le mien, **43** : 82 ans.
Mon portrait de Blanche, **19 octobre 31** : 70 ans.

- **François,** rue de Varenne. 12 janvier - 11 mars. 8 s.

André et Berthe à Asolo.

André travaille à Asolo.

d'aquarelles de son père : Fresnay, décors du Pavillon d'Armide... Ils font des visites fréquentes à Lily, qui passe son temps à des traductions (Shakespeare, Andersen...) ; Berthe les relit et les lui annote fidèlement.

Alors que Geneviève est en tournée au Maroc, l'état d'André s'aggrave : une arythmie complète s'installe (17 avril). Henriette le soigne nuit et jour. Le *Rondeau* se trouve à Tlemcen pour un concert le jour du coup de force à Alger, et la frontière est fermée. La menace de séparation ajoute à l'angoisse, mais heureusement est vite démentie.

27 avril. Noces d'or d'André et Berthe Noufflard.

23 mai. FRESNAY. Beaucoup de visites et d'allées et venues. Lily est à Rouen.

28 août. Henriette va conduire les trois enfants dans une maison de vacances à Soulac. Guy-Loé, qui vient d'arriver à Fresnay, l'accompagne. Après un voyage à travers la France, ils reviennent fiancés.

10 septembre. Centenaire de la naissance de Mme Langweil.

4 novembre. Mariage, à Fresnay, d'Henriette Noufflard et de Maurice Guyot, dit Guy-Loé. Les témoins sont Alexandre Parodi et le peintre André Bouneau. Seules sont présentes, outre les épouses des témoins, Paulette Parodi et Mary Bennett. Laurence Boulay et Geneviève assurent la musique.

19 novembre. Retour à PARIS, en ramenant Lily de Rouen.

23 décembre. Les Noufflard n'ont jamais voulu avoir la télévision. Mais maintenant qu'ils sortent si peu, tout en s'intéressant à tout ce qui se passe, leurs enfants imaginent qu'ils en profiteraient beaucoup. Le cadeau de Noël d'Henriette, Maurice et Geneviève, est mis en place en grand secret pendant le déjeuner : en rentrant dans le salon, la surprise est totale. « Ahurissant : complot trop gentil. »

1962

Les Noufflard lisent les Mémoires d'Outre-tombe, et suivent maintenant toutes sortes d'événe-

A.N.

• **La Pierre** (Tournant de route derrière). (234).

• **L'envers de la maison**, matin d'été. 19 juin. (10).

• **La maison à contre-jour.** 25 juillet (5). « André finit son excellent et exquis tableau de la maison dans l'ombre, vue de la cour. »

• **Dans le pré du charme.** 2 octobre.

B.N.

• « **Le magicien** », Alexandre **Benois.** Berthe commence le 20 janvier l'écran de cheminée inspiré par des thèmes des Ballets Russes (elle en a commandé le chassis au menuisier à Fresnay). Elle y travaille beaucoup, souvent deux séances par jour. Le 21 juillet : « Je crois qu'il est fini ». Repris encore en août. (225).

• **Aliki**, Mme Giulio Fossi. 17-23 mars. 4 s. (Coll. part., Paris).

• **Alexandre Parodi.** 5-30 avril. 6 s. (Coll. part., Paris).

[1er juin. Reprise du portrait de Béatrix de Toulouse-Lautrec (1954). Repris encore de mémoire plusieurs fois en juin].

• **Le salon de Fresnay.** Lampe chinoise sur la table. (Coll. part., Paris).

• **Henriette et François.** 17 août - 16 septembre. 10 s., la dernière après les fiançailles d'Henriette. Repris le 27 septembre pour le fond. (Coll. part.).

• **Geneviève.** 13 octobre - 12 novembre. (Travail interrompu par le mariage). 10 s. (198).

• **Nature morte** commencée le 11 décembre avec un verre de Venise. Cf. 1962.

46 × 38

ANDRÉ NOUFFLARD.
Asolo. Palazzo del Preposto.
1960.

19 × 24

BERTHE NOUFFLARD.
André peint dans la Loggia.
1960.

x

259

ments à la télévision : arrivée du *France* à New York, départ des cosmonautes américains...

4 février. Mort de Daniel Halévy, à l'âge de 90 ans.

7 avril. A Fresnay, pour le référendum.

2 mai. Berthe retravaille ses notes sur la peinture.

4 juin. Départ pour FRESNAY, avec Geneviève, en deux voitures. « **Printemps encore : pommiers en fleurs, aubépines, marronniers. Verdures légères et fraîches. Chants d'oiseaux.** »

Les Noufflard ont emporté à Fresnay leur téléviseur. Le 11 juillet : « **Premières images envoyées des Etats-Unis par satellite !** »

2 août. Berthe reçoit une lettre de New York d'un certain Henry Nacke, adressée au musée d'Art Moderne qui la lui transmet. Cette lettre contient une photo du portrait de Geneviève peint en 1940, qui a été emporté par les Allemands pillant Fresnay. Ce monsieur affirme l'avoir acheté en Allemagne. Après un échange de lettres infructueux, il disparaît, et les lettres de Berthe lui reviennent.

Cet été apporte encore des tristesses. La mort de plusieurs vieux amis : Celia, Lady Noble, à Bath ; Martin Waldenström, le mari d'Hedwig, à Stockholm ; plus près, Henriette Mallet, Mme Le Breton.

Geneviève fait la navette entre son travail et ses parents. **26 novembre.** Retour à PARIS.

1963

Le Rondeau de Paris est en Amérique depuis décembre et ne rentre qu'à la mi-mars.

Les Noufflard perdent cette année beaucoup de leurs chers amis — Marguerite Sitter-Wibul, dans sa lointaine Thaïlande, si proche pourtant par ses lettres ; leur cousine Annie Noufflard ; Jean-Louis Vaudoyer ; leur ami proche Edmond Bauer, Simone Bréguet, Lena Emetaz, amie d'enfance d'André, et la cousine de Berthe, Germaine Ebstein...

Ils voient beaucoup Lily, qui maintenant vient souvent déjeuner le dimanche, et qui s'installe à Rouen lorsqu'ils sont à Fresnay.

Cette année voit arriver auprès d'eux Marie-Madeleine Brault qui les aidera et les entourera jusqu'à la fin. Elle prend son service peu après leur arrivée à FRESNAY (**14 juin**), et fera peu à peu partie de la famille.

A.N.

● Cottévrard. 5 juin.

● **Début d'été tardif,** dans la basse-cour. (59).

● **La petite maison.** (58).

B.N.

● **Nature morte.** Verre de Venise et Pont-aux-Choux. Commencée en 61, terminée le 18 avril. (402).

● **Dorothy Waldenström.** 28 janvier - 2 février. 6 s. (Coll. part., Stockholm).

● **Annick de Beistegui.** 17 février - 5 mars. 5 s. (Coll. part., Paris).

● **Christine Laurent.** 12-30 avril. (Coll. part., Paris).

● **André lisant Gœthe** dans le salon. 16 juillet - 19 août. Repris le 10 février 1964. 12 s. (133).

● **Guillaume de Toulouse-Lautrec,** trois ans. 9-12 octobre. 3 s. (Coll. part.).

● **Christine Laurent,** deuxième portrait (inachevé). 14-25 février. (258).

● **Petit intérieur** dans le salon. 7-9 mai. 3 s. (Coll. part., Paris).

54 × 38

BERTHE NOUFFLARD. *Geneviève.* 1959.

261

On fait encore cet été de nombreuses promenades en auto dans les environs, notamment à Pubelles, qu'Henriette fait découvrir à ses parents.

15 novembre. Retour à PARIS. Jean habite rue de Varenne pour ses classes.

[Berthe a pu noter :

31 juillet. André va peindre.
29 août. Très beau, après mauvais temps, André va peindre.]

● **Marnière près des Authieux.** André finit son tableau le 7 septembre. Ce sera le dernier. (98).

● **Geneviève** dans le salon. 31 juillet - 10 août. 6 s. Repris le 7 octobre. (199).

● **André** dans le salon. 30 novembre - 17 décembre. 9 s. Repris en février 1964. (134).

1964

L'hiver est assez mauvais. André est malade, les crises de Berthe sont pénibles.

Ils sortent encore un peu. En février, ils vont même au cinéma voir *Le Guépard.*

18 juin. FRESNAY.

5 juillet. Les 70 ans de Berthe sont fêtés joyeusement avec deux générations d'amis Waldenström.

La fin de l'été est attristée par la mort de leur ami le pianiste Lazare-Lévy.

15 octobre. André tombe plus gravement malade. Le 19, on le ramène à PARIS en ambulance.

Il se relèvera en novembre, mais sera malade tout l'hiver.

● **Catherine Potier.** 7-28 mai. 4 s. (Coll. part., Paris).

● **La petite chatte Pounette** sur le lit de Berthe, croquis. 29 août. (420-421).

1965

Le **18 janvier,** on fête les 80 ans d'André par un petit concert dans sa chambre.

Tout l'hiver, il a besoin de soins, et les infirmières se succèdent rue de Varenne, jusqu'à ce qu'en mai on puisse l'opérer, à la clinique des Diaconesses.

Il peut enfin se relever, sortir un peu.

Le **12 juillet,** il retourne à FRESNAY. Mais il est souvent essoufflé. Il ne peint plus.

On rentre à PARIS dès le **29 septembre.**

Les Noufflard suivent à la télévision la campagne présidentielle. Le Général de Gaulle est mis en ballottage...

Beaucoup de lecture, toujours : après Balzac, Maurois, etc., ils reprennent *The Genius of Italy* de Léonardo Olschki.

[7 juillet. Reprise du portrait de Sylvette Wach « d'il y a deux ans » (février 60?). Repris seule le 9 juillet].

● **Geneviève,** dessin. 15-18 septembre. 2 s. (carnet 28).

● **Dorothy Waldenström,** dessin. 2-3 novembre. 2 s. (carnet 26).

59 × 50

1966

Lecture à deux : l'*Histoire des Croisades,* de Zoé Oldenburg, puis *Marco Polo.*

Les Noufflard regardent leurs anciennes toiles : les peintures d'André avant la guerre de 1914.

André est mieux. Il reprend du poids, et, quoique parfois encore arrêté par des accès de fièvre, il recommence à sortir un peu.

11 mars. Concert du *Rondeau de Paris* à l'Ancien Conservatoire. André sort le soir pour la première fois depuis bien longtemps.

20 juin. FRESNAY.

On fête les 80 ans de Berthe.

Le 17 juillet à lieu à **WINTZENHEIM,** près de Colmar, une cérémonie organisée par la *Renaissance Française :* l'inauguration d'une plaque sur la maison natale de Mme Langweil. Berthe tient à s'y rendre, dès le 15, avec Geneviève. Henriette, Maurice et Alexandre Parodi les rejoindront le 16. C'est Berthe qui dévoilera la plaque. Françoise Haguenau est restée auprès d'André en Normandie durant ces quelques jours.

C'est le dernier été paisible à Fresnay. Des amis proches s'y succèdent : Erland, Mary et John Bennett, May Aubert, les Rosselli, les Wollman, Adeline Cacan et son père ; enfin Paulette Parodi, et, pour trois jours, Elisabet Waldenström avec son mari, l'architecte Hakon Ahlberg.

Les enfants sont là. Henriette fait la navette, et projette à ses parents de ses films anciens, comme Geneviève des diapositives de ses voyages. Ils aiment à regarder, à commenter.

Ils lisent toujours à haute voix. Maintenant Beaumarchais.

3 novembre. Retour à **PARIS,** dans la tristesse que leur cause la mort de Mme Rouart, Julie Manet, la fille de Berthe Morisot, après, cet été, celle de Mme Fuchs.

C'est aussi le moment des dramatiques inondations de Florence, dévastée par la crue soudaine de l'Arno. Les nouvelles sont angoissantes. Des détails sont apportés par l'arrivée des cousins Donatella et Guido Carandini.

1967

C'est maintenant le docteur Tugayé qui veille sur les santés, toujours préoccupantes des Noufflard.

Berthe va souvent à Montreuil où Lily vit dans une clinique.

Malgré tous les soucis, André et Berthe se laissent toujours distraire avec autant de plaisir : ils aiment regarder des photos — Geneviève fait, de ses photos

B.N.

[15-19 mars. Berthe répare le portrait de Marianne Halévy (1920). Elle le donnera à Françoise Joxe le 22 novembre].

● **Sylvette Walch.** 17 mai-16 juin. 3 s.

● **Geneviève** dans le salon. 26 mai - 14 juin. 6 s. (200).

● **Sylvie.** 9-15 septembre. 6 s. Repris le 15 octobre. (Coll. part.).

● **Jeanne Trémolières.** Portrait commencé le 9 décembre. 2 s. en 66. Cf. 1967.

Maurice Guy-Loé.

264

Dans la chambre de Berthe à Fresnay.

Les dernières années.

Les Noufflard ne voyagent plus guère.

Leur santé de plus en plus fragile les contraint désormais à restreindre leur activité. Une brève échappée en Hollande, en 1956, pour voir les musées, leur avait laissé un souvenir ébloui. Ils attendirent quatre ans avant de repartir, et ce fut leur dernier voyage ensemble, un séjour en Italie. Ils le durent à l'amitié de Nannina Fossi, qui leur prêta la Mura, sa maison de rêve à Asolo. Ils y passèrent un mois, peignant avec bonheur la douce lumière de Vénétie, et visitant les environs : la Villa Maser, Castelfranco, Cittadella, ainsi que les lieux où André avait combattu, comme la Val Sugana, Primolano... Avant de regagner Paris, ils passèrent quelques jours à Venise, auprès de leur cousine Vanna Donati.

L'année suivante, on fêta leurs noces d'or, au milieu de beaucoup de fleurs, d'épis d'or et de cadeaux, parmi lesquels un dessin de Berthe Morisot. Berthe et André ne s'étaient presque jamais quittés.

Peu après, ils eurent la joie de célébrer, à Fresnay, le mariage d'Henriette avec Maurice Guy-Loé, en présence de trois enfants radieux.

anciennes, de gros albums dont ils se régalent ; écouter de la musique : le 30 janvier, ils assistent encore tous deux au concert du *Rondeau de Paris*. Le 10 février, émission télévisée de Yehudi Menuhin.

Mars. André est à nouveau très mal. Infirmières. Perfusions difficiles. Pendant ce temps, Berthe travaille au portrait de Jeanne Trémolières «avec des mains qui tremblent beaucoup.» Enfin, en avril, la fièvre disparaît, et en juin André peut à nouveau prendre l'air.

Juin. La guerre des Six-Jours est suivie avec passion.

Le **11 juillet,** André retourne une dernière fois à FRESNAY, mais l'été n'y sera pas bon. Tous deux sont souffrants. A la mi-août, il y a pourtant une amélioration. Sylvie est là. Sa grand-mère la fait travailler.

7 octobre. Retour à PARIS. On essaye d'assurer à Berthe un peu plus de repos. On lui a arrangé une autre chambre. Mlle Serry, la vieille amie de May Aubert, vient souvent faire de la couture auprès d'elle.

25 novembre. Berthe nettoie et vernit son tableau de 1945 : *André au salon*, qui, avec la fenêtre ouverte sur le grand marronnier en fleurs, symbolise pour elle le retour à la maison après la guerre.

1968

Les Noufflard lisent les mémoires de Churchill.
24 janvier. Mort de Marianne Halévy.

Un dimanche de mars, les filles se sont beaucoup amusées en relisant l'histoire de leur ancêtre Philippe Le Masson, artilleur émérite, fait chevalier du Royaume de Pologne ainsi que sa descendance par le roi Jean III Sobieski en 1685 *. Henriette portait la bague armoriée de sa tante Florence (qu'elle-même tenait de sa tante Marie). André va chercher la sienne, et, avec une solennité amusée, la passe au doigt de sa cadette.

27 avril. Cinquante-septième anniversaire de mariage. André donne à Berthe son premier petit paysage à l'huile — San Lucido — qu'il vient de retrouver, et un rosier, «un ravissant rosier rose — frais — grimpant», qui sera replanté à Fresnay.

6 mai. André va marcher un peu rue Vaneau, cité Vaneau. Grande agitation. Cortèges, bagarres d'étudiants.

11 mai. Toute la nuit, bagarres, barricades au quartier latin. 13 mai. Enormes cortèges, sans heurts, mais drapeaux rouges, noirs, slogans révoltés.

14 mai. Emission très impressionnante à la télévision. Interventions de Cohn-Bendit, Geismar...

15 mai, tôt le matin. Gros malaise : infarctus. André est hospitalisé à Saint-Joseph.

Il s'éteindra le **18 mai** à midi.

B.N.

● **Jeanne Trémolières.** Commencé en décembre 1966. Terminé le 8 avril. 10 s. (Coll. part., Paris).

* Cf. page 23.

Berthe et André demeurent très présents au monde extérieur, ils vivent profondément les événements de France et d'Algérie — le retour du général de Gaulle — le drame d'Israël. Ils se passionnent pour les récits de leurs amis engagés dans la vie publique, comme Alexandre Parodi, Pierre Chatenet, Robert Marjolin, Louis Joxe...

Pourtant la lassitude, la tristesse ont parfois le dessus. Après que Geneviève, un jour, ait essayé de les convaincre de voir, selon le dicton, la bouteille «à moitié pleine» plutôt que «à moitié vide», Berthe note : «Hélas ! Bien plus qu'à moitié vide... Enfin ! Tâchons de bien employer ce qui reste !...»

Ils lisent avec passion le livre de Leonardo Olschki : *The Genius of Italy,* parmi bien d'autres : histoire, grands classiques, actualité... Ils jouissent encore de beaucoup de choses : les photos prises par Geneviève, les films d'Henriette, et toujours la musique. Ainsi, on trouve dans le carnet de Berthe, enthousiasmée par une émission de télévision sur le concerto pour violon en sol majeur de Mozart : «Yehudi Menuhin : **Mozart.** Un vrai bonheur.» Elle cite ces mots de Menuhin : «Mozart parle à l'enfant, à l'homme qui ne sait pas lire, aussi bien qu'à l'homme le plus cultivé.» Et elle ajoute :

Le mouvement lent me va au cœur — particulièrement — et la gaité du dernier aussi (autrement). Merveilleux : simplicité, grandeur, sincérité complète évidente — et une grande douceur souriante. (10 février 1967).

Les Noufflard travaillent moins, mais ils passent des heures dans leurs ateliers, rangeant des vieilles toiles, regardant ensemble leurs études anciennes et les commentant. La dernière toile d'André Noufflard date de 1963, cinq ans avant sa mort. Il est souvent malade, mais surtout, il se sent mal à l'aise dans la France d'alors, et dans le monde artistique contemporain dont il ne partage pas la vision. Il écrit en 1962 :

VIEILLESSE.

Toute ma vie, j'ai cru à la démocratie.

Je ne suis pas une grenouille
Et je n'ai pas demandé de roi !

Un jour, une toute petite fille, me regardant peindre sur la place de Bacqueville, a dit à sa grande sœur :
«Tu vois, il y a du soleil sur le tableau, parce qu'il y a du soleil aujourd'hui. Quand il n'y en aura plus, il y en aura toujours sur le tableau.» Cela m'a touché.

Un autre jour, Elie [27], entrant dans mon atelier, m'a dit qu'on pourrait y inscrire la devise de cadran solaire :
HORAS NON NUMERO NISI SERENAS
(Je ne compte que les heures sereines.)
Cela m'a encore plus touché. Mais...

Je m'enfonce dans la vieillesse sous le signe du pouvoir personnel et de l'Art abstrait.

---

(27) Elie Halévy, son beau-frère.

A cause des événements, les pompes funèbres sont en grève. Le 21 mai, le cercueil sera descendu par les habitants de la maison, et emmené en Normandie. Pendant le service dans l'église de Biennais, une hirondelle crie sur une poutre, juste au-dessus du cercueil.

Berthe a décidé aussitôt de ne pas rester dans ce grand appartement, et de proposer l'échange aux locataires américains, à l'étroit dans l'ancien logement de Mme Langweil au premier étage. Aussitôt elle s'attaque au travail qui l'occupera fébrilement jusqu'à la mi-juillet : elle trie ses possessions, les restreignant pour emménager dans un appartement exigü, donnant, partageant entre ses filles, distribuant à ses amis...

Le **13 juillet** elle va à SUCY chez Henriette, et de là, le 19, pour retarder le retour à Fresnay, Geneviève l'emmène dans les Vosges, à **BRUYÈRES**, où l'entourera l'amitié de Sylvette Walch et de sa mère, Mme Belugou. Quelques belles promenades, à Longemer, Retournemer, Gérardmer, des séances de sonates presque quotidiennes. «Cela fait du bien», écrit Berthe.

10 août. Arrivée à FRESNAY. Visite de Maria et Giorgio Todorow. Quelques belles promenades.

Angoisse pour les Tchèques. Le 1er septembre, sur le carnet de Berthe :

L'Iran
Les Tchèques
Le Vietnam   } **Quel monde !**
Israël
Biafra

Des amis viennent entourer Berthe : les Bennett, les Rosselli, Alexandre Parodi, les Gengoux, Françoise Haguenau...

9 octobre. Retour à **PARIS** vers le nouvel appartement, installé durant l'été par Marie-Madeleine et Geneviève. «**Henriette est là. Mon chez-moi plein de fleurs.**» Berthe arrange ce chez-moi, le décore de ses objets aimés.

Elle sait toujours jouir de la musique, celle qu'on lui joue (Michel Chapuis, l'organiste de Saint-Séverin, vient parfois travailler des sonates de Bach avec Geneviève sur son «vieux Pleyel», et elle aime le retenir à déjeuner) — et celle de ses disques préférés.

1969

18 janvier. Première peinture depuis deux ans : un profil de Marie-Madeleine.

Parfois Berthe descend faire un petit tour au jardin. On va souvent passer le dimanche à Sucy. Le 2 février on y fête les dix-huit ans de Jean.

29 mars. Geneviève et ses camarades Susan Landale et Chantal Tyrode donnent un petit concert pour Berthe avec son «cher vieux Pleyel».

Séjour d'Elisabet Waldenström auprès de Berthe.

B.N.

● **La petite Anne Dürr,** dessin. 2-3 septembre. 2 s. (Coll. part., Rouen).

● **Marie-Madeleine** de profil. 18-26 janvier. 7 s., repris le 3 février. (231).

● **Madeleine dans la fenêtre** (avec le châle rose de Miss Paget). Tableau commencé le 8 février. (Cf. 1971). (232).

● **Agnès Roche**. 18 février - 2 mars. 10 s. Repris le 30 juin et le 2 juillet. (Coll. part. Paris).

Pourtant il reste très ouvert. Il s'intéresse à la jeunesse, que son charme attire toujours. Malgré la lassitude à laquelle il cède souvent, il aime amuser ses petits-enfants, voir ses amis, partager avec eux son goût pour les choses belles, et les choses cocasses ; il aime lire à haute voix avec Berthe, regarder, écouter...

Au moment des terribles inondations de Florence, il n'a de cesse qu'il ait trouvé le moyen de faire parvenir une aide personnelle à ses concitoyens éprouvés. Les Fossi lui recommandent un petit artisan relieur très gravement sinistré, dont les lettres seront touchantes.

Mai 68. Les troubles éclatent à Paris. On suit les images de la télévision. André Noufflard est très impressionné par leur violence. Un matin, il est frappé d'un infarctus. Il meurt trois jours plus tard, le 18 mai.

Pâques. Geneviève acquiert la vieille maison du Chanté à Vallorcine.

15 avril - 24 mai. Séjour à **FLORENCE** avec Geneviève et Marie-Madeleine, d'abord chez Byba et Harry Coster, 7 Costa Scarpuccia (le 24, journée à Lucca), et à partir du 30 avril, chez Nannina et Piero Fossi à San Gaggio. Berthe y est souffrante. Elle peut cependant assister le 20 mai à Santa-Lucia-de'-Magnoli au concert que donne Geneviève avec Don Luigi Sessa, l'organiste du Duomo. Donatella y vient de Rome. Berthe est touchée de la gentillesse de Monsignor Sartini, le vieux curé musicien qui a organisé le concert.

22 mai. Naissance de Simone Todorov. Berthe va voir Maria et son bébé d'un jour avant de repartir pour Paris.

25 mai. PARIS.
Elections présidentielles : Georges Pompidou est président.

Réception de Pierre Emmanuel à l'Académie Française.

Lily vit maintenant à Boissy-Saint-Léger.

3 juillet. FRESNAY. Une jeune fille tchèque, Jirka, surprise pendant ses vacances en France par les événements dans son pays, demeure plusieurs mois auprès d'Henriette, et passe une partie de l'été à Fresnay, puis au Chanté avant de regagner son pays à l'automne.

May Aubert vient à Fresnay pour rester auprès de Berthe pendant que Geneviève travaille à installer sa maison savoyarde : du **28 août au 11 septembre**, Berthe fera un séjour avec Marie-Madeleine à **VALLORCINE**.

12 septembre. Elle se réinstalle à **PARIS**. François habite chez sa grand'mère.

Berthe reprend la plaquette qu'elle avait commencée en juin, après la mort de Mme Anno-nier, la femme d'un médecin de Sucy. Elle essaye de rappeler ses traits, qu'elle n'a pas connus, à l'aide d'une photographie. Elle y travaille quotidiennement. Elle voit les Fossi, qui sont à Paris, des amis étrangers de passage, et toujours ses vieux amis. Elle s'intéresse au travail d'une jeune japonaise, Noriko Yanagisawa, qui prépare une thèse sur *Le japonisme chez Henri Rivière*. Berthe la reçoit et cherche à l'aider.

Souvent, lorsque Geneviève doit s'absenter, May Aubert (ou sa nièce Madile) vient s'installer à sa place.

1970

Les crises de tachycardie semblent s'être espacées. Pendant presque un an, Berthe ne les mentionne plus.

Présentation à Saint-Séverin, le 21 janvier, de *Cantates et Sonates*, le nouvel ensemble de Geneviève.

B.N.

• **Florence.** Dans le jardin de la Costa. 25 avril. Y renonce le 27. (360).

• **Le jardin de la Costa.** 30 mai. 3 s. (361).

Berthe commence le 2 juin un **médaillon** (plaquette) d'après une photo de Mme Annonier (cf. croquis, carnet 28). Elle y travaillera beaucoup, en juin à Paris, puis à Fresnay souvent plusieurs séances par jour, et encore en septembre à Paris (20 s. marquées). Le 22 octobre, elle le fait mouler et retravaille encore le plâtre (6 s. en 1969). Elle le reprendra en 1970 et en 1971.

• **Dominique Bauer.** Le portrait, commencé le 7 novembre, sera terminé en janvier 1970 (cf. carnet 28).

Berthe lui survécut un peu plus de trois ans. Pendant cette période si cruelle, bien que fragile, bien que la fatigue souvent ait fait obstacle à ses désirs, elle resta présente aux autres, curieuse d'esprit, intéressée par tout. Elle fut plus proche que jamais des siens, enfants, petits-enfants, de ses amis plus jeunes. Elle souffrait d'avoir vu disparaître tant de ses vieux amis. Les échanges avec Rivière, avec Benois lui manquaient. Mais elle aimait toujours faire partager son enthousiasme devant ce qui était beau, et former la vision des plus jeunes.

Les voyages lui étaient pénibles, mais elle se rendit en Italie deux fois pour y retrouver des souvenirs heureux, accueillie par ses anciens et ses nouveaux amis, retrouvant Bona Gigliucci, camarade d'atelier du temps de ses fiançailles. En 1969, elle passa une partie de l'été à Vallorcine, pour connaître la vieille maison montagnarde que Geneviève était en train de restaurer : elle s'intéressait à chaque détail, à chaque personne du village qu'elle avait l'occasion de rencontrer.

Promenade Place des Vosges, avec M.-O. Aubert (mars 1970).

23 janvier. «Geneviève, Madeleine et moi arrangeons notre ancien appartement : meubles, tableaux, etc.» Il sera loué au conseiller culturel britannique.

9 février. Gustave Marais est mort.

9 mars. Berthe prend la décision de vendre l'*Algérienne* de Corot, pour faire des dons. Elle en parle à son marchand de tableaux M. Paul Brame, et à M. Bochory, son banquier et son conseiller.

Berthe travaille à sa plaquette. Elle fait souvent des petits tours dans le quartier avec Geneviève ou Marie-Madeleine. Un dimanche après-midi, promenade avec Madile Aubert et Geneviève : «**Je choisis la place des Vosges — soleil — beauté, enfants multicolores.**» (15 mars).

Henriette lui a donné le livre des *Lettres de Clemenceau à une amie*, qui la passionne.

2-15 juin. Nouveau séjour à FLORENCE (Costa Scarpuccia) avec Geneviève et Marie-Madeleine. Le 10 juin, second concert de Geneviève à Santa Lucia. Berthe voit ses amies, Bona Gigliucci et Flavia Farina, son neveu Stefano Acquaviva, Monsignor Sartini. Les Fossi lui font connaître la jeune Gabriella Gori qui repartira avec elle, pour rendre des services, et perfectionner son français.

Seconde quinzaine de juin à PARIS.

5 juillet. FRESNAY. Ce retour est bien triste. M. Frits Lugt vient de mourir. Yvonne Marais doit être hospitalisée à Rouen, et meurt le 12 août, six mois après son mari. Berthe travaille «avec peine» à sa plaquette. Visites de Doletta, d'Elisabet, des Bennett. On suit les événements avec anxiété. C'est l'époque des premiers détournements d'avions, des prises d'otages... François fait des mathématiques avec Monique Bellet, la nièce d'Yvonne.

23 septembre. Retour à PARIS.

Jean fait son service militaire dans la marine. François habite rue de Varenne, ainsi que Monique Bellet, venue poursuivre à Paris des études scientifiques. Pierre Billard, jeune architecte, élève aussi de Geneviève, vient poser pour Berthe.

9 novembre. Mort du Général de Gaulle.

5 décembre. Mort de deux chers amis : Marguerite Lazare-Lévy, et André Barbier.

16 décembre. Berthe va visiter au Petit Palais l'exposition des Fresques florentines avec Cacan et Adeline. Mais le lendemain elle est «éreintée».

18 décembre. Pierre Billard part pour l'Algérie. Berthe lui donne en souvenir l'étui à crayons d'André.

1971

Il y a toujours un peu de jeunesse rue de Varenne : François et Monique Bellet. Le 31 janvier, le Père Gelineau, qui a organisé plusieurs concerts à Saint-Ignace récemment avec *Cantates et Sonates,* joue avec Geneviève des sonates pour Berthe. Il lui parle

B.N.

● **Dominique Bauer** (cf. 1969). Fini le 28 janvier. 24 s. (Coll. part., Paris).

31 janvier. Reprise de la **plaquette**. A partir de mars, Berthe y travaillera presque chaque jour, et souvent pendant l'été.

Eté. Travail sur la **plaquette**.

● **Pierre Billard.** 20 octobre - 19 novembre. 8 s. (226).

Berthe Noufflard s'était remise à peindre, tout d'abord deux portraits de son aide fidèle, Marie-Madeleine Brault. Elle nota : « Premier essai de peindre dans mon nouveau logis ». Aussitôt seule, en effet, elle avait souhaité un appartement plus petit, et habitait maintenant au premier étage de la maison. Elle avait arrangé, avec soin disposé dans ces quelques pièces ses tableaux préférés, ceux qu'elle voulait voir à chaque instant autour d'elle, et dans la grande armoire florentine multicolore, transformée en « armoire aux trésors », les robes chinoises, les jades, tous les beaux objets qu'elle chérissait.

L'appartement de Berthe, rue de Varenne, plein de belles choses, exprimait ce goût et cette finesse de la culture. Sa longue vie avait conservé une vivacité et une fraîcheur délicieuses. Rien n'échappait à son attention, même dans les petites choses de tous les jours, auxquelles elle donnait son attention intelligente et compétente, et le culte et le goût pour les objets exquis qui l'entouraient. Sa peinture, qui ne laissa jamais voir un signe de déchéance, dans les dernières années où elle était souffrante, conserva une pétillance spirituelle et articulée, pleine de subtiles intuitions psychologiques, et un style, un goût sans faille...

(Nannina Fossi).

Parmi les fidèles de toujours, qui entouraient Berthe durant ces années, Mimi Benoist aimait « regarder » avec elle et l'interroger sur la peinture ; Paulette Parodi venait souvent lui tenir compagnie et lire tout haut ; Françoise Joxe fut plus proche que jamais ; Mme de Maupeou lui faisait de fréquentes visites, ainsi qu'Irène Parein, la fille des Lugt, à laquelle elle s'attacha particulièrement ; il y eut Paola Lazard, dont le souci d'Israël la rapprochait, il y eut les Brame, avec qui il lui était si bon de parler peinture. Et il y eut l'affection de Béatrix de Toulouse-Lautrec ; ses lettres presque quotidiennes touchaient profondément le cœur de « Tante Berthe ».

Une année après la mort d'André, Fresnay fut frappé à nouveau. Le vieux fermier Gustave Marais disparut, et sa femme Yvonne ne lui survécut que cinq mois. Quel vide à Fresnay ! Berthe entoura de son affection Jean et Jeannine restés seuls.

Elle suivait toujours douloureusement les événements du monde. Son carnet en porte souvent la trace. Ainsi, le 2 janvier 1969 :

De Gaulle — appui au Liban. On continue à tuer des civils israéliens — depuis plus de vingt ans, sans recours, sans même que personne ne proteste...

Et, au 29 mai 1971 :

Prague
Assassinats en U.S.A.
Détournements d'avions.
Enlèvements de diplomates.
Israël...
Paris, une vieille femme étouffée et étranglée —

Elle se trouvait chez Henriette et Maurice à Sucy, en juillet 1971, lorsque vint le jour de ses 85 ans. Toute la famille était réunie autour d'elle, ainsi que les bons amis Parodi, Alexandre et Annie. Pour cet anniversaire — qui fut le dernier — c'est elle qui voulut faire à tous les siens un beau cadeau : avec quel soin elle avait cherché dans ses « trésors » l'objet qui serait le plus cher à chacun !

1971

des jeunes de sa chorale : confiance dans la jeunesse actuelle, celle dont on parle peu.

Berthe cherche à aider Caterina Olschki à publier *The Genius of Italy* en France. Louis Joxe conseille Plon.

Elle travaille toujours à sa plaquette, et elle entreprend un nouveau portrait. Mais elle est souvent souffrante, ses crises ont réapparu, et elle suit les événements du monde avec angoisse.

14 juin. FRESNAY. Augustina, l'employée espagnole d'Henriette, est là avec sa petite fille, et surtout la fidèle et gentille voisine Denise Leclerc. Berthe souffre de se sentir malade, et d'avoir à subir des examens auxquels elle répugne. Elle souffre surtout de l'état du monde.

En son absence, les Dubos habitent son appartement rue de Varenne, et elle s'en réjouit.

Le **2 juillet** elle arrive à SUCY pour trois semaines. C'est là qu'on fête ses 85 ans, avec Alexandre et Annie Parodi. Henriette a copié pour elle *La Danse devant l'Arche,* d'Henri Franck.

Elle va voir Lily, à Boissy, le 7 juillet : c'est la dernière fois.

A Sucy, on examine, pour la construction de l'ensemble de la Chênaie, le projet de l'architecte Chémétov. Pendant quelques jours, Henriette étant à un congrès à Moscou et Geneviève dans les Alpes, Berthe reste en tête à tête avec son gendre.

Peu après le retour d'Henriette, on apprend la mort de Mme Benoist.

25 juillet. A FRESNAY avec Geneviève et Gabriella. Période un peu meilleure. Berthe nettoie et vernit de ses anciens tableaux, s'occupe de ses rosiers, se tient dans le jardin. Des amis viennent la voir : Françoise Haguenau, les Parodi, Mimi Benoist. Pierre Billard venant d'Alger, et, en voisine, Antoinette Hervey.

Geneviève repart en tournée de concerts.

Le **8 août** : « Belle soirée. Belle lumière. Silence. »

Henriette mène Berthe voir le terrain du Coudray qu'elle vient d'acquérir, et Berthe en est heureuse.

Mais le 16 août elle apprend par le journal la mort subite de Paul Brame, dont elle attendait la visite.

Le **29 Août,** Geneviève arrive du Chanté avec des bouquets de cerises ; le même soir, Elisabet téléphone de Suède pour annoncer sa visite : « **Joie !** »

2 septembre. Visite des Rosselli. Crise d'angine douloureuse. Puis infarctus du myocarde.

8-16 septembre. Visite tant attendue d'Elisabet, avec qui elle a encore quelques très bons moments.

21-24 septembre. Visite de Mary Bennett.

1er octobre. Transport en ambulance à PARIS.

11 octobre. Le matin, premier lever. Berthe cause avec Henriette, envisage de reprendre le portrait de Michèle Gengoux, se réjouit que Jean Trémolières ait promis de passer vers 18 heures.

Elle s'éteint à 17 heures.

B.N.

Berthe travaille beaucoup à sa **plaquette.** Le 5 mars, elle la fait mouler à nouveau, et retravaille le plâtre.

● **Madeleine dans la fenêtre** (cf. 1969). 6 s. Tableau repris le 31 mars, fini le 5 avril. (232).

● **Michèle Gengoux.** 26 mai - 5 juin. Repris le 11 juin, malade. 4 s. (247).

A Fresnay, le mois suivant, elle attendait la visite prochaine de Paul Brame, qui avait fait le projet de venir voir ses dernières toiles. Un matin, en lisant le journal, elle fut bouleversée par l'annonce brutale de sa mort. — C'était bien peu de semaines avant la sienne.

Le dernier portrait qu'elle avait terminé était celui de Pierre Billard, un élève de Geneviève. Le tableau est plein de jeunesse.

Le jour de sa mort, elle projetait encore de retoucher celui de Michèle Gengoux...

Berthe à Florence en 1969.

Quelques écrits
d'André et de Berthe Noufflard

Deux poèmes

André Noufflard

Bagno

Nuoto
nel mare azzurro. Il vuoto
m'è sotto, e vedo il corpo mio d'argento
e sento
il gargoglio dell'acqua intorno a me.
Il fondo s'intravede ma non è
chiaro. Si perde
nel verde.
Confusamente
in forme grigie muovonsi altre forme
grigie. Più niente.
Dorme
l'abisso oscuro.
E brilla sopra a me nel cielo puro
il sole. Il mare
si stende immenso e chiaro.
Lo vedo luccicare
al sole. Raro
nell'aria volare un gabbiano

Bain

Je nage
dans la mer bleue. Sous moi le vide
je vois mon corps argenté
j'entends
le clapotis de l'eau autour de moi.
On devine le fond mais il n'est pas clair.
Il se perd
dans le vert.
Confusément
des formes grises se meuvent
en d'autres formes grises. Plus rien.
L'abîme sombre
dort.
Et au-dessus de moi brille dans le ciel pur
le soleil. La mer
s'étend immense et claire.
Je la vois miroiter
au soleil. Parfois
dans l'air une mouette

bianco. Lontano
una vela bianca splende
prende vento
corre s'inchina
sull' onda marina.
La brezza con molle movimento
carezza i miei capelli
bagnati. Increpasi l'onda
come le pelli
dei pesci azzurrogni. La sponda
lunata e dorata
canta
la bacia l'ondata
bianca.
La terra sorride
alle montagne coperte d'olivi,
dai molti declivi.
Mai vide
tante armonie
l'avido occhio nè le orecchie mie
udirono mai un canto
tanto
dolce come quello del mare
come le cicale ardenti
come i sublimi lamenti
del vento, e giammai poterono aspirare
le mie narici odori
tanto soavi
quanto delle navi
il nero catrame e gli umori
degli alberi, e il vento marino.
Nè la mia pelle un divino
bacio mai s'ebbe come la carezza
del mare e della brezza
marina. Nuoto.
E sotto il vuoto
verde
che si perde
e sopra e intorno a me
c'è
l'azzurro del cielo e del mare
e nelle chiare
aure, lontano
librasi un bianco gabbiano.

blanche. Au loin
une voile blanche resplendit
prend le vent
file s'incline
sur l'onde marine.
La brise mollement
caresse mes cheveux
mouillés. L'eau se ride
comme la peau bleutée
des poissons. La rive
courbe et dorée
chante
la vague blanche
l'effleure.
La terre sourit
aux pentes douces des montagnes
couvertes d'oliviers.
Jamais mon œil avide
n'a vu tant d'harmonie
jamais mes oreilles
n'ont entendu un chant
aussi doux
que celui de la mer
des ardentes cigales
des plaintes sublimes
du vent, jamais mes narines
n'ont humé d'odeurs
aussi enivrantes
que celles du noir goudron
des bateaux, des humeurs
des arbres, du vent marin.
Jamais ma peau n'a reçu
de baiser aussi divin
que la caresse de la mer et de la brise
marine. Je nage.
Sous moi le vide vert
qui se perd,
au-dessus et autour de moi
le bleu du ciel et de la mer
et dans la transparence
de l'air, au loin
plane une mouette blanche.

San Lucido, 23 luglio 1905. (1)

(1) André Noufflard était alors âgé de vingt ans.

278

La morte

Che pace!
Tace
dopo tanto la fontana
L'avellana
dalle mobili foglie è ferma.
Un Erma
sembra che cessi il suo sorriso.
Un narciso
morto tocca l'imagine che amava
nell'acqua. Egrava
tutto il silenzio. Nei cipressi il chiù
non canta più;
fra i cespugli il ramarro più non corre,
sulla torre
tace l'ora
e nella sontuosa dimora
regna la morte.
Un forte
odore d'umidità è vagante
per l'aria. Le piante
tengono le persiane
chiuse.
Oh! vane
ricchezze, oh speranze deluse.
Tace
tutto. Che pace!
che pace e che tormento
Sento
pulsarmi il sangue. Niente
altro. C'è ancora della gente
che vive?
Ancora fra le rive
mormora un ruscello?
Ancora qualche uccello
canta?
Donde viene tanta
tristezza? Perchè batte cosi forte
il cuore? E passata la Morte.

Prato. 9 giugno 1905.

La mort

Quelle paix!
Soudain la fontaine
s'est tue.
L'avelinier
aux feuilles frémissantes ne bouge plus.
L'Hermès, dirait-on, a cessé de sourire.
Un narcisse
mort touche l'image qu'il aimait
dans l'eau. Le silence
pèse sur toute chose. Dans les cyprès, le petit hibou
est muet.
Le lézard vert ne court plus à travers les buissons,
sur la tour l'horloge se tait
et dans la demeure somptueuse
règne la mort.
Une forte odeur d'humidité flotte
dans l'air. Les plantes
tiennent les persiennes
closes.
Oh! vaines
richesses, oh espérances déçues.
Tout
se tait. Quelle paix!
quelle paix et quelle angoisse
J'écoute
battre mon sang. Rien
d'autre. Y a-t-il encore
un être vivant?
Entre ses berges un ruisseau
qui murmure?
Un oiseau
qui chante?
D'où vient cette tristesse?
Pourquoi mon cœur bat-il si fort?
La Mort a passé.

(1) Traduction de Chantal Roux de Bézieux.

Quelques réflexions sur la mode en peinture
Quelques réflexions sur le rôle du sujet
Berthe Noufflard

Pour Elisabeth Waldenström

Rivière disait : " Les théories suivent les grands artistes, elles ne les précèdent pas. "

Je voudrais essayer d'éclaicir ce qu'a été pour moi et autour de moi, depuis plus d'un demi-siècle, le développement de la peinture [1]. Tant de choses, tant de gens, prisés, portés aux nues — et complètement oubliés aujourd'hui.

Je ne crois pas d'ailleurs que ceci soit une particularité de ce dernier demi-siècle. Il suffit de mettre le nez dans des critiques d'il y a cent ans pour trouver des douzaines de noms dont on parlait alors avec admiration et dont nous ne savons plus rien. Il suffit de penser que Bach, puis Telemann, Georges de La Tour pendant des siècles, ont été complètement oubliés pour comprendre que la gloire ou l'oubli ne sont pas des critères de la valeur.

J'aimerais particulièrement tenter de me rappeler comment j'ai vu changer et se transformer la notion qu'on se faisait du *sujet* dans la peinture. Car je crois que cette notion est à la base de notre attitude pour considérer la peinture, que l'on soit l'artiste qui la fait ou l'amateur qui la contemple.

J'ai eu dans ma jeunesse la chance merveilleuse de grandir, pour ainsi dire à l'ombre de Degas dont mon ami Rivière et le gentil vieux Monsieur Rouart, que je voyais constamment, me répétaient les propos, me montraient les œuvres. Degas était à ce moment-là totalement inconnu du grand public. J'ai pris auprès d'eux une conviction qui m'est précieuse : c'est que rien ne vaut (pour chacun de nous) que ce que l'on admire vraiment soi-même, — en dehors de la mode, des courants, des prix, etc.

En ce temps-là, les peintres en vogue ne s'occupaient guère que du « sujet ». Et le public aussi.

Aujourd'hui, que de chemin parcouru ! On en est à la peinture « abstraite » — ou à un art archaïsant, voire sauvage.

Il me semble que toute peinture qui vaut quelque chose est *abstraite*... car un beau tableau n'est pas la simple reproduction d'un morceau de nature. C'est une composition de taches, de volumes, de couleurs — dont les rapports entre eux forment un tout et une harmonie.

La peinture qui s'appelle « abstraite » aura au moins — peut-être — enseigné au public à regarder ces taches, ces formes, ces couleurs, au lieu de ne considérer que le sujet représenté. Sans « sujet », si l'on veut s'intéresser au tableau, il faut bien regarder ces taches et ces lignes, peut-être apprendre à voir qu'elles peuvent être en elles-mêmes jolies ou belles [2].

---

(1) Je ne cherche pas à faire un tableau de la peinture dans la première moitié du XXe siècle. Je voudrais seulement essayer de dire ce que mes découvertes, mes admirations, selon mes goûts à moi, ont laissé dans ma mémoire.   B.N.

(2) Je ne parle pas ici de la peinture symbolique.

Mais hélas ! si elles ne sont faites que pour elles-mêmes, il me semble que l'ouvrage devient pauvrement simplifié et comme mécanisé.

Comment ne s'aperçoit-on pas que l'absence de tout sujet ôte les occasions de trouver des formes variées, des rapports de tons rares et beaux... tout ce qu'on n'invente pas. La peinture, après tout, est d'abord affaire de *vision*. La peinture abstraite elle-même procède sans doute en partie de souvenirs visuels combinés.

Quand j'étais très jeune, vers 1900, et que les peintres à la mode (pas touchés par l'« Art Nouveau » qui sévissait dans les arts décoratifs et en architecture) et dont on vendait — fort cher — les tableaux chez les marchands, s'appelaient Bouguereau, Benjamin Constant, Dagnan-Bouveret, Flameng ; dans ce temps-là Rivière, M. Rouart (eux qui ne considéraient que Degas, Manet, Daumier, le Corot d'Italie, Berthe Morisot : toutes les belles œuvres alors inconnues du public), me disaient : « Le *Sujet* en art n'a aucune importance. C'est la peinture qui en a. Et qu'importe si ces femmes sont laides ! Si un tub n'a d'autre intérêt que de faire un rond curieux dans la composition ! »

On a de la peine aujourd'hui à se représenter combien cette manière de voir était alors originale, surprenante et même choquante pour la plupart des gens.

Je pense quelquefois que l'on a appris cette leçon, et même qu'on l'a trop bien apprise, puisque l'on semble croire aujourd'hui que pour savoir peindre il suffit d'arranger des taches de couleur ou des lignes les unes à côté des autres.

Et cependant, — malgré ce que disait M. Rouart de la non-importance du sujet — j'en viens à me demander si l'œuvre de Degas (entre autres) serait aussi belle — et je veux dire : plastiquement aussi belle — s'il n'avait cherché le dessin jusque dans sa forme la plus particulière... dans la main d'une modiste, dans l'équilibre étrange et puissant des jambes de danseuses, des bras levés, des cheveux lourds sous le peigne, dans tout ce qu'il *voyait*, contemplait, étudiait : nus, chevaux, guirlandes de tutus, etc. — gestes fugitifs *jamais observés avant lui*, par lui découverts dans leur forme et qu'il arrête en un beau style, parfois d'un humain terrible, sombre, aigu — ou bien c'est un style charmant et grave — toujours ce *Style* qui est le contraire du passager photographique et dont la beauté complexe nous étonne, et nous étonne de plus en plus à mesure que nous regardons, que nous pénétrons le tableau.

De même, Corot nous donnerait-il cette matière profonde et pure s'il n'avait découvert, pour lui et pour nous, la merveilleuse clarté du ciel ?

Découvert... j'ai envie de dire : par ses yeux et dans son cœur.

Ce sont là des exemples qui font penser que le sujet a tout de même une certaine et même une très grande importance.

Un peu plus tard, le grand peintre qu'on révérait dans les ateliers et dont les critiques parlaient comme d'un génie, fut Eugène Carrière. Je crois qu'il méritait mieux que l'indifférence qu'on lui inflige aujourd'hui, et qu'il avait un sens assez beau des formes sculpturales. Mais, en ce temps-là, ce qu'on admirait dans sa peinture, c'était le sentiment humain et social. Sujet. Sujet : car il eût fallu Michel-Ange pour que des formes disent ce pathétique.

Et j'ai bien présente à la mémoire une polémique par lettres dans une petite revue « d'avant-garde » : *L'Art et la Vie*, entre le directeur Gabriel Mouret, qui tenait pour Carrière, lequel, disait-il, se montrait dans ses tableaux un homme généreux et un grand cœur — et J.-E. Blanche qui soutenait qu'un tableau doit être avant tout un bon tableau bien peint, comme une table doit être une table bien faite. Et J.-E. Blanche, dans ce propos-là, faisait figure de réactionnaire incompréhensif; car on était alors loin de prévoir la direction qu'allait prendre la peinture et que, pour être « moderne », il lui faudrait devenir bien plus dépouillée d'intention sentimentale ou humaine que ce qu'entendait Blanche...

Dans nos ateliers « avancés », tout le monde alors était pour Carrière et pour son sentiment élevé, généreux, avec enthousiasme et on se sentait un peu mal vu, si on n'admirait pas absolument — même un peu méprisé.

Admirés, recherchés en ce temps-là et pendant des années — et avec un succès mondial — Lucien Simon et Albert Besnard semblent oubliés aujourd'hui au grand étonnement des gens de mon âge.

Quelles belles leçons nous faisait Monsieur Simon avec son intelligence merveilleuse des œuvres des vieux maîtres !

Il y avait Cottet, Ménard, Maurice Denis, Madame Simon, Jacques Brissaud. Il y avait Vuillard et sa vision exquise, les fins paysages de K. X. Roussel, les beaux bouquets de Matisse. Que n'est-il resté aux bouquets ! — Sickert, inconnu en Angleterre, exposait de belles peintures aux « Indépendants » avant de devenir Président de la *Royal Academy* à Londres — et d'être, alors, oublié à Paris !

Et il y a eu la merveille éblouissante de l'Opéra et des Ballets russes et leur grande influence sur les peintres. Ce fut, pour nos yeux habitués à des spectacles réalistes, plus ou moins conventionnels et généralement assez ternes, une chose extraordinaire que la fantasmagorie apportée par Diaghilev : *Ivan le Terrible, Boris Godounof, Le Prince Igor*, dans leurs couleurs somptueuses, vives et belles, la musique russe, la danse ! — et Chaliapine et Nijinsky !

Comment dire... mais aussi comment oublier l'enchantement du *Carnaval*, du *Spectre de la Rose* : danses délicieuses, couleurs exquises, personnages vifs et charmants dont les danses, les gestes rapides ou lents ont laissé une impression de beauté qui allait jusqu'à une sorte de mélancolique poésie... Jamais je n'oublierai le saut de Nijinsky par la fenêtre, dans la nuit, après la valse sur la musique de Weber, dans la petite chambre doucement éclairée, dorée... — esprit de la Rose, coiffé comme d'un étrange casque, de pétales, habillé des mêmes pétales roses, d'un rose non pas vif — mais intense... qui faisait croire au parfum.

Et puis ce joyau : *Petrouchka* ; beaucoup plus qu'un joyau : la poésie-même, dans son spectacle complexe et ses surprises de tous les instants. Cependant une seule et belle œuvre. En y repensant aujourd'hui, je crois que c'est ce ballet de *Petrouchka* qui nous reste comme l'œuvre la plus originale, la plus représentative de cette extraordinaire venue à Paris des grands artistes russes amenés par Diaghilev pour notre enchantement. L'histoire de la pauvre marionnette, tragique et légère et par moments fantastique, encadrée par la foire avec ses rythmes et ses airs, nous apportait, dans un art tout neuf, une poésie étrange qui semble venir du fond des âges et du fond populaire et légendaire de la vieille Russie — par la magie du peintre-poète, du musicien et aussi des merveilleux danseurs.

Ces noms rayonnent encore : Alexandre Benois, Bakst, Stravinsky et ceux des danseurs dont le génie et la grâce furent si fugitifs : Fokine, Nijinsky, Karsavina...

J'aimais la peinture de Blanche, surtout certains beaux portraits de ce temps-là — 1903-1910 — et j'aimais le beau métier de peindre, ce beau métier que l'on galvaude

toujours plus particulière, plus variée, plus inattendue que tout ce que nous essayons d'inventer, que tout ce que nous prétendons être pour étonner et pour plaire. La nouveauté passée et le choc de surprise de ces choses faites exprès pour étonner, que reste-t-il en effet de vraiment original?

On a la fierté de bien faire ce que l'on fait. Mais les belles œuvres n'ont-elles pas toujours aussi quelque modestie? Elles ne sont assurément jamais enflées.
Elles sont vraies.

J'en étais là de ces notes. L'autre soir, la conférence de M. Lugt et les grandes projections des dessins de Rembrandt me mettent devant — le sommet de l'art... : Pas un trait, pas un point..., comme écrivait Hokusaï... Cette grandeur, — mais aussi, mais surtout : l'intensité, la profondeur de l'émotion — plus belle d'être comme contenue et silencieuse — sans doute aussi intense, aussi profonde qu'un homme puisse la sentir — devant toutes choses : la vie, chaque homme, chaque regard, chaque geste; la mère et sa tendresse pour le petit, le pauvre petit si fragile, presque misérable en sa faiblesse, dans ses langes, le vieil homme — et toutes les grandes scènes : Jésus — la Croix — les grands anges de la Bible — la misère humaine, la jeunesse — une petite chambre bien recueillie...
Le sujet, dans cet art, mais c'est... tout. C'est lui qui inspire, qui met en action ce trait sensible et puissant; tout : l'ombre — et la lumière — le ciel — les beaux arbres, ce pays. Tout : vu en peintre, senti en poète par le plus grand peintre...

Avril 1956.

Préface pour la traduction de " il Grasso legnaiuolo "

André Noufflard

Après Boccace, après Franco Sacchetti, l'art du conteur semble être tombé en pleine décadence en Italie. La plupart des contes du XVe siècle qui sont parvenus jusqu'à nous sont figés, précieux, convenus. Certains pourtant sont attribués à de grands écrivains, à de grands humanistes, telle une variante, pourtant bien florentine et qui finit bien, de l'histoire de Roméo et Juliette, qu'on croit être de Leon Battista Alberti. Ce récit ne manque pas de charme ni d'émotion, malgré ses longueurs, mais il est bien loin de valoir le *Conte du Gros menuisier* dont je donne ci-dessous la traduction.
On peut dire que *Le Conte du Gros* émerge de cent coudées au-dessus de toutes les autres productions des conteurs du XVe siècle. Ce n'est pas une imitation de Boccace; l'œuvre est tout à fait originale. Le lecteur jugera de combien elle est savoureuse; il en appréciera, j'espère, l'extraordinaire finesse psychologique qui semble l'apparenter à certains ouvrages contemporains.

Les conteurs du XVᵉ siècle semblaient avoir perdu l'art de créer des personnages, d'inventer des situations. Le fait de raconter une histoire vraie — l'histoire d'une farce ingénieuse et féroce — et de peindre ses personnages d'après nature aurait-il donné à l'auteur de ce conte une vigueur nouvelle? Ses portraits sont saisissants et pris sur le vif. Tel celui de l'inventeur de la farce qui n'est autre que Filippo Brunelleschi. Ce portrait d'un Brunelleschi, farceur infatigable qui ne rit jamais mais ricane silencieusement au milieu des fous-rires des autres, est un complément bien amusant au portrait d'apparat sculpté sur sa tombe, sous la majestueuse coupole qu'il a lui-même élevée. Nous voyons encore Donatello, son principal complice, pince-sans-rire lui aussi, mais aussi rêveur et distrait que Filippo est précis et présent. Je cite ces deux grands hommes mais les portraits d'autres personnages moins marquants valent bien les leurs. Surtout, bien entendu, celui du héros du conte, victime de la farce, qui, en nous faisant bien rire, nous inspire une immense pitié.

Cet homme aussi a existé. Il s'appelait Manetto Ammannatini, surnommé « le Gros », et il a effectivement émigré en Hongrie, à la suite de la farce de Brunelleschi. Il y a réellement fait fortune, patronné par l'illustre condottiere florentin Filippo Scolari, et y est devenu un favori de l'empereur Sigismond. Cela est si vrai que, lorsque la Seigneurie de Florence voulut décider l'empereur à se rendre en Italie, elle fit parler secrètement à ce monarque *"per Grassonem, familiarem et domesticum suum, origine tamen florentina, sed longo tempore in Hungaria consuetum"* [1].

Le Gros a donc fait fortune en Hongrie et il y a vécu richement jusqu'à la mort de Sigismond (qui a suivi de près celle de Filippo Scolari) en envoyant régulièrement à Florence le produit de ses gains. Mais quand, à la disparition de son impérial protecteur, la source des profits que son amitié lui apportait fut tarie, le malheureux Ammannatini s'est trouvé dans un grand dénuement et, seul, après avoir perdu sa femme et ses enfants, il est mort misérablement à Buda-Pest, d'où il n'avait plus les moyens de se faire rapatrier.

On peut voir dans les archives de Florence un curieux document de la main du Gros (sorte de requête au Cadastre pour dégrèvement d'impôts — comme nous dirions) où, dans un style des plus primitifs, il énumère les biens qu'il a accumulés à Florence. Il y décrit, en quelques mots assez évocateurs, l'état de la Hongrie à la mort de Sigismond : « *Il y a grande guerre et grand différend entre les Barons, et il y a les Turcs, effrénés et envahissants, lesquels brûlent et incendient villages et pays et chassent les âmes* (des corps?) *en grande quantité...* »

J'attire l'attention du lecteur sur la curieuse figure de Filippo Scolari, dit Pippo Spano. Ce personnage, à peine indiqué dans le conte, occupe une place plus importante dans l'histoire. Il était chef des armées de Sigismond qui l'avait fait comte de Temestar. On peut voir à Florence, dans le couvent de Santa Appollonia, un portrait à la fresque de Pippo Spano par Andrea del Castagno. Filippo Scolari y est représenté en pied dans une attitude fière et il nous frappe par sa grande noblesse et sa beauté.

Le Conte du Gros menuisier, relativement peu connu même des Italiens, a été publié plusieurs fois sans nom d'auteur. Ce n'est qu'en 1887 qu'un érudit italien, Gaetano Milanese, a cru découvrir, grâce à des rapprochements graphologiques, que l'auteur de ce conte, ainsi que d'une *Vie de Brunelleschi*, où il est fait allusion à la farce du Gros, serait Antonio Manetti. C'est donc sous son nom que Milanese a publié ces deux œuvres, avec quelques autres petits ouvrages de moindre importance.

(1) Filippo Degli Albizzi - Commissioni - Florence - Cellini, 1867 - Vol. III, p. 536.

Je voudrais pouvoir croire à l'exactitude de cette attribution et que l'auteur du conte soit bien le jeune homme à l'air joyeux et souriant qui, dans le tableau du Louvre attribué à Paolo Uccello, se trouve justement placé entre deux des principaux personnages du conte : Brunelleschi et Donatello. De ce tableau (ou de celui dont il n'est peut-être que la réplique) Vasari écrit que Paolo Uccello avait voulu y éterniser la mémoire des grands artistes de Florence, et qu'il le gardait en souvenir d'eux dans sa maison. Il y avait représenté en premier Giotto, le fondateur de la peinture moderne, il s'y était mis lui-même comme inventeur de la perspective, Brunelleschi et Donatello représentaient l'Architecture et la Sculpture, et il y avait peint aussi son ami le mathématicien Manetti, avec lequel il aimait à s'entretenir au sujet d'Euclide. Je souhaiterais aussi que ce fût bien l'auteur de notre conte qui a pu écrire de Brunelleschi : « *Il a vécu à Florence de mon temps, je l'ai connu et je lui ai parlé.* »[2] . Ces mots se trouvent dans la *Vie de Brunelleschi*, attribuée aussi à Manetti. J'ai peine à croire que cette *Vie*, source des plus précieuses pour les biographes du grand architecte, puisse être, comme Milanese et d'autres le prétendent, du même auteur que le conte, dont elle est loin d'avoir la valeur littéraire.

Souhaitons que l'auteur du conte soit tout de même Manetti, mais on ne saurait vraiment l'affirmer. Cette attribution est très contestée. Le manuscrit, paraît-il, semble bien être de sa main, mais Manetti pourrait n'en être que le copiste, d'autant plus que dans la même liasse se trouve aussi une *Vie de Charlemagne* par Donato Acciaiuoli, copiée par Manetti, ainsi qu'il le déclare lui-même au bas de l'ouvrage, ce qui prouve qu'il lui arrivait de copier les textes qui l'intéressaient.

Antonio Manetti est bien représentatif de son époque et de sa ville ; d'une activité intellectuelle débordante, il s'est occupé des sujets les plus variés. Mathématicien, connaisseur en architecture, il a écrit aussi des ouvrages d'astronomie. Il a particulièrement étudié Dante qu'il admirait et vénérait : on a de lui une étude sur la topographie de *l'Enfer* de la *Divine Comédie*, et on conserve une lettre qu'il avait écrite à Laurent le Magnifique dans le but d'obtenir que les cendres de Dante fussent ramenées de Ravenne à Florence. Manetti a encore écrit des poésies et il a, à plusieurs reprises, occupé dans le gouvernement de la République de Florence, des charges honorables.

Si le conte que j'ai traduit est le seul qui nous donne cette histoire avec autant de détails et en une forme si pure et si concise, d'autres ont été écrits sur le même sujet, tant en prose qu'en vers, car l'aventure du Gros avait eu à Florence un grand retentissement. On peut les classer en deux groupes d'après leurs sources. Celui dont cette version-ci est l'aboutissement tire son origine des personnes citées à la fin de l'histoire (Matteo delle Porte, Michelozzo, Luca della Robbia, etc.) lesquelles avaient entendu le récit de la bouche de Brunelleschi lui-même. Les exemples parvenus jusqu'à nous (dont un en vers par Bartolomeo Davanzati) sont, comme forme et même comme style, assez semblables à cette dernière version qui n'en serait que la réplique complétée par de nombreux épisodes nouveaux.

Le second groupe est formé par ceux qui tenaient l'histoire d'un certain marchand florentin, Giovanni Pesce, à qui le Gros lui-même l'avait racontée en Hongrie. Les récits de ce groupe diffèrent des autres par beaucoup de détails. On en connaît une rédaction en vers par Bernardo Giambullari, père du célèbre historien. Le philologue Michele Barbi a publié

---

(2) Manetti, né en 1423, avait 23 ans à la mort de Brunelleschi en 1446.

en 1937 [3] un manuscrit qui appartient à ce même groupe. Cette version est beaucoup plus fruste que celle attribuée à Manetti, mais dialogues et récits ont beaucoup de saveur dans leur simplicité, et j'ai cru bien faire en en traduisant les premières et les dernières pages.

Le texte italien du titre est *La Novella del Grasso Legnaiuolo* (Grasso n'étant pas ici qualificatif, mais le surnom du héros du conte). *Legnaiuolo* veut tout simplement dire menuisier, mais le Grasso était manifestement plus que cela. D'après l'auteur du conte, il avait «la réputation de très bien faire les retables et leurs couronnements...». C'était là le travail d'un très habile sculpteur en bois, presque d'un architecte. Il était marqueteur, et quand on pense aux panneaux en marqueterie qu'on peut voir au Palais Ducal d'Urbin et ailleurs qui sont non seulement des objets précieux, d'un travail exquis, mais encore d'admirables tableaux, on entrevoit quel artiste le Gros pouvait être.

J'ajoute que Gaetano Milanese, dans sa préface à l'édition de 1887 [4], affirme que selon toute probabilité, le Gros fut employé en Hongrie, pour construire des palais, en qualité d'architecte, ce qui (selon Milanese) fut le cas de la plupart des artisans florentins que Pippo Spano avait fait venir en ce pays.

Voilà donc quel genre de menuisier semble avoir été Manetto Ammannatini, dit le Gros !

Sur Piero della Francesca
Berthe Noufflard

Notre petite conversation d'hier me fait reprendre Piero della Francesca — et Jean-Louis Vaudoyer qui en décrit si bien la beauté : "Une paix magnifique, si sursaturée de silence que..." oui, on retient sa respiration, même devant les deux grandes scènes de batailles d'Arezzo. Tout ce qu'*il voit* d'abord est, comme dit Jean-Louis, "transfiguré par le style" — et, là, ce que Jean-Louis (contrairement à Rivière) n'a pas remarqué, c'est *la lumière* — le ciel, derrière les bannières déployées et derrière les arbres sous lesquels se promènent les belles dames aux grands manteaux. C'est un ciel *vu, aimé* dans sa pureté... comme le verra Corot — bien plus tard — avec une sorte de tendresse.

Et puis, je te disais que Jean-Louis Vaudoyer n'avait pas vu autre chose encore. Il décrit — seulement — assez bien la grandeur du beau Christ dans sa Résurrection — si grand dans sa montée au sortir du tombeau — si grand, si droit dans le petit matin — alors

(3) Studi di Filologia Italiana - Bullettino della R. Academia della Crusca - Vol. I - p. 133 - Firenze Sansoni - 1937.

(4) Operette istoriche edite ed inedite di Antonio Manetti raccolte per la prima volta e al suo vero autore restituite da Gaetano Milanese - Firenze - Le Monnier - 1887.

que les soldats aplatis par terre contre le tombeau de pierre dorment profondément — ajoutant au silence de ce petit matin printanier : petites feuilles sur le ciel clair et léger — et le linceul tombant en grands plis purs d'une fraîche couleur de rose autour du beau corps d'ivoire. Il semble que tout parle de printemps, d'espoir.

Enfin je te parlais d'un autre tableau d'autel qui est dans la chapelle d'un cimetière de village, Monterchi. De chaque côté, un ange (cela en fait deux) les ailes dressées, cheveux au vent, d'un grand geste joyeux tirent un lourd rideau pour laisser voir une belle jeune femme debout, enceinte, le haut de son corsage entrouvert. Noble, tranquille. Dans un cimetière... la vie, l'espoir...

C'est *La Madonna del Parto* (parto veut dire exactement "accouchement". C'est moins laid qu'en français).

(Extrait d'une lettre de décembre 1969).

Dans l'escalier de l'oculiste
André Noufflard

Le Dr M. m'avait raconté les plaintes de certains peintres de ses clients qui ne pouvaient plus travailler avec ses verres « parce qu'ils y voyaient trop bien ».

« ...Ce sont de piètres artistes que ceux dont l'*interprétation* s'appuie sur un défaut de vision.

L'interprétation doit être un travail *intellectuel* même quand une partie au moins de ce travail se fait dans l'inconscient.

Un peintre doit examiner un motif comme un bon chef d'orchestre étudie une partition. Il doit avant tout en sentir la beauté, essayer de s'expliquer à lui-même en quoi réside l'émotion qu'il éprouve et de la traduire en la sublimant dans son œuvre.

Et pour ce faire, tantôt consciemment tantôt inconsciemment, son travail est celui d'un chef d'orchestre : mettre en évidence telle partie, en noyer telle autre dans l'ensemble, faire *chanter* un rapport de tons, faire sentir combien une dissonance est émouvante, combien mélodieuse est la ligne qui relie simplement telle partie à telle autre du tableau.

Ce que le peintre peut et doit faire, tandis que le respect de l'œuvre l'interdit au chef d'orchestre, c'est supprimer tout bonnement un détail qui nuit à l'ensemble.

Mais, cher docteur, une peinture *textuelle* d'après une mauvaise vision, c'est aussi pompier que certains tableaux photographiques. Il faut voir bien clairement pour pouvoir interpréter intelligemment ce que l'on voit... »

(« Vérités de Lapalisse »).

Sur l'éducation

Berthe Noufflard

Je crois que l'éducation consiste surtout à donner aux enfants la possibilité de se développer librement ; ceci ne veut pas dire : ne pas leur demander d'efforts... mais à éviter ce qui pourrait les décourager absolument...

Une bonne ambiance, une vie propre, un intérieur honnête où l'on agit de son mieux, où l'on s'aime bien, où l'on tâche de rendre les gens heureux autour de soi, où l'on est vrai et franc et poli, poli en famille. Où aussi l'on s'intéresse à bien des choses, où l'on pense à la petite place que nous tenons parmi tous les hommes, au rôle de notre pays ; où des amis de pays divers arrivent, viennent vivre près de nous et pour qui la vieille maison où nous sommes est un point accueillant qu'ils aiment.

Et pas de morale. Sauf à de rares moments, si cela est indispensable, et alors, très sérieusement...

Là-dedans, si quelqu'un a soif de grandes actions, qu'il aille vers l'héroïsme (ou l'ascétisme ou les deux). Il en sera d'autant plus heureux qu'il l'aura trouvé lui-même.

Je n'y tiens pas. Il peut être dur et cruel, et on a vu trop de cruautés.

Je préfère modération, modestie et douceur — non sans fermeté ni courage.

D'ailleurs, dans l'oppression, chacun a fait de son mieux en prenant les risques nécessaires — la jeunesse surtout qui fut à la hauteur de tout avec courage et simplicité.

Ainsi, à mes yeux, l'éducation est une chose un peu négative mais très importante.

Cependant, quand on la pratique de cette façon, les enfants ne s'en aperçoivent guère, même si elle a absorbé pendant des années toute votre attention, votre cœur et vos soins.

Témoignages

61, rue de Varenne

à Geneviève Noufflard

Depuis trente ans ma vie
Tient dans ces murs dont je suis l'hôte
C'est un espace immense
De quelques pas

Personne entre eux ne se sent précaire
La maison a vécu si longtemps
Elle a le front haut elle est brave
Elle se souvient

Et je me souviens grâce à elle
D'un temps où je ne fus pas
De sa morte qui tient ensemble les pierres
Impérieusement

Ils vivent près d'elle Ils l'aiment encore
D'avoir osé dire Non
Ceux dont le courage a nourri son courage
Qui les a nourris

Sa présence n'expire pas avec elle

1

294

Son souffle lui a survécu
Elle ne consentit à mourir
qu'après s'en être assurée

Elle en fit au jour de sa mort
La preuve dans la muraille elle-même
Quand d'un coup le chagrin lézarda
De haut en bas la façade

Jusque là je n'avais jamais su
Moi partout l'étranger de passage
Que les murs sont aussi nécessaires
A l'âme que le corps

La morte lézardant la demeure
Dont sa mort prétendait l'arracher
Confirmait autre chose: que l'âme
Est le liant des murs

De ce jour nous n'avons cessé d'être
Sous la Protection
Chaque matin nous donne au nom d'elle
Sa part d'éternité

Sa lumière différente et la même

2

Dont le lien est cet oeil attentif
Qui fait naître un grand ciel de peinture
D'un visage entrouvert

L'espace de la pensée est sans borne
Pour ceux qui vivent ici
Des mondes s'y échangent par lui
Quand bien même ils s'ignorent

Chacun dans son voisin reconnaît
Une aventure de l'Homme
Une dimension qu'il envie
Mais que l'autre lui donne

Et si tout cela ne tenait
Qu'à la sollicitude de celle
Plus légère maintenant parmi nous
Devenue tout entière musique

Sa flûte se fait entendre parfois
Si discrète ô si nécessaire
Ah seule a le don d'élargir
Les esprits les murailles

Quelles grâces lui rendre sinon

3

Simplement d'être ceux qu'elle assemble
Artisans d'un accord que son chant
Exigeant et doux leur enseigne

Pierre Emmanuel

Les Noufflard vus par les Dubos

C'est le 1er décembre 1950 qu'Henriette nous amena pour la première fois 61, rue de Varenne et que nous y fîmes la connaissance de ses parents. Nous ne nous attendions pas à beaucoup de surprises car Henriette, au cours de nombreuses conversations pendant son premier long séjour à New York, nous avait beaucoup parlé des habitudes, goûts et idées tant de Berthe que d'André Noufflard. Mais en fait, nous n'étions guère préparés aux multiples impressions qui furent les nôtres au cours de cette première visite — dès l'entrée dans l'appartement, puis dans le salon et enfin dans la salle à manger.

La première fut une impression d'extrême diversité visuelle, et même, tout d'abord, presque de confusion, causée par le grand nombre de meubles et objets qui affirmaient leurs différentes origines — française, italienne, anglaise, orientale. Cette diversité aurait probablement été pénible si nous n'avions pas immédiatement ressenti l'originalité et la beauté de chacun. L'impression physique de diversité n'empêchait d'ailleurs pas d'éprouver partout dans l'appartement une atmosphère d'extrême intimité.

On sentait que meubles et objets n'étaient pas arrivés là par hasard, mais que chacun représentait un moment de vie et symbolisait une expérience que la famille ne voulait pas oublier. Les nombreux tableaux exprimaient aussi un message intime — portraits de membres de la famille ou d'amis, paysages qui semblaient communiquer une atmosphère que quelques personnes seulement pouvaient complètement apprécier.

Dès le début de notre visite, ces premières impressions d'ordre physique furent confirmées par la qualité personnelle des contacts qui s'établirent entre les Noufflard et nous. En parlant des journaux, revues et gravures disposés sur la table autour de laquelle nous étions réunis, il se créa vite entre nous une ambiance qui semblait presque indépendante du monde extérieur, sans pourtant en ignorer l'existence. Ce sentiment d'intimité correspond bien à ce que nous avons ensuite appris de la vie sociale des Noufflard. Ils avaient de nombreux amis, mais la plupart étaient des « amis de toujours ». Nous n'étions entrés dans ce cercle intime que par la grâce de notre riche amitié avec Henriette. Je vais essayer de m'expliquer en racontant une histoire vraie qui présente une formule d'amitié complètement différente de celle que pratiquaient les Noufflard.

Il s'agit d'une aimable Américaine dont le mari était un officier important, commandant un groupe militaire spécialisé que les autorités déplaçaient souvent d'un bout à l'autre du continent américain. Quand j'ai entendu parler de cette charmante personne, elle venait de passer avec son mari deux ans à l'Est des Etats-Unis dans une ville de quelque 20 000 habitants. Le moment étant venu de partir pour un autre poste, elle déclara, au cours d'une réception d'adieux, qu'elle regrettait de devoir quitter les cinq cents amis intimes — « five hundred close friends » — qu'elle avait acquis au cours des deux années passées. Ses regrets étaient d'ailleurs bien probablement atténués par la conviction qu'elle se ferait vite cinq cents nouveaux « close friends » dans la nouvelle ville où le groupe de son mari allait être installé.

Avant même de connaître Berthe et André Noufflard, nous avions appris au cours de nos conversations avec Henriette les noms de presque tous les amis de la famille — parce que en vérité ces amis « de toujours » n'étaient pas tellement nombreux. Mais il s'agissait d'amitiés si profondes qu'elles continuent à se perpétuer par l'intermédiaire d'Henriette et de Geneviève longtemps après la disparition de leurs parents et grands-parents. Ce genre d'amitiés ne se manifestaient pas dans le passé, et ne se manifestent pas non plus aujourd'hui par des démonstrations formalistes et des réunions du genre qu'on identifie en général avec la vie de société. Le fondement de ces amitiés-là, c'est justement cette atmosphère d'intimité dont nous avions vite perçu, dès notre première visite rue de Varenne, l'expression physique dans les objets et les tableaux.

Cette intimité permettait, d'ailleurs, beaucoup d'intensité dans les rapports humains, comme le montre un épisode d'un de nos premiers contacts — peut-être le premier — avec Berthe et André Noufflard. Ma femme Jean savait alors assez bien le français mais pas suffisamment pour participer à une discussion un peu vive et en comprendre tous les détails. En prenant le thé, ou peut-être au cours du dîner, la conversation devint à un moment si intense, surtout de la part de Berthe, que Jean s'imagina d'abord qu'il s'agissait d'un problème social de caractère explosif et fut bien surprise et rassurée de se rendre compte un peu plus tard que ce que nous avions discuté avec tellement de vigueur était bien une explosion, mais non pas politique, simplement volcanique.

Durant les années 1960, Jean et moi avons occupé l'appartement de la rue de Varenne à deux reprises en l'absence des Noufflard. Nous connaissions alors la personnalité et l'origine de chaque objet et tableau, ainsi que l'aspect particulier de la vie familiale ou amicale que chacun évoquait. Mais ce que nous apprîmes à mieux connaître pendant ces deux séjours, c'est l'immense richesse intellectuelle de nos amis, que démontraient bien, par leur nombre et leur diversité, les livres en français, en italien ou en anglais qu'ils avaient accumulés tout au cours de leurs vies. Nous y retrouvions leur esprit et leurs opinions, tels que nous étions arrivés à assez bien les connaître.

Beaucoup de ces livres reflétaient naturellement l'intérêt que les Noufflard portaient à toutes les activités artistiques, sauf peut-être à certains styles considérés à cette époque comme ultra-modernes et dont la plupart sont d'ailleurs maintenant en train de disparaître. Mais j'ai l'impression que plus nombreux encore étaient les livres consacrés à des sujets autres que les arts plastiques, la musique et la littérature : philosophie, politique, sciences humaines, cuisine, voyages, biographies, etc. En lisant rue de Varenne, j'appris parmi beaucoup d'autres choses que Talleyrand avait séjourné assez longtemps aux Etats-Unis où il s'était livré à des spéculations foncières dans des régions du Middle West alors encore sauvages mais dont il avait deviné les potentialités agricoles. J'appris aussi qu'il s'était vite convaincu que la jeune république américaine, bien que s'étant récemment séparée par la force de l'Angleterre, rétablirait avant peu des rapports politiques spécialement amicaux avec ce pays. Parmi les livres des Noufflard, je trouvai aussi beaucoup de choses inattendues sur Tocqueville, Clemenceau, Valéry et autres personnages historiques ou contemporains. Mais quelques anecdotes concernant nos rapports avec Berthe et André dans la vie journalière donneront peut-être une idée plus claire du vaste éventail de leurs intérêts et de leurs activités.

Par ma femme Jean, je savais que Berthe s'intéressait beaucoup aux recettes de cuisine et aux modes féminines. J'ai déjà fait allusion à l'intense préoccupation qu'elle avait des problèmes sociaux mais une conversation d'ordre médical que j'eus un jour avec elle jeta une lumière nouvelle sur cette préoccupation. Je travaillais alors sur la tuberculose et j'essayais de communiquer ma conviction que la fréquence et la sévérité de cette maladie ont toujours été fortement influencées par les conditions de vie. Pour illustrer cette thèse avec le cas de la révolution industrielle au XIXᵉ siècle et au commencement du XXᵉ siècle, je citai une chanson populaire dans laquelle il est question d'une petite fille d'un milieu ouvrier sur le point de mourir de « consomption ».

A peine avais-je prononcé les premières lignes de la chanson :

« C'est aujourd'hui dimanche,
Et c'est jour de visite
Le malheureux mari
S'habille tristement... »

que Berthe continua et fredonna la chanson de mémoire. C'est elle qui pouvait me donner une leçon sur les aspects humains et sociaux de la tuberculose suggérés par cette chanson vieille d'un demi siècle.

Je ne sais pas si André se préoccupait de questions culinaires mais il y avait généralement à table plusieurs espèces de cidre dont il connaissait non seulement les qualités gustatives mais aussi les différences dans les procédés de fabrication. Le sens concret qu'il avait des choses est symbolisé par le propos d'Alain sur le jeune homme à raquette que rapporte Françoise Benoist [1], et encore mieux peut-être par l'attention qu'il portait aux problèmes pratiques de l'agriculture et de l'administration municipale à Fresnay. Au cours d'un de nos voyages à Paris, nous devions le rencontrer par hasard, Jean et moi, observant avec une intense attention la devanture d'un antiquaire rue Bonaparte. Il nous fit un petit cours sur les qualités techniques et artistiques ou la banalité des objets en vitrine qu'il avait évalués sans d'ailleurs avoir aucune intention d'acheter — surtout, ajouta-t-il, parce que seuls les Américains et certains autres étrangers pouvaient se permettre d'acheter des objets à des prix aussi fantaisistes.

Il y avait chez lui, je crois, un scepticisme aimable et souriant que j'avais appris à reconnaître pendant les deux années que j'avais passées à Rome en 1922-1924. Je me souviens du plaisir qu'il avait à raconter une histoire de revenants, qui s'était passée près de

(1) Cf. page 307.

301

Florence, à Broncigliano; la villa qui avait appartenu aux Noufflard avait été achetée par deux dames anglaises, et on disait qu'un certain revenant y apparaissait de temps en temps. Comme André demandait certains détails sur ce phénomène à son ancien jardinier, celui-ci répondit stupéfait : « Ma ci crede Lei, Sor Padrone, a questa roba ? » [2].

J'ai l'impression que cette réponse avait beaucoup plu à André parce qu'il y voyait la preuve que le jardinier avait reconnu en lui le bon sens des gens qui sont en contact concret avec la réalité.

Je me rends compte que Jean et moi, ne faisant en France que des séjours rares et courts, n'avons été en contact avec Berthe et André que dans des moments agréables de leurs vies. Nous savons quelque chose des heures pénibles qu'ils ont vécues, mais j'aime à croire qu'ils mettaient eux-mêmes en pratique une formule attribuée à Clemenceau que j'ai lue et notée au cours d'un de nos séjours rue de Varenne. Clemenceau, si je me souviens bien de ce que j'ai lu, voyait toujours approcher le soir et la nuit avec pessimisme, et devait se fabriquer un nouvel optimisme chaque matin. C'était peut-être aussi un peu le cas de Berthe et d'André — ce qui rendrait encore plus remarquable le génie qu'ils manifestaient non seulement par la variété de leurs occupations et de leurs intérêts, mais aussi par la qualité de leur vie journalière.

Professeur René Dubos.

(2) « Mais vous y croyez, vous, patron, à ces histoires-là ? »

Les Noufflard chez eux
Fresnay

Dans l'île déserte, qu'emporterais-je parmi les tableaux qui décorent mon appartement, œuvres d'êtres disparus que j'ai beaucoup aimés ? Sûrement celui-ci, de Berthe Noufflard, devant lequel il m'arrive souvent de rêver.

C'est un coin du salon, à Fresnay. Au premier plan, sur la table que recouvre un tapis aux couleurs fraîches et vives, la lampe chinoise. Au second plan, un jaune exquis, « à la Vermeer », celui d'un fauteuil Louis XVI. Et, à l'arrière-plan, fondus dans une lumière très douce, les tons gris et beige de la porte et des murs, et les reflets brillants, blancs et bleus, du poêle alsacien.

Dans cette toile, il y a quelque chose de magique. Si nous restons un peu à la contempler, la porte va s'ouvrir... et ils vont apparaître ! Lui, si beau, si merveilleusement naturel, dans son costume de gentleman-farmer normand, elle, semblant sortir tout droit d'un tableau de Manet ou de Berthe Morisot, son panier au bras, ramenant un châle sur ses minces épaules, tous deux souriants, heureux de retrouver leurs amis pour de longues et affectueuses causeries.

En quelle saison sommes-nous ? Si nous levons les yeux vers les hautes fenêtres, nous le saurons par le ton des hêtres, côté jardin, par celui du grand marronnier rose, côté cour de ferme. Nous le saurons aussi en regardant les bouquets de fleurs, harmonieusement composés par Berthe ou par André dans des vases de porcelaine blanche. En été, les pois de senteur, les capucines, les phlox, les hortensias roses ou bleus... En fin de saison, les monnaies du pape, petits miroirs multiples reflétant les plus pâles rayons de lumière. Et, par la manière dont ils étaient faits, les initiés arrivaient à discerner qui, de Berthe ou d'André, en était l'auteur.

Nous les retrouverons, ces émouvantes natures mortes — comme l'expression « still life » est plus juste ! — dans beaucoup de toiles de Fresnay.

Propriété de la famille Noufflard depuis le XVIIIe siècle, la maison de Fresnay, type même de la demeure cauchoise à colombages, est à la fois aristocratique et rustique. Elle fut maintenue dans son caractère, grâce à l'amour et au respect dont l'ont entourée plusieurs générations. En décrire la beauté et le charme, ce n'est pas moi qui le tenterai. Les peintres, André Noufflard et Henri Rivière, puis Alexandre Benois lors des séjours qu'il fit à Fresnay à la fin de sa vie, s'en sont chargés avec bonheur. Tout ce que je pourrais dire, c'est le vif sentiment de joie qui me saisissait toujours — qui me saisit encore — lorsque débouchant du chemin creux dans la cour de ferme, je voyais apparaître cette chère maison, dans l'harmonie de ses hortensias roses, de ses ardoises et des volets bleu-vert.

Lorsque j'y suis venue pour la première fois, arrivant de Saint-Aubin par le « chemin de fer » avec nos amis Parodi, je devais avoir moins de dix ans. Depuis, ma mère et moi, nous avons eu le bonheur de compter au nombre des habitués, les « happy few », pour qui Fresnay était le havre où l'on vient reprendre souffle, André et Berthe s'efforçant, par la perfection spontanée de leur accueil, de vous faire oublier fatigue et soucis.

Amie d'Henriette et de Geneviève, mes rapports avec nos hôtes ont été ceux d'une enfant, puis d'une adolescente, enfin d'une adulte... Les souvenirs se bousculent et sont difficiles à classer, en raison de la continuité dans la tradition. D'ailleurs enfants, jeunes gens et « grandes personnes » ne vivaient pas à Fresnay comme des entités distinctes. Chaque groupe participait aux activités de l'autre et en partageait les émotions et les passions. Enfants, nous renâclions pour aller nous coucher. La vie allait continuer « en bas » sans nous. Qu'allaient-ils dire que nous ne pourrions pas écouter ? De quoi allaient-ils discuter ? On les entendait rire dans le salon... Pourquoi ? Et puis, loin d'eux, on avait un peu peur. Des souris, des loirs couraient derrière les boiseries, et, si on dormait dans une petite chambre du second étage — par exemple celle de « Paul et Virginie » appelée ainsi à cause des vieilles gravures qui la décoraient — on entendait parfois les effraies marcher à grands pas au grenier et pousser de profonds soupirs... Pourtant, André nous avait appris à aimer les oiseaux nocturnes pour leur beauté plutôt qu'à les craindre.

Par sa stature et par certains de ses traits, André rappelait ses ancêtres Noufflard, alors que par la finesse de son expression et un léger accent florentin, il tenait de sa mère, si belle. Son charme — celui d'un très jeune garçon — masquait une culture profonde, une intelligence tournée vers les sujets les plus austères, un intérêt pour l'universel. Mais il avait aussi le goût des choses curieuses ou cocasses, ce qui donnait à ses propos une forme humoristique très particulière.

Sur les enfants, il avait un grand pouvoir de séduction. Il savait éveiller leur curiosité et leur parlait sur un ton grave, mais avec une drôlerie qui les fascinait.

A table, il arrivait qu'apparaisse sur la nappe, se déplaçant de travers entre les assiettes, un étrange animal, le Roi des crabes, dénommé Grégoire, et deux autres crabes plus petits (la main d'Henriette, la main de Geneviève) appelés Rhâ-ba-Rhâ et Bou-Ton-Ton. Grégoire n'était autre que la main d'André, avec ses longs doigts en guise de pattes.

Un autre jeu, plus simple, faisait patienter les enfants à table. Le service utilisé tous les jours était l'œuvre de l'Oncle Hansi, vieil ami de la famille. Les motifs alsaciens aux vives couleurs étaient variés, et le jeu consistait à cacher son assiette en la retournant pour donner à deviner ce qu'elle représentait : «les trois oies», «la cigogne», «la petite Alsacienne qui a froid», «le clocher»... Puis vite, on remettait son assiette à l'endroit, car le plat qui venait d'être posé sur la table retenait toute l'attention.

La perfection devant toujours être recherchée dans les arts, même mineurs, Berthe attachait une grande importance à la qualité de la cuisine. Elle y tenait aussi, tout simplement, parce qu'elle n'aimait rien tant que faire plaisir. Ses recettes recueillies dans les précieux cahiers que nous consultons encore aujourd'hui, sont d'origines diverses, souvent alsaciennes ou italiennes, toujours personnalisées. Elle n'avait guère mis elle-même la main à la pâte mais s'entretenait, chaque matin, savamment, des menus du jour avec la cuisinière. Le raffinement était recherché, ce qui n'excluait pas les bons gros plats normands comme le hareng «bouffi» aux pommes de terre et à la crème, cette crème fraîche de Fresnay, inoubliable pour ceux qui y ont autrefois goûté.

Beaucoup de journées se passaient au jardin. L'heure du thé — apportant les délicieuses tartines de pain de campagne grillées — succédait à l'heure du café, sans qu'on ait senti le temps s'écouler. La conversation de Berthe était captivante, et je me souviens avec quel plaisir nous l'écoutions évoquer les artistes et les personnalités — dont beaucoup étaient des amis de sa mère — qui avaient marqué sa jeunesse, l'Italie où elle avait vécu les premières années de son mariage, enfin tous les milieux qu'elle avait pu observer. Pourtant, nous, les enfants, nous n'avions pas l'air d'entendre. Nous nous exercions au portique, ou bien, blotties dans le hamac, nous semblions plongées dans nos lectures.

En fin d'été, une passion nous arrachait à ce délicieux «farniente», celle des champignons : les cèpes dans la forêt, les rosés dans les prés, et bien d'autres qu'André nous avait appris à connaître, avec un soin méticuleux, et l'amour qu'il portait à toutes les choses de la nature.

La vie de la ferme, son activité, étaient sans cesse présentes à nos esprits et — je puis dire — à nos oreilles, puisque la façade même de la maison ouvrait sur la vaste cour plantée de très grands arbres, où s'ébattaient les volailles, où circulaient les charrettes. On allait visiter les veaux, les cochons. On connaissait les bêtes par leur nom : Hardi, le pauvre chien de garde toujours enchaîné, Sophie, la truie énorme et prolifique, Artémise et Cunégonde, les pintades... Et surtout, à l'époque de la moisson, on vivait dans la même anxiété que les cultivateurs de ce pays, l'œil fixé sur le baromètre.

Les jours de mauvais temps étaient aussi joyeux que les autres. D'abord parce qu'on n'hésitait jamais à sortir pour se promener, bottes ou même sabots aux pieds, enveloppés dans des capes de loden vite gorgées d'eau, qu'on faisait au retour sécher devant la grande cheminée de la salle. Mais aussi parce que c'était l'occasion de grands jeux collectifs. J'aimais particulièrement «cache-cache sardine», jeu auquel la vieille maison semblait prédestinée avec ses deux escaliers, ses chambres communicantes et ses nombreux recoins. Un seul joueur se cache. Les autres partent à sa recherche, chacun de son côté, de la cave aux greniers, et lorsqu'ils l'ont trouvé, disparaissent silencieusement avec lui dans la même cachette (généralement un placard). Le dernier — celui qui va perdre — se trouve soudain seul, n'entendant plus que le bruit de ses propres pas, et guettant désespérément l'écho du fou-rire de la maisonnée, entassée dans son réduit.

Parmi les habitués de Fresnay qui y séjournaient en même temps que nous, on trouvait presque toujours, bien sûr, un membre de la famille Parodi, généralement Paulette ou Jacqueline (car, ainsi que le rappelle Henriette, Fresnay et Saint-Aubin formaient un « Monomotapa ») Henri Rivière et sa femme, devenue aveugle, ou bien des amis italiens comme Doletta Caprin et plus tard les Rosselli. Et des amis anglais, tels May Wallas ou Mary Fisher, qu'on se faisait une joie d'aller chercher au bateau de Dieppe. Enfin la pianiste Balbina Braïnina, caractérisée par son tempérament slave et son immense talent.

Balbina travaillait plusieurs heures par jour, dans l'atelier attenant au salon, les plus belles œuvres classiques. Du jardin, par les fenêtres ouvertes, on entendait cette merveilleuse musique qu'accompagnait un sourd gémissement, celui de l'interprète. Parfois, Balbina rejoignait les enfants dans la salle et se mettait au piano droit : « Maintenant, si nous "faisions" un peu Mozart ?... » Assis par terre, nous nous taisions, apprenant à écouter, abordant aux rives d'un bonheur nouveau.

La maisonnée vivait fort bien sur elle-même, mais les visites d'amis du voisinage étaient les bienvenues. Parmi celles-ci, les plus fréquentes, en dehors de celles des Parodi, étaient celles de Jacques-Emile Blanche, qu'accompagnaient sa femme et ses belles-sœurs, venant d'Offranville. Conversation souvent caustique mais toujours enrichissante de celui qu'on appelait respectueusement « Monsieur Blanche », douceur charmante de Madame Blanche... Tout cela pour moi est un peu estompé. Je vois plus nettement « les dames d'Auppegard », deux anglaises d'origine américaine fixées depuis longtemps dans un manoir normand : Miss Hudson et Miss Sands. Elles arrivaient, conduites par un chauffeur en casquette dans une aristocratique voiture noire : Miss Hudson, plutôt masculine, avec une figure en lame de couteau, un grand menton, drapée dans une cape noire, et Miss Sands, plus effacée, avec une voix haute, un menton fuyant et un catogan. Ce couple évoquait, par une certaine ambiguïté, les femmes libérées de la haute société anglaise, décrites dans les romans du début du siècle.

Après le départ des visiteurs, le calme revenu, lorsque le soleil n'illuminait plus que le faîte des grands hêtres, on décidait de marcher jusqu'à « la pointe des arbres » pour assister au coucher du soleil et admirer la lumière du soir sur la campagne. Parfois c'était seulement après le dîner ; une fraîcheur tombait, et on s'enveloppait frileusement dans les capes.

« La pointe des arbres » est un alignement de hêtres centenaires que longe un sentier, en bordure des prairies situées de l'autre côté de la route. Lorsque, arrivés à l'extrémité de cet alignement, on se retourne, on voit la propriété des Noufflard, le « clos-masure » cauchois proprement dit, délimité par ses fossés plantés de hêtres. La vue s'étend loin, au-dessus des herbages, des champs cultivés, des vergers, et c'est sur le grand ciel, toujours si beau à cette heure-là, qu'il soit pur ou tourmenté, qu'on finissait par s'extasier.

Au retour, l'obscurité venant vite, l'attention se portait sur le sol, et c'est alors qu'on découvrait : un champignon blotti entre les grosses racines d'un arbre... un hérisson, débusqué par le chien, qui s'était mis en boule et tremblait de peur...

Au ciel, apparaissaient les premières étoiles, les premières planètes. Peut-être que ce soir, André sortirait la grande lunette d'approche et nous ferait admirer les couleurs de Mars ou l'anneau de Saturne...

André, en effet, n'avait jamais cessé d'être le « grand jeune homme à raquette » qu'évoquait Alain dans l'un des Cent-un Propos (3e série) publiés à Rouen en 1911 :

« Mais je veux vous conter une histoire de lunette. Il y avait un château ; au-dessus du château, il y avait le ciel ; dans le château il y avait des gens fort cultivés ; il y avait aussi un trépied dans un coin et une grande boîte sous le billard. On disait : « Il y a dans cette boîte une lunette qui vient d'un oncle » ; et l'on racontait l'histoire de l'oncle. Historiens grands et petits, on n'entend que cela. Saturne faisait ses tours au ciel, mais ils ne s'en souciaient point, parce qu'ils avaient appris au collège tout ce qu'un homme cultivé doit savoir là-dessus.

Il fallut qu'il vînt là un grand jeune homme à raquette, qui n'avait guère écouté ses maîtres, et qui flânait par le monde, grâce à l'argent qu'il avait. Cet ignorant savait qu'il y a un vrai ciel, et des lunettes pour les choses du ciel. Il tombe sur la boîte, l'ouvre, monte la lunette, tâtonne d'étoile en étoile, et dit finalement : « Il est là. » Sa voix tremblait un peu. Tous y coururent ; et ce jour-là comptera dans leur vie. Car l'habitude nous cache les choses ; mais quand on a vu cet anneau penché autour d'un globe, il faut qu'on revienne aux merveilles qui sont autour de nous, à nos pieds. Comment ne pas penser à cette vieille terre qui flotte, elle aussi, enveloppée de nuages, tout humide de ses océans ? Et comment n'y pas aller, je veux dire comment ne pas s'éveiller aux choses terrestres ? Quand on découvre Saturne au bout d'une lunette, c'est tout l'univers qu'on découvre. »

Dans le salon, après le dîner, on allumait une flambée qui ajoutait encore au confort chaleureux de la soirée. La chatte grise se blotissait sur des genoux accueillants ou sur un coin de canapé. Et, si Madame Langweil était présente, il était de tradition qu'André fasse avec elle une partie de pharaon. Ensuite, il acceptait volontiers de nous faire la lecture à haute voix et son choix portait généralement sur des œuvres classiques, telles les Mémoires de Saint-Simon, les lettres de Madame de Sévigné, la correspondance de Mérimée... qu'on pouvait lâcher et reprendre facilement le lendemain soir. Dans la charmante petite bibliothèque aux quatre lucarnes du deuxième étage, sous les toits, on trouvait aussi les Nouvelles de Maupassant qu'André, en vrai Normand qu'il était, appréciait particulièrement. Quant aux livres modernes ou plus ardus, ils étaient lus par chacun dans le recueillement des matinées ou de la sieste de l'après-midi ; on se les passait ensuite pour pouvoir en discuter.

La discussion, nous l'aimions, non parce qu'elle nous opposait, mais, au contraire, parce qu'elle nous faisait prendre conscience des points essentiels sur lesquels nous étions profondément d'accord, et resserrait nos liens. Mais Berthe était si passionnée et ressentait si douloureusement l'horreur des conflits mondiaux que l'on hésitait à affirmer devant elle certaines positions trop catégoriques.

Je me souviens d'une discussion sur le progrès qui a duré très tard un soir. J'étais montée me coucher avant qu'elle ne soit terminée. Le lendemain matin, ma mère, navrée, me confiait : « Je n'aurais pas dû, hier soir, défendre si fortement mon point de vue, qui est que l'homme ne cessera jamais d'être un loup pour l'homme... J'ai compris à quel point la foi en l'humanité est nécessaire à l'équilibre de Berthe. Je l'ai peinée. Je suis sûre qu'elle aura mal dormi ! » C'était vrai.

Vivant dans l'aisance, profondément cultivés sur tous les plans, menant dans la demeure qu'ils aimaient, au rythme qu'ils avaient choisi, une existence harmonieuse, André et Berthe restaient cependant ouverts à toutes les occasions qui s'offraient à eux d'avoir une action utile dans la région.

Il va sans dire qu'André, très conscient de ses responsabilités de propriétaire, prêtait une oreille attentive aux suggestions du fermier. Les relations entre les Noufflard et les Marais, leurs fermiers depuis plusieurs générations, étaient — et sont restées — affectueuses et amicales, ce qui contribuait à l'agrément de la vie à Fresnay.

Chez Berthe comme chez André, tout était générosité à l'égard de l'entourage rural dont, en cette époque déjà lointaine, les conditions de vie étaient difficiles du fait de l'insuffisance de la législation sociale. Les initiatives prises par Berthe : installation d'infirmières visiteuses à Tôtes, organisation régulière d'une «pesée des bébés» à Fresnay même, présentaient un caractère exemplaire. L'éducation des jeunes mères, la lutte contre les habitudes néfastes — comme le sucre au calvados dans les tétines — étaient un sujet de préoccupation permanent. Plus tard, après la guerre, si au cours d'une promenade on venait à croiser une fille ou un garçon, souriant et plein de santé, Berthe aimait pouvoir dire : «C'est un enfant de la pesée!»

Dans une vie si remplie, le temps était cependant ordonné de façon à ce que rien ne vienne entraver l'essentiel : l'accomplissement de leur œuvre de peintres.

Excepté pendant les périodes de très mauvais temps, une peinture était toujours en train. André, paysagiste, partait sur le motif. Berthe, portraitiste et peintre d'intérieur, restait à la maison.

André, à son retour, méditait avec Berthe sur l'état d'avancement de la peinture en cours. C'est un moment que j'aimais particulièrement. Le silence d'abord. Puis une petite remarque du peintre sur une difficulté rencontrée. Encore du silence. L'autre cherche une explication. S'agit-il d'un rapport de tons? d'un rapport de valeurs? d'un déséquilibre dans la composition?...

Se comprenant à demi-mot, ils arrivent aux mêmes conclusions. En même temps, ils ont apprécié — et celui qui n'est pas l'auteur s'exprime sur ce point avec une délicate et tendre admiration — les éléments auxquels il ne faudra plus toucher, car la perfection est obtenue.

Il n'est pas facile de parler peinture. Parmi les plus grands peintres, peu ont été capables de traduire, autrement que par le pinceau, la signification de leur recherche. Si André et Berthe n'ont pas écrit sur la peinture [1], ils ont cependant su, par leurs propos, nous apprendre à regarder et à aimer l'œuvre d'un artiste. Y a-t-il plus merveilleux cadeau?

Je nous revois, petites filles, Henriette et moi, installées avec nos boîtes d'aquarelle devant notre «motif» : un des bâtiments de ferme, recouvert d'un toit de chaume. André qui passait s'arrête un instant, regarde et me dit : «Tu as cru bien faire en utilisant du noir pur pour cette ombre. Il ne faut pas. Si tu regardes avec attention autour de toi, tu verras que le noir n'existe pas dans la nature...» Ce n'est qu'un détail, bien sûr, mais je ne peux pas contempler un paysage sans qu'il me revienne à l'esprit.

Plus tard, bien plus tard, dans les dernières années de sa vie, lorsque j'allais voir Berthe, la conversation venait tout naturellement sur l'art, et — avec la même avidité que dans ma jeunesse — je l'interrogeais : «Pourquoi est-ce que j'aime cela? Pourquoi est-ce beau?» Elle souriait. Nous feuilletions des recueils de reproductions : Degas, Rembrandt, Watteau, Goya, etc... et elle dirigeait mon regard vers l'essentiel : une ligne, une ombre, un volume... «C'est là qu'est le génie». Il ne s'agissait pas d'une explication, mais d'une approche de la beauté artistique, pratiquée avec un naturel et une humilité quasi mystique.

_____

(1) Cf. exemples page 280 et suivantes.

La guerre passa sur Fresnay sans dommages trop graves, grâce aux précautions prises par les Marais.

Pendant l'hiver 1939-1940, André et Berthe Noufflard y avaient vécu avec les deux grand-mères, Madame Georges Noufflard et Madame Langweil. Ils n'y furent pas heureux — qui aurait pu l'être cette année-là ? — mais la sérénité et la beauté du paysage d'hiver qui les entourait leur apportait un adoucissement. Le 31 décembre 1939 je vis pour la première fois Fresnay sous la neige : vu du dehors c'était comme une apparition de conte de fées ; et, à l'intérieur, par les fenêtres, pénétrait une douce lumière argentée. Derrière les vitres du salon, André avait disposé des branchages et de la nourriture pour les oiseaux du jardin, qui nous enchantaient par leur vivacité et leurs plumages.

Au matin du 1er janvier 1940, je me souviens qu'André portait un costume de tweed « feuille morte » et une cravate rouge, couleurs en parfaite harmonie avec les tons du jardin enneigé. Je le vois encore échangeant affectueusement, mais avec une certaine solennité, les vœux traditionnels avec la famille Marais... Que de fois, pendant les années de l'occupation où nous étions tous dispersés, ai-je imploré les Dieux pour que cette scène ne soit pas la dernière vision que je garderais du bonheur de vivre dans cette maison !

Elle ne le fut pas, Dieu merci ! Lorsque, à la Libération, André et Berthe reprirent le chemin de la Normandie, ils firent, sans se lamenter, l'inventaire des pillages et des déprédations. Et, aussitôt, avec une jeunesse et un entrain extraordinaires, ils entreprirent de faire revivre Fresnay. Le pays, heureusement, leur fournit les meilleurs entrepreneurs, les meilleurs artisans : ceux qui avaient conservé les méthodes d'autrefois et savaient reconstituer une boiserie du XVIIIe siècle ou refaire un toit de chaume. On fit l'oraison funèbre des meubles, des tableaux et des objets disparus, car chacun avait son histoire, chacun était un ami ; puis on en retrouva d'autres, aussi personnalisés. André et Berthe se consultaient pour chaque détail, choisissaient ensemble les couleurs des tissus, la place des objets... C'était bien le même Fresnay qui renaissait.

Pendant près de vingt-cinq ans encore, fréquenté par les mêmes amis, rajeuni par l'arrivée dans la famille des enfants d'Henriette, Fresnay continua d'être le lieu privilégié où chacun était assuré de trouver ce qu'il venait y chercher et qui lui était si chaleureusement offert : un moment de bonheur.

Françoise Benoist.

BERTHE NOUFFLARD. *Françoise Benoist.* Dessin.

20 × 18

Les Noufflard chez eux

Rue de Varenne

Cet immeuble du XVIIIe siècle, situé rue de Varenne au coin de la rue Vaneau, était profondément marqué par la personnalité des Noufflard. Ils en étaient le noyau et en avaient créé l'atmosphère. Comme ils l'avaient voulu, c'était une sorte de monde à part, peuplé d'amis, où tous se parlaient, se connaissaient et les liens forgés autrefois durent encore.

Leur appartement, au deuxième étage, entre cour et jardin, était comme l'expression des caractères fondamentaux de ce couple, unique pour ceux qui l'ont connu. Situé en plein cœur de Paris, de vastes proportions mais sans apparat, tapissé avec grand soin quant au choix des couleurs, mais sans luxe, garni de meubles français, italiens ou anglais, tous anciens, il était extraordinairement calme, ses fenêtres ouvrant sur les grands arbres du jardin.

Dans le salon où ils se tenaient généralement, deux glaces 1860 se faisaient vis-à-vis. On aurait pu se croire dans une demeure provinciale du siècle dernier, très loin de tout. C'est là qu'ils recevaient. Madame Noufflard, assise sur le confortable canapé anglais recouvert d'une cretonne à fleurs, était généralement habillée d'une jupe un peu longue de couleur sombre et d'un chemisier blanc, ou d'une robe grise. Le tout était d'un style à la fois simple et raffiné qui lui était propre. Monsieur Noufflard était assis près d'elle dans un grand fauteuil, et portait avec son élégance naturelle un costume de tweed, ou parfois comme à Fresnay une culotte de cheval et des bas. A leur portée, la grande table ronde, surchargée de livres, de revues, de correspondances, de fleurs, de boîtes de bonbons... Dans ce salon, tout avait trouvé une place parfaite ; les meubles comme les objets avaient une double signification. C'étaient des objets aimés, choisis parce qu'ils associaient utilité et beauté, et souvent parce qu'ils évoquaient une histoire particulière. Venus de France, d'Italie, d'Angleterre... ou de Chine, depuis très longtemps dans la famille ou acquis au cours d'un voyage, ces objets étaient chargés chacun d'une sorte de mission. Ils rappelaient le passé d'une Italie quittée, d'un voyage à Oxford, d'une conversation avec quelqu'un, d'un paysage, d'une amitié... Aux murs, les Noufflard avaient accroché les tableaux les plus aimés, ceux qu'ils ne cessaient d'avoir du bonheur à regarder. Les toiles de leurs amis — Henri Rivière, J.-E. Blanche, Lucien Simon, P.-L. Moreau, Cacan, Alexandre Benois, Barbier... — voisinaient avec celles de Corot, Degas, Delacroix. On voyait rarement dans le salon une peinture en cours d'élaboration, car c'est dans leurs ateliers respectifs, côté cour, qu'ils travaillaient, ateliers dans lesquels on n'entrait que lorsqu'ils désiraient vous montrer leur peinture.

Les Noufflard étaient d'un accueil charmant. Vivant à Paris, ville agitée, où beaucoup de leurs amis avaient un carnet de rendez-vous surchargé et la tête cassée par le téléphone, ils parvenaient à rester disponibles ; Monsieur Noufflard évoquait la paix de la campagne qu'il aimait tant, Madame Noufflard était plus citadine par ses goûts. Ils étaient là, tous les deux. Certes, ils travaillaient beaucoup, mais sans hâte, sans énervement, et — dans une certaine mesure — comme on devait travailler au XIXᵉ siècle, dans la haute bourgeoisie, quand on était libre de son temps. A quelque moment qu'on arrivât, on n'avait jamais l'impression de les déranger. Lorsqu'on venait déjeuner ou dîner, le décor, le service, tout était parfait. La blancheur des faïences, dont certaines avaient peut-être été achetées dans un marché italien — mais qui avaient toutes l'air de sortir d'un musée d'antiquités — ressortait sur les étagères du buffet d'acajou. Au centre de la table, un plateau rond de cristal et d'argent pivotait, présentant à qui le demandait le sel, le pain, le fromage... Dans la conversation, toujours animée, jamais un mot vulgaire n'était prononcé, et, cependant, tout était simple, naturel, sans contrainte.

Et que de livres lus et aimés ! Leur culture était à la fois classique, contemporaine, de tous les pays, et souvent inattendue.

Leurs familles et leur entourage avaient été liés avec des hommes tels que Degas, Valéry, Alain ou Clemenceau, et ils continuaient tout naturellement à fréquenter des personnalités de grande valeur. D'ailleurs ils donnaient l'impression d'avoir assez de loisirs pour ne s'occuper que de l'essentiel, et, pour eux, l'essentiel était une attitude morale et une attitude vis-à-vis de l'art. Certes, ils rejetaient une grande part de l'art moderne. L'art qu'ils célébraient était la continuation de celui des Impressionnistes, basé sur un goût extrême du jeu de la lumière sur la nature, sur les êtres, sur les objets. Ils vibraient à une lumière frisante sur un peuplier au printemps, ou à l'alliance entre les tons d'un mur de briques Louis XIII et ceux d'un arbre — non pas de n'importe quel arbre, mais de « cet arbre-là ». Ils savaient regarder un paysage comme un tableau, et ils sentaient un tableau comme un paysage. Ce goût extraordinaire, cet amour qu'ils avaient pour l'objet peint, sculpté ou construit, était chez eux à l'extrême opposé de ce qu'on pourrait appeler l'esthétisme. C'était quelque chose de sain, de solide, qui les ramenait au fondamental : la terre, le monde et sa beauté. Une œuvre d'art, commentée par eux, en était plus belle. Combien ils connaissaient de faits passionnants, tirés de la vie-même, qui éclairaient leur propos ! Rien de léger, et, cependant, que de rire et d'amusement devant les anecdotes qu'ils racontaient, tant sur les peintres — de Michel-Ange à « Monsieur Degas » — que sur le monde des amateurs d'art...

Monsieur Noufflard avait pris grand plaisir à traduire et à présenter « La vie de Michel-Ange par Condivi, son élève et ami » [1]. Il traduisit aussi le conte florentin du

XVe siècle qui met en scène Donatello, Brunelleschi et leurs amis [2]. Il est malheureux que ce récit étonnant n'ait pas trouvé d'éditeur.

Ne les croyons pas pour autant réfugiés dans leur art. Tous les deux furent profondément atteints par les événements, hélas, si angoissants, des années précédant la guerre de 1939-1945. La mort tragique de leur ami Carlo Rosselli et de son frère Nello, antifascistes italiens assassinés en France sur l'ordre de Ciano, a ouvert pour eux je ne dirai pas l'ère de la terreur, mais celle des ébranlements catastrophiques. Il y eut les heures sombres de l'Occupation. Et même lorsque, après la guerre, ils reprirent rue de Varenne leur vie en apparence paisible, ils restaient douloureusement à l'écoute de ce monde où la victoire sur le nazisme n'avait pas apporté la paix, où la misère était constante. Lorsqu'on en parlait avec elle ou devant elle, le visage de Madame Noufflard prenait une expression bouleversante, tout à fait surprenante dans le cadre exquis, raffiné, immuable de la rue de Varenne.

Ils étaient entourés de vieux amis très chers. Henri Rivière, graveur et aquarelliste célèbre, peintre de la Bretagne, avait connu Berthe jeune fille et l'avait, comme Jacques-Emile Blanche, guidée dans ses premiers pas de peintre. D'autres, comme André Barbier, peintre de talent encore mal connu de nos jours, venaient rue de Varenne comme dans un lieu de refuge, parce que les choses y étaient douces et apaisantes. De même Alexandre Benois, le peintre des Ballets Russes, à la fin de sa vie. Mais les jeunes aussi aimaient venir. Quand on entrait avec un enfant dans le grand salon, à la fois si harmonieux et si peu solennel, cet enfant était aussitôt guidé vers une toute petite commode Louis XV, dont les tiroirs renfermaient des objets originaux, jouets minuscules et féeriques, souvent anciens et précieux — mais cela, l'enfant l'ignorait — et il en gardait pour sa vie une impression de rêve.

Ils furent ainsi le centre d'une société d'amis variée, qui leur était très solidement attachée. Dès qu'on parlait avec eux, on découvrait l'importance de leur participation au monde qui les entourait. On s'apercevait à quel point ils ressentaient les choses, et avec quelle discrétion, quelle pudeur, l'un par l'autre ils agissaient. Parfois l'un commençait une histoire que l'autre terminait. Ce couple semblait n'avoir jamais été séparé, lui très grand, elle petite, tous deux en harmonie dans une atmosphère chaude, souriante et solide. Sans bruit, sans discours, sans leçons autres que leur vie et leur manière d'être, ils ont marqué leur temps plus profondément que ne l'ont fait certaines personnalités brillantes et tapageuses de leur génération.

Etienne Bauer.

(1) Cet ouvrage a été édité par Floury en 1949, et couronné par l'Académie Française.
(2) *Il grasso legnaiuolo*, dont on trouvera page 287 la préface par André Noufflard.

BERTHE NOUFFLARD. *Sous la lampe. Dessin.* 1954.
(Hélène Clément, Alexandre Benois, André Noufflard).

314

Chez Alexandre Benois

« Les séances de vos chers parents ici, c'était un enchantement ! Comme ils aimaient écouter ! Si peu de gens aujourd'hui savent écouter...

Berthe savait trouver exactement le point dans une peinture, tel accent, tel contact, qui était là pour lui donner un éclat, un charme particulier. (« Oh ! cette petite tache rouge ! cet éclat blanc... ») Rien ne me remplacera l'enthousiasme de vos parents devant une belle chose, cette manière de voir, de remarquer : c'était magnifique !

C'est un don du Ciel d'avoir connu votre famille dans leur splendeur humaine — si, si, c'est bien ce mot-là qu'il faut écrire ! J'ai eu une longue vie, ma chère Geneviève, et je n'ai jamais trouvé quelque chose de semblable à cette finesse de l'esprit, à cette sensibilité à la beauté des choses, qu'on trouvait chez vos parents — comme chez mes parents. C'étaient des êtres exceptionnels, et ceci était exactement l'avis de mon père. Il se sentait épanoui lui-même, lorsqu'il se trouvait avec eux : libre d'exprimer les opinions qui lui étaient naturelles, sans contrainte et sans préparation, comme un cri sincère du cœur.

Quand ils étaient ici, c'était comme une sorte de symphonie de belles choses. Et moi, là, à table, je me délectais. C'est impalpable, mais cela entre en vous. J'étais pénétrée, comme de l'euphorie qu'on peut éprouver à un concert magnifique. »

Anne Benois-Tcherkessoff.

24 × 19

BERTHE NOUFFLARD. *Françoise Haguenau.* 1947.

316

Hommage

En ces temps de hâte et d'angoisse, quel bonheur d'avoir connu « les Noufflard » ! Berthe et André Noufflard, au-delà et au travers de leur œuvre picturale, c'est la merveilleuse, la vivante incarnation de tout ce qu'a signifié la culture occidentale à Paris, à Londres, à Florence, à la fin du siècle dernier et au début de ce siècle.

Quand on cherche à analyser pourquoi ils étaient si remarquables, pourquoi ils avaient tant d'importance, chacun d'eux et tous les deux l'un avec l'autre, il me semble que c'est qu'ils personnifiaient des valeurs fondamentales sur un mode souriant. Tout chez eux était charme et simplicité. Lorsqu'on arrivait chez « les Noufflard », c'était comme si on avait pu faire une pause, laisser sur le pas de la porte, pour un petit temps, les tracas, les harcèlements de la vie que l'on n'a pas le temps de vivre. Il n'y avait qu'à se laisser imprégner par l'ambiance et l'on recevait l'un des plus beaux cadeaux qu'il ait été donné de recevoir en ce XXᵉ siècle : la culture mêlée à l'amitié. La culture, pas seulement celle des livres, des objets, des œuvres d'art, mais celle tissée dans le cœur et dans l'âme au fil du vécu.

C'est parce qu'ils avaient cette « ouverture », cet « accueil » au sens le plus beau de chacun de ces termes, et qu'ils se trouvaient à la croisée des chemins entre les mondes les plus divers qu'ils étaient exceptionnels.

A la croisée des mondes en effet :

— de l'Alsace de Madame Langweil et de Hansi à l'Angleterre, celle d'Elie Halévy aussi bien que celle de la « gentry » ;

— de la Normandie — celle de leurs ancêtres, de Maupassant, ou celle des hobereaux et des grands seigneurs d'alentour — à l'Italie de Michel-Ange, mais aussi celle de la Marquise Chigi ou celle des frères Rosselli ;

— des Pays du Nord, de Georg Brandes ou des Waldenström à la Chine des Ming ;

— de Paris enfin, le Paris du faubourg Saint-Germain comme le Paris de Montmartre.

Tous ces mondes, ont été les leurs, sans même parler de celui de la peinture, et ils ont créé les liens les plus profonds avec ce que chacun comptait de personnages émouvants, intéressants, significatifs. Tant de personnages qu'ils ont rendus réels, quotidiens presque.

Où irons-nous à présent lorsque nous voudrons parler avec quelqu'un qui les aura connus, parler de Degas, évoquer son personnage ombrageux, ses sorties insolentes, parler de Henri Rivière, de Monsieur Rouart, de Manet, de Berthe Morisot ? Avec qui commenter Valéry ?

Qui maintenant nous évoquera pour l'avoir vécue la naissance des Ballets Russes et nous en contera les décors, qui nous fera rencontrer Alexandre Benois et nous parlera de la Karsavina ?

Qui nous introduira à George Moore ou nous donnera des lettres manuscrites de Henry James adressées à une amie commune ?

Qui, à la veillée, sous la lampe, nous fera revivre les ancêtres normands dans la saveur de leur vie quotidienne, du même coup nous retraçant toute l'histoire d'une province, d'une époque, d'une société ?

Qui nous déchiffrera les vieux manuscrits tirés du grenier, les lettres de ces voyageurs qui tissaient la trame de l'Europe, Georges Noufflard et Georg Brandes ?

Qui nous apprendra à **regarder?** le contour d'un visage, le fût d'un hêtre, la qualité d'une couleur par rapport à une autre, la texture, la matière ? Qui nous donnera le sens des **valeurs?**

C'était « l'atmosphère Noufflard ». Leur charme envahissait les demeures autour d'eux, pas seulement rue de Varenne (quel bonheur qu'un poète soit là pour le dire !), pas seulement Fresnay, mais cette atmosphère imprégnait les lieux les plus divers, cet appartement d'une sombre rue toulousaine aussi bien que cette modeste petite maison au bord d'une quelconque route nationale, où nous les avons connus pendant la guerre. Ce charme, nous en sommes encore tout enveloppés. C'est ainsi que Berthe et André Noufflard nous transmettent le message de toute une époque où la noblesse et la culture étaient prisées, et l'on rend grâces aux dieux d'avoir été de leurs amis.

Françoise Haguenau.

318

English Friends

I was eighteen when I first climbed the stairs to the Noufflard's flat in the Rue de Varenne. I had just left school, and was in Paris for the first time. The Elie Halévys, old friends of my parents, had promised to keep an eye on me, and to Florence Halévy it occurred that I might prove a suitable friend for her niece Henriette, three years my junior. I was accordingly invited to lunch by Henriette's parents, and a few days later Henriette and I were sent together to the Comédie Française, to see *L'Abbé Constantin*. The plans of grown-ups for the young do not always succeed ; but on this occasion the seed was well sown. That summer I was invited to Fresnay, Henriette returned to England with me, and from then on there was no year untill Berthe's death, save for the years of war, when I failed to spend some summer days at Fresnay, in what became almost another home. For it was not only a particular friendship that grew from that afternoon in 1931 : it was a whole network of family affection.

It is only by degrees that the parents of one's friends reveal themselves. Before the war it never, I think, occurred to me that England as such had any special importance for André and Berthe. To a French eye, no doubt, English influences were apparent at a glance : furniture, Liberty fabrics, the books on the shelves, André's beautiful tweeds, perhaps an extra degree of ease and informality in social relations. But to the English eye this was less obvious. It was not the shape of the sofa, nor the command of the English language, nor even the fact that Henriette and Geneviève had been brought up on English nursery rhymes and games that made a shy young English visitor feel immediatly at home. It was that from the start a real personal relationship was established. Nothing could have been less like the almost professional Anglophilia that an English traveller sometimes encounters. It was not that the English, collectively, were the correct thing. It seemed rather that a number of individuals, who were close friends, happened to be English. Others were Swedish, or American, or of course Italian : it was an open household, not a closed, and friendships were cultivated where they were found. It was our good fortune that, whether from chance, the family connections on both sides, natural affinities, or a combination of all these, so many were found from the other side of the Channel.

That there were in fact many connections to draw upon was of course clear. Berthe's remarkable mother, Madame Langweil, already retired from her business when I knew her and a martyr to ennui, liked to recall her English clients and in particular her dealings with Lord Kitchener. It was she who was in the first instance responsible for Berthe's beautiful spoken English, a language which she herself only acquired painfully and late, and for early visits to London. André too had learnt English young — he had kept an English journal as a boy — and his sister's marriage with Elie Halévy had opened up a wide field of English acquaintance. Halévy visited England every year for his work on the *History of the English People in the 19th Century* and was entirely at home, especially where the academic and political worlds intersected among the early Fabian socialists. J.-E. Blanche, the painter in whose studio André and Berthe first met, and for whom they cherished a warm, if amused, affection, had introduced Berthe to Sickert and George Moore in her early days, and himself possessed and cherished an entree into what still existed between the wars as London Society. The Italian background played its part too, for the English community in Florence lived on in the afterglow of the Brownings and preserved its links with the intellectual worlds of London and Paris. It was from this Anglo-Florentine Society that emerged one of the great figures, perhaps the greatest, of Berthe's life, Violet Paget who wrote under the name of Vernon Lee.

Miss Paget and the Noufflards had been made known to each other by Madame Duclaux soon after the first war. Madame Duclaux and her sister Mabel Robinson, long-standing friends both of the Halevys and of the Noufflards, were the daughters of an English banker who, in the later years of the nineteenth century, drew all the London intellectuals into his circle, and among them the young Vernon Lee. She had already established herself as a writer early enough to be celebrated by Browning in *Asolando*, and she lived on to be saluted by Bernard Shaw as « the old guard of the Victorian cosmopolitan intellectuals » and to be considered seriously, if critically, by the young Virginia Woolf. If in the '20 s and '30 s she was less read than she had been before the war, her conversation remained as fascinating as ever, and to Berthe and André — for he shared, though more temperately, in the cult — she was clearly an illuminating force of the first order. Her pacificism, her internationalism, her acute visual sense and wide European culture, all met and enhanced Berthe's own feelings and aspirations. Her words were treasured, her portrait, with the fine hands and shock of white hair, painted again and again. When she died in 1935 her shade continued to hover over Fresnay and her name was never spoken but with a special reverence of its own.

The 1937 exhibition of André and Berthe's painting at the Wertheim Gallery brought both to London, and indeed to many other parts of England, for once across the channel they found their friends everywhere. There were the various English girls (notably Dorothy Gilbert, by now Mrs Farrand), who had taught Henriette and Geneviève, almost all of them still in close and affectionate touch. At Oxford there were my parents — my father Herbert Fisher was then Warden of New College — and Miss Mabel Price, with her memories of Walter Pater and his circle, one of the Anglo-Florentine friends of Miss Paget and Madame

he dessinent à Land's End.

Berthe et Henri Rivière
à Orvieto.

André officier italien

327

Broncigliano.

Le jeune ménage attend son premier bébé.

*Le balcon de la maison
des Adoubes à Albertville :
Berthe et Henriette
avec Françoise et Florence Halévy.*

La véranda de Sucy.
Berthe et Henriette avec les Halévy.

Avec la famille italienne à Faenza.
De gauche à droite : Henriette, Titina, Jeanne et Gigino Acquaviva, Madame E. Noufflard, Geneviève, Berthe.

329

Promenade à Fresnay (1925). Berthe, Henri Rivière, Madame Langweil, Madame Noufflard mère, Madame Rivière.

Les Parodi et les Noufflard. De gauche à droite :
Monsieur Parodi, Paulette, Jacqueline,
Alexandre et Madame Parodi,
André et Geneviève, Henriette, René,
Madame Langweil et Berthe.

Madame Benoist.

330

Berthe et Tante Louise Halévy. (Photo A.N.).

André et Berthe au Cireygeol.

Carlo Rosselli et son fils John à Fresnay. (Pentecôte 1937).

Index
des personnes citées

Table des illustrations

Œuvres d'André Noufflard

Œuvres de Berthe Noufflard

Photographies

Table des matières

ACHEVÉ D'IMPRIMER LE 15 OCTOBRE 1982
SUR LES PRESSES
DE L'IMPRIMERIE DE LA VALLÉE D'EURE
76, RUE ISAMBARD, PACY-SUR-EURE (EURE)

ISBN 2-904270-00-0
Printed in France

Reproductions réalisées par Philippe Sébert, Paris.
Mise en page : Patricia Lemaigre Dubreuil, Paris.